CYFLWYNIAD I ASTUDIO'R IAITH GYMRAEG

CYFLWYNIAD I ASTUDIO'R IAITH GYMRAEG

D. A. THORNE

Cyhoeddwyd ar ran
Bwrdd Gwybodau Celtaidd
Prifysgol Cymru

CAERDYDD
GWASG PRIFYSGOL CYMRU
1985

Manylion Catalogio Cyhoeddi (CIP) y Llyfrgell Brydeinig
Thorne, D.
Cyflwyniad i astudio'r iaith Gymraeg.
1. yr iaith Gymraeg – Gramadeg
I. Teitl
491.6´682 PB2123
ISBN 0-7083-0892-9

Cyfieithwyd y Manylion Catalogio Cyhoeddi gan y Cyhoeddwyr.

Argraffwyd yng Nghymru gan CSP, Caerdydd

RHAGAIR

Ymgais yw'r gwaith hwn i gyflwyno rhai agweddau ar astudiaethau ieithyddol i efrydwyr sydd, efallai, wedi clywed yr enw Ieithyddiaeth ond heb fod yn rhy sicr o ystyr ac o arwyddocâd y term. Gan nad yw Ieithyddiaeth yn bwnc ar amserlen yr ysgol uwchradd y mae'n faes hollol newydd, yn aml, i fyfyrwyr ar eu blwyddyn gyntaf yn y Brifysgol ac y mae pob un o adrannau'r Gymraeg ym Mhrifysgol Cymru yn cynnwys rhyw agwedd ar ieithyddiaeth ymhlith eu dewisiadau. Nid yw'r drafodaeth hon yn rhagdybio unrhyw wybodaeth flaenorol o'r pwnc.

Cyflwyniad i astudio'r iaith Gymraeg yw'r llyfr ac nid gwerslyfr hyfforddi mewn methodoleg ieithyddol. Nid ydyw, ychwaith, yn arolwg o'r holl weithgareddau sy'n gysylltiedig yn uniongyrchol neu'n anuniongyrchol â'r gwyddorau ieithyddol. Fe'i bwriedir yn bennaf fel llyfr cyflwyno i rai cyrsiau elfennol ar Ieithyddiaeth.

Rhydd yr adrannau cyntaf fraslun o hanes astudiaethau ieithyddol ac yn yr adran olaf cynigir un fframwaith bosibl ar gyfer disgrifio'r Gymraeg. Y mae hi'n sicr y byddai eraill wedi dewis cyflwyno fframwaith arall ac wedi dymuno pwysleisio agweddau gwahanol ar hanes y pwnc. Byddai pob ychwanegiad yn cyfoethogi'r ymdriniaeth, mae'n ddiau.

Bydd fy nyled i haneswyr ieithyddiaeth ac i weithiau'r ysgol systemig yn amlwg ddigon. Fe'm cyflwynwyd i'r dull hwn gyntaf gan y Dr Ceinwen H. Thomas. Mawr yw fy niolch, yn ogystal, i bob un o'm cydweithwyr yng Ngholeg Prifysgol Dewi Sant ac i swyddogion Gwasg Prifysgol Cymru. Yr wyf yn bur ddyledus hefyd i'r Athro J. E. Caerwyn Williams ac i'r Athro D. Elis Evans: darllenodd y ddau ohonynt y gwaith mewn teipysgrif a chynnig sylwadau gwerthfawr yn ogystal ag argymell y gwaith i'w gyhoeddi.

BYRFODDAU

Add.	*Yr Addुned* (cyfieithiad Robat G. Powell o *Das Versprechan* gan Friedrich Dürrenmat; Academi Gymreig, 1976).
B.	*Breuddwydion,* Marged Prichard (Llandysul, 1978).
C.	*Carnifal: Storïau gan Gerhart Hauptman a Heinrich Böll* (cyfieithiad J. Elwyn Jones; Y Bala, 1974).
CF.	*Catrin o Ferain,* R. Cyril Hughes (Llandysul, 1975).
CoH.	*Cawod o Haul,* Ioan Kidd (Llandysul, 1975).
DFA.	*Dros Fryniau Bro Afallon,* Jane Edwards (Llandysul, 1977).
DyP.	*Dirgelwch y Parlys Gwyn,* Idwal Jones (Llanrwst, 1979).
G.	*Gobaith a Storïau Eraill,* Kate Roberts (Dinbych, 1972).
GT v DG.	*Gari Tryfan v Dominus Gama,* Idwal Jones (Llanrwst, 1979).
LaL.	*Lawr ar Lan y Môr: Storïau am Arfordir Dyfed,* T. Llew Jones (Llandysul, 1977).
LLA.	*Llys Aberffraw,* Rhiannon Davies Jones (Llandysul, 1977).
LlD.	*Llofrudd Da,* Idwal Jones (Llanrwst, 1977).
Marg.	*Marged,* T. Glynne Davies (Llandysul, 1974).
MMA.	*Maigret'n mynd adre,* Georges Simenon (trosiad gan Mair Hunt; Caerdydd, 1973).
RB.	*Storïau Awr Hamdden,* Gol. Urien Wiliam (Llandybïe, 1974).
YBC.	*Y Bywgraffiadur Cymreig Hyd 1940* (ail argraffiad; Llundain, 1953).

FFYNONELLAU

Nodir isod ffynonellau deunydd darluniadol a atgynhyrchir yn y testun.

Llyfrgell Genedlaethol Cymru: Tudalen deitl 'A briefe and a playne introduction'; Tudalen deitl 'Grammaticae Britannica'; Tudalen deitl 'Antiquae Linguae Britannicae'; Tudalen deitl 'A Dictionary in Englyshe and Welshe'; Tudalen o 'A Dictionary in Englyshe and Welshe'; Edward Lhuyd; Syr John Rhŷs; John Peter (Ioan Pedr); Map Ieithyddol John Rhŷs; Rhan o holiadur a gwblhawyd gan Eilir Evans; Tudalen o holiadur Urdd Graddedigion Prifysgol Cymru; Astudiaethau o eiddo Henry Sweet. Universitätsbibliothek Graz: Hugo Schuchardt.

L. Bloomfield, *Language* (George Allen & Unwin): ffigurau 2, 3 (t. 70); K. M. Petyt, *The Study of Dialect: An Introduction to Dialectology* (Andre Deutsch): ffigur 4 (t. 71); C. Board et al, Progress in Geography VII (Edward Arnold): ffigur 5 (t. 71); H. Kurath, *Word Geography of the Eastern United States* (University of Michigan Press): ffigur 6 (t. 73); H. Orton, N. Wright, *Word Geography of England* (Seminar Press): ffigur 7 (t. 74); H. Speitl, J. Mather, G. W. Leslie, *Linguistic Atlas of Scotland* (Croom Helm): ffigurau 8, 9 (tt. 75–6); Bibliothèque Nationale, Paris: ffigur 10 (t. 78); H. Kurath, *Studies in Area Linguistics* (Indiana University Press): ffigur 11 (t. 80); J. K. Chambers, P. Trudgill, *Dialectology* (Cambridge University Press): ffigur 12 (t. 80), Yr Wyddor Gydwladol (t. 121); A. R. Thomas, *The Linguistic Geography of Wales* (Gwasg Prifysgol Cymru): ffigurau 23–6 (tt. 99–102), ffigurau 30, 31 (tt. 108–9); M. Richards, *Welsh Administrative and Territorial Units* (Gwasg Prifysgol Cymru): ffigur 27 (t. 103).

Seiliwyd ffigurau 3–6 (tt. 126–8) ar ffigurau yn J. D. O'Connor, *Phonetics* (Pelican), a ffigurau 7–22 (tt. 132–3) ar ffigurau yn A. C. Gimson, *An Introduction to the Pronunciation of English* (Edward Arnold).

Dymuna'r cyhoeddwyr ddiolch i Mr Trevor Harries, Coleg Prifysgol Dewi Sant, am lunio mapiau a ffigurau i'r gyfrol; i'r Dr G. E. Jones am ganiatâd i wneud seinlun yn Uned Ieithyddol Gymraeg Coleg y Brifysgol, Caerdydd; ac i Mr Vaughan Huws a'r Dr Prys Morgan am ganiatâd i gynnwys y cerddi, ar dudalennau 173 a 174, o'r cylchgrawn *Pair*.

CYNNWYS

1
RHAGARWEINIAD

ASTUDIO IAITH

Enw'r wyddor a fo'n ymwneud ag astudio iaith yw Ieithyddiaeth. Gellir astudio iaith o nifer o safbwyntiau ac o ganlyniad y mae gwyddor ieithyddiaeth yn ymrannu'n nifer o ganghennau, megis IEITHYDDIAETH GYFFREDINOL, IEITHYDDIAETH DDISGRIFIADOL, IEITHYDDIAETH GYMHAROL, IEITHYDDIAETH GYMWYSEDIG ac y mae pob un o'r canghennau hyn yn ymwneud ag agwedd wahanol ar astudio iaith.

IEITHYDDIAETH GYFFREDINOL

Y mae a wnelo ieithyddiaeth gyffredinol, neu IEITHYDDIAETH DDAMCANIAETHOL fel y gelwir y pwnc weithiau, ag astudio natur iaith. Prif ddiddordeb ieithyddion a fo'n ymhél â'r gangen hon o ieithyddiaeth yw cwestiynau megis, 'Beth yw iaith?', 'Sut y mae iaith yn gweithio?', 'Pa elfennau sy'n gyffredin i bob iaith?'.

Er mai astudio elfennau sy'n gyffredin i bob iaith a wna'r ieithydd cyffredinol, ni olyga hyn ei fod yn medru holl ieithoedd y byd (amcangyfrifir bod tua thair mil ohonynt!). Gan amlaf bydd yr ieithydd cyffredinol yn ymroi i astudio nifer o ieithoedd a'r rheini yn ieithoedd o natur cwbl wahanol i'w iaith frodorol ef ei hun.

IEITHYDDIAETH DDISGRIFIADOL

Y mae a wnelo ieithyddiaeth ddisgrifiadol â dadansoddi ieithoedd unigol ac â disgrifio nodweddion arbennig ieithoedd unigol megis y Gymraeg neu'r Wyddeleg. Nod astudiaeth ddisgrifiadol yw disgrifio'r iaith dan sylw yn y modd mwyaf effeithiol; h.y. yn y dull sy'n arddangos patrymau canfyddadwy'r iaith honno gliriaf.

Yn hytrach nag amcanu at ddisgrifio'r iaith yn ei chrynswth, gallai ieithydd disgrifiadol anelu at ddisgrifio amrywiad arbennig ar yr iaith yn unig: er enghraifft, disgrifiad o'r dafodiaith a arferir mewn ardal arbennig — Tafarnau

Bach yng Ngwent neu Flaenau Ffestiniog yng Ngwynedd; neu ddisgrifiad o'r wedd ar yr iaith a arddelir gan ddosbarth cymdeithasol arbennig o fewn y gymuned ieithyddol; neu ddisgrifiad o'r wedd ar yr iaith a ddefnyddir gan bobl o oed arbennig; neu iaith papurau newydd.

Dyna rai, o leiaf, o'r amrywiadau ieithyddol–gymdeithasegol a gydnabyddir ac a astudir gan ieithydd disgrifiadol ac nid dosbarthiadau cwbl annibynnol y naill ar y llall mohonynt o bell ffordd. Yr ydym i gyd yn meddu ar dafodiaith arbennig am ein bod wedi ein magu mewn ardal arbennig, am ein bod wedi ein haddysgu hyd at safon arbennig mewn sefydliadau arbennig, am ein bod o oed arbennig ac wedi byw mewn awyrgylch gymdeithasol arbennig. Y mae'n dilyn, felly, mai'r rhaniad lleiaf y gellir ei ddidoli o fewn maes tafodieitheg yw astudiaeth o arferion ieithyddol yr unigolyn, sef ei idiolect.

Er sôn am arferion ieithyddol yr unigolyn nid ydys eto wedi dihysbyddu'r holl is-raniadau a fo'n bosibl o fewn y maes ieithyddol ac a astudir gan ieithydd disgrifiadol. Amrywia arferion ieithyddol pob unigolyn yn ôl y sefyllfa neu'r awyrgylch gymdeithasol y mae'n digwydd byw ynddi ac yn ôl sut y mae'n dehongli'r gwahanol swyddogaethau y mae'n eu cyflawni o fewn y gymdeithas honno. Gellid disgwyl i ddarlithydd yn y Gymraeg, er enghraifft, arfer gwedd arbennig ar yr iaith ar gyfer darlithio'n ffurfiol, gwedd arall wrth lywio trafodaeth gyda dosbarth o fyfyrwyr, gwedd wahanol gartref gyda'r teulu a gwedd arall eto wrth leisio cefnogaeth i dîm rygbi Llanelli o'r banc *wech* ar brynhawn Sadwrn. Byddai ganddo wedd ar iaith a fyddai'n addas ar gyfer erthygl mewn cylchgrawn academaidd, gwedd arall a fyddai'n addas ar gyfer nodyn at gyfaill o gydweithiwr. Y mae'r gweddau hyn ar iaith yn dra chyffredin a chanfyddadwy ond y mae, yn ogystal, bynciau a geiriau a osgoir dan amgylchiadau cymdeithasol arbennig (yng nghwmni dieithriaid, plant, merched, etc.). Pynciau gwaharddedig y gelwir pynciau o'r fath a thuedd y gymdeithas yr ydym ni'n rhan ohoni yw cynnwys pynciau megis ysgarthu neu frolio campau rhywiol ymhlith y pynciau gwaharddedig hyn. Perthyn ffurfiau gwaharddedig i bob iaith ac wrth ddisgrifio pwnc neu ffurf yn waharddedig yr hyn a olygir yw bod ymdeimlad o amharodrwydd neu swildod ynglŷn â'i ddefnyddio bob dydd, hynny yw mewn sefyllfaoedd arbennig dan amodau arbennig yn unig y defnyddir ffurfiau gwaharddedig. Petaent yn hollol waharddedig ni fyddent, wrth gwrs, yn rhan o gyfundrefn yr iaith, oblegid byddent wedi diflannu.

Y mae ymwybyddiaeth o arddulliau fel hyn yn rhan o'r gynhysgaeth ieithyddol a etifeddwyd gan hyd yn oed y mwyaf difreintiedig o blant dynion. Weithiau gelwir yr amrywiol arddulliau yn gyweiriau ac y mae cywair, megis tafodiaith, yn amrywiad ar iaith. Bydd y cywair a ddewisir gennym yn dibynnu ar nifer o ffactorau: a ydym yn dewis y cyfrwng llafar neu'r cyfrwng ysgrifenedig; ar y pwnc yr ydys yn traethu arno neu'n ysgrifennu yn ei gylch; ar amcan y cyfathrebu. Y mae cywair yn wedd ar iaith sy'n dibynnu ar y defnydd a wneir o'r iaith. Y mae tafodiaith yn wedd ar iaith sy'n dibynnu ar y person a fo'n arfer yr iaith; y mae'n wedd ar iaith sy'n dibynnu ar gefndir taleithiol a chymdeithasol y siaradwr. Y gweithgarwch cymdeithasol yr ydys yn ymgymryd ag ef ar y pryd, sut bynnag, sy'n rheoli'r cywair a ddewisir gennym a chan fod ein gweithgarwch cymdeithasol yn amrywio, dewisir amrywiol gyweiriau gennym. Astudiaeth ddisgrifiadol fyddai astudiaeth o gywair arbennig ac ymhlith yr astudiaethau a gwblhawyd ar gyweiriau'r Saesneg y mae disgrifiad o iaith hysbysebu ac o iaith dogfennau gwyddonol.[1]

Gallai astudiaeth ddisgrifiadol astudio'r iaith ar gyfnod arbennig: cyfnod Hen Gymraeg neu gyfnod Cymraeg Canol. Y mae *An Introduction to Early Welsh* John Strachan[2] a *Gramadeg Cymraeg Canol* yr Athro D Simon Evans[3] yn enghreifftio astudiaethau o'r fath. Astudio iaith benodol neu wedd ar iaith benodol ar gyfnod penodol naill ai yn y gorffennol neu yn y presennol a wna'r ieithydd disgrifiadol. Nid oes a wnelo ei ddisgrifiad â sut y newidiodd yr iaith rhwng dau gyfnod. Byddai disgrifiad o idiolect arbennig yn astudiaeth ddisgrifiadol, felly hefyd astudiaeth o destun arbennig megis cyfrol o farddoniaeth neu o sgwrs radio.

Er bod ieithyddiaeth ddisgrifiadol yn ddisgyblaeth wahanol i ieithyddiaeth gyffredinol, rhydd astudiaethau disgrifiadol o ieithoedd unigol ac o weddau ar yr ieithoedd hynny atebion, wrth gwrs, i'r math o gwestiynau a nodwyd gennym eisoes fel pynciau a fo'n ddiddordeb i'r ieithydd cyffredinol.

IEITHYDDIAETH GYMHAROL

Wedi iddo ddisgrifio mwy nag un iaith, neu fwy nag un wedd ar yr un iaith, gall yr ieithydd, os mynn, eu cymharu er mwyn arddangos y nodweddion sy'n gyffredin iddynt a'r gwahaniaethau rhyngddynt. Gallai'r ieithydd cymharol, pe dymunai, gymharu dau gyfnod gwahanol yn hanes yr un iaith er mwyn arddangos datblygiad hanesyddol yr iaith rhwng y ddau gyfnod hynny. Astudiaethau a fo'n ymwneud â'r wedd hanesyddol neu *ddeiacronig* ar astudio iaith yw *A Welsh Grammar: Historical and Comparative,* Syr John Morris Jones,[4] *A Concise Comparative Celtic Grammar,* Henry Lewis a Holger Pedersen[5] a *Datblygiad yr Iaith Gymraeg,* Henry Lewis,[6] lle yr astudir datblygiad y Gymraeg o'r naill gyfnod i'r llall, datblygiad y teulu Celtaidd o ieithoedd o famiaith gyffredin a'r berthynas rhwng ieithoedd a'i gilydd. Weithiau defnyddir yr enw 'Ieitheg' i ddynodi astudiaethau y bo iddynt ogwydd hanesyddol.

Priodolir rhan o'r diddordeb yma yn y wedd hanesyddol neu ddeiacronig ar bynciau ieithyddol i ddiddordeb gwyddonol y ganrif ddiwethaf mewn esblygiad yn sgîl cyhoeddi damcaniaeth esblygiad yn *The Origin of Species,* Charles Darwin. Perffaith naturiol oedd cofnodi esblygiad iaith ochr yn ochr ag esblygiad yr hil. Yr hyn sydd yn sicr yw mai astudiaethau hanesyddol a aeth â bryd ieithyddion Ewrop yn ystod y bedwaredd ganrif ar bymtheg ac yn ddiau yr oedd profi perthynas rhwng ieithoedd a'i gilydd ddiwedd y ddeunawfed ganrif yn hwb diamheuol i astudiaethau ieithyddol hanesyddol.

Y mae gwybod am ddatblygiadau hanesyddol o ddiddordeb i'r ieithydd ond y mae agweddau diddorol eraill ar astudio iaith yn ogystal â'r agwedd hanesyddol. Agweddau yw'r rhain y mae'n well eu hastudio'n SYNCRONIG, sef eu hastudio fel y maent ar adeg benodol heb gyfeirio at sut yr oeddent ar gyfnod yn y gorffennol. Er enghraifft, y mae a wnelo astudiaeth syncronig o Gymraeg ein cyfnod ni ag astudio seiniau, geiriau a phatrymau gramadegol y Gymraeg yn ein cyfnod ni, heb ymhél o gwbl â tharddiad geiriau nac ychwaith â sut y newidiodd y seiniau a'r patrymau gramadegol er cyfnod Hen Gymraeg neu gyfnod Cymraeg Canol. Nid yw gwybod am hanes y Gymraeg, er mor ddiddorol y bo'r pwnc hwnnw, o bwys o gwbl ar gyfer disgrifio Cymraeg y dydd heddiw.

Gallai ieithydd cymharol gymharu iaith mwy nag un ardal,[7] iaith mwy nag un cywair,[8] mwy nag un idiolect, iaith mwy nag un testun llenyddol.

IEITHYDDIAETH GYMWYSEDIG

Bu a wnelo'r gwahanol agweddau ar ieithyddiaeth y ceisiwyd eu disgrifio hyd yn hyn ag astudio iaith er ei mwyn ei hunan, am fod iaith a ieithoedd yn bynciau diddorol i'w hastudio ac am fod astudio iaith yn ddisgyblaeth sy'n werthfawr ynddi ei hun. Y mae gan yr ieithydd cymwysedig, sut bynnag, gymhellion eraill dros astudio iaith ar wahân i ddiddordeb mewn iaith fel iaith ac y mae'r diddordeb hwnnw'n cwmpasu pynciau megis dysgu ieithoedd, seicoleg iaith, cymdeithaseg iaith a pheirianneg cyfathrebu.

DYSGU IEITHOEDD

Yn aml defnyddir y term IEITHYDDIAETH GYMWYSEDIG yn union fel petai'n gyfystyr â dysgu ieithoedd. Y mae, sut bynnag, fwy nag un agwedd ar y pwnc hwn. Rhaid gwahaniaethu rhwng addysgu pobl ynglŷn ag iaith ac addysgu pobl sut i ddefnyddio iaith. Ystyr addysgu pobl ynglŷn ag iaith yw eu helpu i fod yn ymwybodol o natur iaith ac o'r patrymau y gellir eu canfod mewn ieithoedd arbennig ac mewn gweddau ar ieithoedd arbennig. Ystyr addysgu pobl i ddefnyddio iaith yw eu cynorthwyo i ddefnyddio iaith yn fwy effeithiol ar lafar ac yn ysgrifenedig.

Rhaid gwahaniaethu eto rhwng dysgu pobl i ddefnyddio'u hiaith eu hunain a dysgu pobl i ddefnyddio iaith estron neu iaith eu gwlad fabwysiedig. Er mwyn gwneud hyn yn llwyddiannus rhaid i'r athro iaith wybod am natur iaith, rhaid iddo wybod am natur y pwnc y mae'n ei ddysgu. Rhaid iddo fod yn ymwybodol o natur a theithi'r iaith y mae'n ei dysgu. Rhaid iddo wybod y gwahaniaeth rhwng cyfluniadau a'i gilydd. Rhaid iddo fod yn ymwybodol o amrywiol gyweiriau iaith. Rhaid iddo wybod sut y mae person yn dysgu iaith (IEITHYDDIAETH SEICOLEGOL) a sut y gall cefndir cymdeithasol effeithio ar y defnydd a wneir o iaith (IEITHYDDIAETH GYMDEITHASEGOL).

IEITHYDDIAETH SEICOLEGOL

Dyma faes sy'n cynnwys astudiaeth o bynciau perthynol o fewn maes ieithyddiaeth a maes seicoleg megis: 'Sut y mae'r bod dynol yn dysgu iaith?', 'Sut y mae'r bod dynol yn adnabod ac yn cynhyrchu llafar?', 'A oes gwybodaeth ieithyddol gan blentyn pan ddaw o'r groth?', 'I ba raddau y mae'r gramadegau a gynhyrchir gan ieithyddion yn adlewyrchu'r gramadeg ymenyddol cynhenid sy'n eiddo i bob bod dynol?', 'Beth yw hanfod y gwahaniaeth rhwng iaith plant a iaith oedolion a sut y mae'r naill yn graddol ddatblygu a mabwysiadu nodweddion y llall?'

IEITHYDDIAETH GYMDEITHASEGOL

Y mae'r maes hwn yn ystyried problemau a fo o ddiddordeb i ieithyddion ac i gymdeithasegwyr fel ei gilydd megis: 'I ba raddau ac ym mha fodd y mae'r cefndir cymdeithasol a diwylliannol yn effeithio ar y modd y byddwn yn defnyddio iaith?'.

Sylweddoli bod y cefndir cymdeithasol a diwylliannol, yn ogystal â'r gweithgarwch cymdeithasol yr ydys yn ymgymryd ag ef ar y pryd, yn effeithio ar y defnydd a wneir o iaith yw un o'r datblygiadau pwysicaf ym maes astudiaethau ieithyddol diweddar. Yn ystod y ddeunawfed ganrif a'r bedwaredd ganrif ar bymtheg, credid mai priod waith y gramadegydd oedd gosod gerbron reolau pendant ynglŷn â chywirdeb iaith. Lluniai'r gramadegydd ganllawiau wedi eu seilio ar resymeg, ar ystyriaethau hanesyddol neu werthoedd llenyddol i geisio diogelu yr hyn a dybid oedd yn safonol. Deddfai'r gramadegydd ynglŷn â'r hyn oedd yn safonol a chystwyo pob gwyro oddi wrth y safon osodedig. Ceisiai impio'r rheolau a gyfundrefnai ar y gymuned. Nid yw'r arfer hon wedi llwyr ddiflannu o'r tir, ond nod ieithyddion erbyn hyn yw disgrifio sut y mae cymuned arbennig yn defnyddio iaith. Y mae ieithyddiaeth gymdeithasegol yn pwysleisio'r angen am ystyried pa mor briodol neu dderbyniol yw defnyddio gwedd arbennig ar iaith mewn sefyllfa gymdeithasol arbennig. Bydd yr ieithydd yn ceisio darganfod a chofnodi pa weddau ar yr iaith, pa reolau ieithyddol a ddefnyddir gan y gymuned ond ni chais impio ar y gymuned reolau neu safonau allanol. Y mae'r ieithydd, yn syml, yn cydnabod bod iaith yn cael ei defnyddio i amryfal ddibenion ac mewn amryfal sefyllfaoedd cymdeithasol ac y mae'n awyddus i gofnodi a dadansoddi'r amrywio hwn. Nid oes safon hollol absoliwt o gywirdeb mewn iaith. Gallwn, wrth gwrs, gywiro dysgwr os yw'n defnyddio'r iaith mewn dull sy'n groes i arferion cydnabyddedig yr iaith. Gellir dweud, yn ogystal, fod siaradwr neu awdur sy'n arfer cywair arbennig yn anramadegol, os yw wedi troseddu yn erbyn arferion cydnabyddedig yr iaith safonol. Ond yr ydys ar dir peryglus wrth wneud hyn hyd yn oed, oherwydd yr ydys yn tybio bod y person hwnnw am ddewis y cywair safonol; gallai'r dybiaeth honno fod yn anghywir.

Wrth bwysleisio swyddogaeth ddisgrifiadol yr ieithydd nid dweud yr ydys na ddylid o gwbl osod gerbron ffurfiau ieithyddol pendant, rheolau pendant. Yn wir deillia manteision addysgiadol pendant o wneud yr union beth hwnnw weithiau, er enghraifft, wrth ddechrau cyflwyno iaith i ddysgwr. Rhaid i'r athro sicrhau bob amser, sut bynnag, fod ei ddosbarth yn ymwybodol o deithi'r iaith ac o amrywiol gyweiriau'r iaith.

PEIRIANNEG CYFATHREBU

Y mae a wnelo'r peiriannydd cyfathrebu â mwy nag un broses sy'n ymwneud ag iaith megis trosglwyddo iaith dros wifren neu drwy'r awyr, trosi neges ysgrifenedig i ryw gyfrwng arall megis curiadau electronig, ei drosglwyddo, a'i gyfieithu drachefn yn neges ysgrifenedig. Nid yw'r ieithydd wedi ei hyfforddi yn nirgel ffyrdd y peiriannydd cyfathrebu ond gall gyfrannu at rai agweddau ar ei waith yn enwedig ym maes teleffoni, trwy geisio pwyso a mesur pwysigrwydd y gwahanol ansoddau seinegol a gollir wrth drosglwyddo neges ar hyd gwifren ar fynychderfannau arbennig.

Estyniad ar y gweithgarwch hwn yw'r ymdrechion i ddatblygu techneg cyfieithu gan gyfrifiaduron. Y mae cyfarpar ar gael eisoes sy'n derbyn brawddegau, brawddegau wedi eu golygu o bosibl; gall y peiriant eu dadansoddi o safbwynt geirfa a gramadeg a chynnig cyfieithiad mewn iaith arall. Gwyddor yn ei babandod yw'r wedd hon ar beirianneg cyfathrebu ond cyn mentro i'r maes rhaid wrth wybodaeth drylwyr o sut y mae peiriannau yn gweithio, o sut y mae'r ieithoedd yn yr arbrawf yn ymdebygu i'w gilydd ac yn gwahaniaethu oddi wrth ei gilydd.

ASTUDIAETH FODERN

Yn aml iawn arferir yr ansoddair *modern* gyda'r enw ieithyddiaeth. Yn wir y mae'r termau ieithyddiaeth a thafodiaith yn hynod o brin mewn testunau Cymraeg cyn y ganrif bresennol.[9] Cynrychiola'r termau hyn ddull yr ugeinfed ganrif o astudio iaith a chydnabyddir mai Ferdinand de Saussure (1857–1913), gŵr o'r Swistir, biau'r clod am ad-drefnu astudiaethau ieithyddol a gosod sylfeini'r pwnc ar gyfer yr ugeinfed ganrif; efe a wnaeth ieithyddiaeth yn wyddor fodern ac fe dâl inni graffu ychydig ar y dyn, ei syniadau a syniadau ei ragflaenwyr.

NODIADAU

1. Gw. Leech (1966) a Huddleston *et al.* (1968).
2. Gw. Strachan, J. (1909).
3. Gw. Evans, D. S. (1951).
4. Gw. Morris-Jones, J. (1913).
5. Gw. Lewis, H. and Pedersen (1937).
6. Gw. Lewis, H. (1931).
7. Perthyn llawer o fonograffau ar yr iaith lafar a gyflwynwyd ar gyfer gradd M.A. a Ph.D. Prifysgol Cymru i'r dosbarth hwn, er enghraifft Davies, E. J., *'Astudiaeth*

Gymharol o Dafodieithoedd Dihewyd a Llandygwydd', traethawd M.A. Prifysgol Cymru, 1955, yn Llyfrgell Genedlaethol Cymru; Jones, R. O., *'A Structural Phonological Analysis and Comparison of Three Welsh Dialects'*, traethawd M. A. Prifysgol Cymru, 1967, yn Llyfrgell Genedlaethol Cymru; Thorne, D. A., *'Astudiaeth Gymharol o Ffonoleg a Gramadeg Iaith Lafar y Maenorau oddi mewn i Gwmwd Carnwyllion yn Sir Gaerfyrddin'*, traethawd Ph.D. Prifysgol Cymru, 1976, yn Llyfrgell Genedlaethol Cymru.

8. Gw. Thomas, B. (1960).
9. Diolchaf i Mr Gareth Bevan am ganiatáu i mi gael cip ar y defnyddiau perthnasol a gasglwyd ar gyfer *Geiriadur Prifysgol Cymru.*

2
RHAGFLAENWYR FERDINAND DE SAUSSURE

IEITHYDDION YR INDIA

Erbyn y bumed ganrif cyn Crist yr oedd yr offeiriaid Hindwaidd wedi dechrau sylweddoli bod iaith eu hemynau, Sansgrit Fedaidd, yn wahanol o ran ei seiniau a'i gramadeg i'r iaith gyfoes. Derbynnir bellach, wrth gwrs, fod ieithoedd mewn cyflwr parhaol o newid ond yr oedd hyn o arwyddocâd arbennig i offeiriaid ac ysgolheigion y cyfnod yn yr India, oherwydd rhan ganolog o'u cred oedd bod yn rhaid cynhyrchu union gynaniad gwreiddiol yr emynau a ddefnyddid mewn defodau crefyddol arbennig, er mwyn i'r defodau hynny lwyddo. Ceisiwyd datrys y broblem drwy benderfynu ar union nodweddion Sansgrit Fedaidd a'u cofnodi ar ddull cyfres o reolau. Hynny yw, amcanwyd at ddisgrifio seineg a gramadeg yr hen iaith a llunio testun awdurdodedig. Y dystiolaeth bendant gynharaf a feddwn ynglŷn â hyn yw gwaith a wnaed gan Pāṇini ac a adwaenir fel yr Aṣṭādhyāyī neu'r 'Wyth Llyfr' gan iddo gael ei rannu'n wyth prif adran. Perthyn y gwaith hwn i'r bedwaredd ganrif cyn Crist ac fe'i cyfansoddwyd ar ddull tua phedair mil o ddatganiadau, a elwir *sūtras*, ar gyfluniad yr iaith. Disgrifia gramadeg Pāṇini holl ffurfdroadau a tharddiadau a chystrawen Sansgrit Fedaidd. Er bod Pāṇini yn rhestru'r unedau seinegol a gynrychiolir yn yr wyddor Sansgrit, ychydig sydd ganddo ynglŷn â seineg y Sansgrit fel y cyfryw. Y mae'r gwaith, sut bynnag, yn astudiaeth syncronig, ddisgrifiadol sy'n ymwneud yn unig â'r iaith Sansgrit a rhaid ei bod yn cynrychioli ac yn adlewyrchu gwaith ysgol o ieithyddion a thafodieithegwyr Indiaidd a fu mewn bodolaeth ers nifer o genedlaethau. Datblygwyd gwaith a syniadau Pāṇini a'i ragflaenwyr gan ieithyddion diweddarach megis Patañjali (yr ail ganrif cyn Crist) a Bhar̥trhari (y seithfed ganrif O.C.).

Er i genhadon ddwyn ychydig o wybodaeth ynglŷn â'r Sansgrit ac ynglŷn â'r gramadegau Indiaidd i Ewrob yn ystod yr unfed ganrif ar bymtheg a'r ail ganrif ar bymtheg rhaid oedd aros tan ddechrau'r bedwaredd ganrif ar bymtheg cyn i Sansgrit ddod yn faes astudiaeth i ysgolheigion Ewrob. Erbyn hyn sylweddolir bod llawer o'r problemau disgrifiadol y bu ieithyddion yr ugeinfed ganrif yn ymboeni â hwynt — athrawiaeth y ffonem ac amrywio morffoffonolegol er enghraifft — wedi eu rhagweld a'u gwyntyllu gan ieithyddion y Sansgrit megis Pāṇini, Patañjali a Bhartr̥hari.

IEITHYDDION GWLAD GROEG

Ni adawodd y Groegiaid ar eu hôl ddisgrifiad mor fanwl o'u hiaith hwy ag eiddo'r Indiaid, ac ychydig o fanylion a geir yn eu gweithiau yn ogystal ynglŷn â ieithoedd y bobloedd y daethant i gysylltiad â hwynt. Y mae Herodotus ac eraill yn nodi ac yn trafod geiriau estron, ac yn y *Cratylus* y mae Platon yn cydnabod y posibilrwydd fod yr iaith Roeg wedi benthyca oddi ar ieithoedd eraill. Gwyddom am Roegiaid dwyieithog ac am fodolaeth dosbarth o gyfieithwyr cyflogedig ond nid oes fawr o dystiolaeth ynglŷn â diddordeb y Groegiaid mewn ieithoedd eraill. Y mae eu disgrifiad o'r anghyfiaith fel *bárbaroi* (βάρβαροι) sef barbariaid yn ddangoseg digonol o'u hagwedd tuag at ieithoedd eraill.

Er mai anwybyddu ieithoedd eraill a wnaeth y Groegiaid astudient eu hiaith eu hunain â brwdfrydedd ar lefel estheteg (astudio egwyddorion chwaeth) ac athroniaeth (holi a ydyw iaith yn offeryn cymwys ar gyfer trafod syniadaeth). Y broblem sylfaenol i athronwyr a ymboenai â damcaniaeth gwybodaeth oedd y berthynas rhwng y syniad a'r gair a ddefnyddir er dynodi'r syniad hwnnw. Pwnc llosg rhwng y Soffistiaid a'r hen athronwyr — a thestun dadlau am ganrifoedd wedyn — oedd a fodolai cwlwm naturiol rhwng geiriau a'r gwrthrychau a ddynodant, rhwng y *signifiant* a'r *signifié,* (a defnyddio termau llawer iawn diweddarach) ai hollol ddamweiniol, mater o gonfensiwn yn unig, oedd y berthynas rhyngddynt. Yn y *Cratylus* noda Platon ddadleuon y naill garfan a'r llall a cheir ganddo yn ogystal drafodaethau ar darddiad iaith ac ar werth cymdeithasol iaith. Gofyn a oes egwyddor gyffredinol sy'n sicrhau ffurf a chyfluniad rheolaidd i iaith neu a oes yna rym sy'n gwarantu ffurf a chyfluniad afreolaidd.

Disgrifiwyd Platon gan awdur diweddarach o Roegwr, Diogenes Laertius, fel sylfaenydd astudiaethau gramadegol yng ngwlad Groeg. Credai fod llafar (*logos*) yn seiliedig ar ddau gategori gramadegol rhesymegol sef enw a berf (yr hyn a draethir/y goddrych a'i draethiedydd) a dyma gychwyn ar ddull o ddadansoddi brawddeg sydd wedi ei fabwysiadu a'i gymhwyso a'i ddatblygu gan ieithyddion byth oddi ar hynny.

Astudiodd Aristotlys, ac yn ddiweddarach y Stoiciaid hwythau, gyfluniad yr iaith Roeg yn fanwl gan gynhyrchu diffiniadau o'r hyn y cred llawer yw gwir faes gramadeg, sef diffinio'r rhannau ymadrodd a'r categorïau gramadegol megis cyflwr, rhif, cenedl, amserau'r ferf. Er mai rhan o astudiaeth o bwnc ehangach, sef rhesymeg, oedd gramadeg iddynt hwy, gosododd eu gwaith gramadegol sylfaen ar gyfer traddodiad hirfaith. Parhaodd eu dull o drafod deunydd ieithyddol a'r eirfa a ddatblygwyd ganddynt i fod o bwys yn y byd ieithyddol tan y ganrif hon a deil i ddylanwadu ar ddulliau dysgu ac ar fethodoleg y pwnc.

Datblygwyd a chyfundrefnwyd y manylion ynglŷn â gramadeg ymhellach gan yr Alexandriaid. Yr oedd *Téchnē grammatiké* (τέχνη γραμματική) Dionysius Thrax (*c.* 100 C.C.) yn batrwm ar gyfer astudiaethau gramadegol am ganrifoedd. Gwaith ysgrifenedig awduron safonol oedd y deunydd crai ar gyfer disgrifiad Thrax o'r iaith Roeg. Ceir pum adran ar hugain i'r astudiaeth a'r unig fwlch mawr ynddi yw diffyg adran ar gystrawen. Noda Thrax wyth dosbarth o air neu wyth ran ymadrodd a dyna'r union ddosbarthiad a geir mewn disgrifiadau o'r Lladin tan ddiwedd yr Oesoedd Canol ac eithrio un newid gan nad oedd bannod yn y Lladin, a chafodd ei waith yn ogystal ddylanwad enfawr ar astudiaethau gramadegol mewn llawer o ieithoedd Ewropeaidd. Y mae'n werth cofnodi'r wyth dosbarth a geir gan Thrax ynghyd â'r diffiniad a rydd iddynt er mwyn arddangos cynildeb a manylder ei ddisgrifio:[1]

ónoma (enw):	rhan ymadrodd sy'n ffurfdroi i ddynodi cyflwr; dynoda berson neu beth.
rhē̂ma (berf):	rhan ymadrodd nad yw'n ffurfdroi i ddynodi cyflwr, ond sy'n ffurfdroi yn hytrach, ar gyfer dynodi amser, person a rhif; dynoda weithgarwch a gwblhawyd neu a wnaed.
metochḗ (rhangymeriad):	rhan ymadrodd sy'n meddu ar nodweddion yr enw a'r ferf.
árthron (bannod):	rhan ymadrodd sy'n ffurfdroi i ddynodi cyflwr ac sy'n rhagflaenu neu'n dilyn enw.
antōnymíā (rhagenw):	rhan ymadrodd a all gynrychioli enw ac sy'n ffurfdroi i ddynodi person.
próthesis (arddodiad):	rhan ymadrodd sy'n rhagflaenu geiriau eraill wrth gyfansoddi ac mewn cystrawen.
epírrhēma (adferf):	rhan ymadrodd nad yw'n ffurfdroi; goleddfa neu ychwanega at ferf.
sýndesmos (cysylltair):	rhan ymadrodd sy'n cysylltu ynghyd ddarnau o ymgom ac yn llenwi bylchau wrth eu dehongli.

Er i'r Groegiaid anwybyddu ieithoedd eraill gadawsant ar eu hôl gofnodion manylach ynglŷn ag amrywiadau'r Roeg nag a geir ar gyfer gweddill ieithoedd yr Hen Fyd. Cydnabyddid pedwar amrywiad ar y Roeg sef Atig, Ionig, Dorig ac Aeolig gan ddilyn y traddodiad mai Aeolos, Doros a Xouthos, meibion Hellen a sefydlodd y cymunedau Aeolig, Dorig ac Atig-Ionig. Priodolid pob amrywiaeth rhanbarthol nad oedd yn unol â'r fframwaith uchod i gymysgu hiliol. Ystyrid y pedair tafodiaith yn haniaethau, yn rhannu nodweddion ieithyddol llawer o'r teyrnddinasoedd. Ysgrifennodd gramadegydd Byzantaidd,[2]

> sylwer bod *tafodiaith* (διάλεκτος) yn wahanol i *isdafodiaith* (γλṓσσα) am fod tafodiaith yn cynnwys mwy nag un *isdafodiaith*; un dafodiaith yw Dorig sy'n cynnwys llawer o isdafodieithoedd, eiddo'r Argiaid, y Laconiaid, y Syracwsiaid, y Meseniaid a'r Corinthiaid; ac un dafodiaith yw Aeolig yn cynnwys nifer o isdafodieithoedd, eiddo'r Boeotiaid, y Lesbiaid ac eraill.

Parhaodd y rhaniad hwn ar amrywiadau'r Roeg yn ei hanfod tan y cyfnod diweddar ond bod y *koinḗ* Helenaidd wedi ei gydnabod a'i ychwanegu at y rhestr. Yr oedd y pedwar amrywiad yn gyfryngau llenyddol ond priodolid bri arbennig i'r Atig. Pan gyfeiria gramadegwyr Byzantaidd at y gwahaniaethau ffonolegol rhwng y gwahanol amrywiadau, gwnant hynny trwy gymharu'r amrywiadau â'r *koinḗ*:

> Yn yr Atig try s mewn rhai geiriau'n t megis *thálatta* ('môr', koinḗ thálassa) ond yn x mewn eraill megis *xymphórā* ('anffawd', koinḗ symphórā); yn y Dorig arferir ā yn hytrach nag ē megis hāmérā ('dydd', koinḗ hēmérā).

IEITHYDDION RHUFAIN

Dynwared y Groegiaid yn ffyddlon ymhob gweithgarwch deallusol a wnaeth y Rhufeiniaid. Yr un oedd eu hagwedd tuag at ieithoedd eraill (ac eithrio'r iaith Roeg) ag eiddo'r Groegiaid ac nid ymddengys i'w gramadegwyr na'u hathronwyr sylweddoli y gallai lles ddeillio o astudio ieithoedd eraill. Diffrwyth hollol yn ogystal fu'r gyfathrach â'r Roeg (cymdeithas ddwyieithog oedd cymdeithas y Rhufeiniwr diwylliedig) gan i'r Rhufeiniaid ymdrechu i sicrhau bod eu hiaith yn dilyn y rheolau a gyfundrefnwyd gan y Groegiaid. Eithriad pwysig oedd Varro (O.C. 116–127) y Rhufeiniwr cyntaf y cofnodir iddo gymryd gwir ddiddordeb mewn pynciau ieithyddol. Yr oedd pum cyfrol ar hugain i *De lingua Latina* Varro ond y bumed gyfrol a'r ddegfed yn unig ynghyd â darnau o'r gweddill sy'n dal ar glawr. Ceir ganddo ymdriniaeth ag etymoleg, morffoleg a chystrawen y Lladin ac er ei fod yn hollol gyfarwydd â gwaith Thrax ac â syniadau'r Stoiciaid ni dderbyniodd eu syniadau a'u datganiadau'n anfeirniadol, ond yn hytrach y mae ôl ymchwil a meddwl annibynnol a gwreiddiol ar ei waith. Bu'r *De lingua Latina* yn destun clod ac edmygedd gan ysgrifenwyr diweddarach ar ieithyddiaeth ond ychydig o ddylanwad a gafodd ei waith o'i gymharu â gweithiau Priscian (*c.* 500 C.C.) ac Aelius Donatus (y bedwaredd ganrif).

O'r ganrif gyntaf ymlaen y mae tystiolaeth i weithgarwch nifer o ramadegwyr yng ngwahanol ranbarthau'r Ymerodraeth, ac er bod mân wahaniaethau i'w canfod yn eu gweithiau, dilynant, at ei gilydd, yr un system sylfaenol o ddisgrifio gramadegol. Ychydig o wreiddioldeb a geir yn eu gwaith gan mai eu prif nod oedd cymhwyso termau technegol a chategorïau'r gramadegwyr Groegaidd at yr iaith Ladin. Cyfieithwyd y termau technegol Groegaidd, gan roddi iddynt y gair Lladin agosaf o ran ei ystyr: *ónoma, nōmen, antōnymíā, prōnōmen,* etc. Cefnogid y dull hwn i'r carn gan Didymus, ysgolhaig o Alexandria yn perthyn i ail hanner y ganrif gyntaf cyn Crist, a ddywedodd fod pob nodwedd ar ramadeg yr iaith Roeg i'w ganfod yn ogystal yn y Lladin.

Diddorol yw cymharu wyth rhan ymadrodd gramadeg Priscian ag eiddo Thrax. Wrth gwrs, yn wahanol i'r Roeg nid oedd bannod yn y Lladin, ond mabwysiadodd Priscian ddadansoddiad Stoicaidd, gan gydnabod yr ebychiaid fel un o'r rhannau ymadrodd yn hytrach na'u dosbarthu ymhlith yr adferfau, fel y gwnaethai Thrax:[3]

nōmen (enw, gan gynnwys geiriau a ddosberthir bellach fel ansoddeiriau):	swyddogaeth enw yw dynodi sylwedd ac ansawdd a rhydd ansawdd gyffredin neu arbennig i bob person neu beth.
verbum (berf):	swyddogaeth berf yw dynodi gweithred neu berson sy'n gweithredu; y mae iddo amser a modd ond nid yw'n ffurfdroi i ddynodi cyflwr.
participium (rhangymeriad):	dosbarth o eiriau sydd bob amser yn tarddu o ferfau; medd ar yr un categorïau â berfau ac enwau (amserau a chyflyrau) ac felly y mae'n wahanol i'r ddau.
prōnōmen (rhagenw):	swyddogaeth rhagenw yw cynrychioli enw priod a gall ffurfdroi i ddynodi rhif (cyntaf, ail, neu drydydd).
adverbium (adferf):	defnyddir adferf mewn cyfluniad gyda berf; mae o radd gystrawennol a semantegol is na'r ferf.
praepositiō (arddodiad):	defnyddir arddodiad wrth gyfansoddi fel gair ar wahân, yn rhagflaenu geiriau sy'n ffurfdroi i ddynodi cyflwr ac yn rhagflaenu enwau sydd heb fod yn ffurfdroi i ddynodi cyflwr.
interiectiō (ebychiad):	dosbarth o eiriau sy'n gystrawennol annibynnol ar ferfau ac yn dynodi teimlad neu agwedd meddwl.
coniunctiō (cysylltair):	swyddogaeth cysylltair yw uno'n gystrawennol ddau neu fwy o aelodau a fo'n perthyn i ryw ddosbarth geiriol arall gan ddynodi bod perthynas rhyngddynt.

Ceir dros fil o gopïau llawysgrif o *Institutiones grammaticae* Priscian ac er ei bod yn hawdd, erbyn hyn, beirniadu'r gwaith a dull yr awdur o weithio yn llym, ei ramadeg ef oedd sylfan astudiaethau gramadegol Lladin yn ystod yr Oesoedd Canol, yn ogystal ag athronyddu ieithyddol y cyfnod.

YR OESOEDD CANOL

Yr Oesoedd Canol yw'r enw a roir ar y cyfnod yn hanes Ewrob rhwng machlud yr Ymerodraeth Rufeinig a'r chwyldro sy'n dwyn yr enw Dadeni Dysg ac a ystyrir yn wawr y byd modern. Fel yr awgrymwyd eisoes, parhaodd syniadaeth yr Hen Fyd i ddylanwadu ar astudiaethau ieithyddol. Lladin oedd iaith dysg a chynyddodd ei bri gan mai dyma oedd iaith llenyddiaeth y tadau eglwysig, gwasanaethau a gweinyddiaeth Eglwys Rufain. Astudio gramadeg y Lladin oedd prif bwnc astudiaethau ieithyddol gydol dechrau'r Oesoedd Canol. Sylfaenid addysg ganoloesol ar y saith gelfyddyd: gramadeg, rhesymeg a rhethreg a ffurfiai'r rhan gyntaf, y *trivium*; cerddoriaeth, rhifyddeg, mesuryddiaeth a seryddiaeth oedd yr ail ran, y *quadrivium*. Bathwyd y termau a gwnaed y rhaniad gan Boethius (*c.* O.C. 500) ysgolhaig a gwleidydd o Rufeiniwr a gyfieithodd lawer o waith Arystotlys i'r iaith Ladin.

Gellid tybio y byddai lledaeniad Cristnogaeth a chyfieithu'r Beibl i'r iaith Otheg yn y bedwaredd ganrif, i iaith Armenia yn y chweched ac i'r Slafoneg yn y nawfed ganrif wedi ehangu ychydig ar orwelion ysgolheictod ieithyddol. Ond ni ddigwyddodd hyn, gan mai synio am yr ieithoedd hyn fel llawforynion ar gyfer lledaenu propaganda yn unig a wnaeth y cenhadon, yn hytrach na fel ieithoedd teilwng o astudiaeth. Glynwyd yn gadarn wrth y fframwaith ramadegol a luniwyd gan Dionysius Thrax ac a gymhwyswyd ryw ychydig gan Priscian a Donatus.

Ychydig a wyddom am ddulliau dysgu Lladin yn ystod yr Oesoedd Canol ond yr oedd gwaith cenhadol, sefydlu mynachlogydd a statws Eglwys Rufain yn sbardun diamheuol i ddysgu'r iaith. Yn Lloegr ysgrifennodd Beda ac Alcuin ramadegau Lladin yn y seithfed a'r wythfed ganrif. Cyfansoddwyd Gramadeg Lladin didactig, *Colloquium* (llawlyfr sgyrsio) a geirfa Lladin — Hen Saesneg gan Aelfric, abad Eynsham tua'r flwyddyn O.C. 1000. Bwriedid y gwaith ar gyfer plant ysgol a sylfaenwyd y disgrifiad ar waith Priscian a Donatus. Wrth gyflwyno'r gwaith dywed yr awdur ei fod yn gyflwyniad addas ar gyfer gramadeg (Hen) Saesneg yn ogystal. Er bod Aelfric yn ymwybodol o'r gwahaniaethau rhwng y ddwy iaith, derbyn ef yn hollol anfeirniadol fod modd cymhwyso dadansoddiad Priscian ar gyfer Hen Saesneg.

Yng Nghymru y gramadeg cynharaf a feddwn yw'r un a briodolir i Einion Offeiriad a Dafydd Ddu o Hiraddug.[4] Gelwir ef yn 'Cerddwriaeth Cerdd Dafod' a chredir mai tyfu dros gyfnod rhwng y ddeuddegfed ganrif ac ail hanner y bedwaredd ganrif ar ddeg a wnaeth y testunau cynharaf sydd ar gael. Yn llawysgrifau'r unfed ganrif ar bymtheg yr enw a roir ar y gramadeg yw'r 'Pum Llyfr Cerddwriaeth' ac fe'i rhennir yn drefnus yn bum llyfr gan Simwnt Fychan: Llyfr I. Y llythrennau, y sillafau a'r diptoniaid; Llyfr II. Y rhannau ymadrodd a chystrawen; Llyfr III. Y mesurau a'r cymeriadau; Llyfr IV. Y cynganeddion; Llyfr V. Y prydlyfr, gan gynnwys y beiau gwaharddedig, y modd y dylid moli popeth, y campau a berthyn ar brydydd a'r Trioedd Cerdd.

Er bod gwahaniaethau rhwng y gwahanol fersiynau a'i gilydd amcan yr adrannau ar ramadeg oedd rhoi cyfle i feirdd Cymru ymgydnabod â chelfyddyd gramadeg trwy ysgrifennu gramadeg Lladin yn Gymraeg. Mewn rhai fersiynau, cyfieithir yr enghreifftiau i'r Gymraeg ac wrth gwrs nid oes synnwyr i'r trafodaethau oni chofir mai am y Lladin y sonnir. Nodwn ddyfyniad byr o'r adran ar gystrawen yng nghopi Gutun Owain, lle y mae'r enghreifftiau yn Lladin, a'r darn cyfatebol yng nghopi Robert ab Ifan, lle y mae'r enghreifftiau yn Gymraeg.[5]

Copi Gutun Owain

Pvm beryf alwedic ysydd, nid amgen, *nominor, appellor, nuncupor, vocor, dicor.* Y bervav eraill ysydd vervav gwann. Bervav kadarn, a bervav galwedic, a bervav y bo i grym hwyntav arnvnt, val y mae *cedo,* a bervav a berthynont ar ddysyviad, val y mae *sto* a *sedeo,* a bervav a berthyno ar mwedigrwydd, val y mae *videor,* vel *appellor,* a vynnant gael nomnadio gwedi wynt megys kynn noc wynt.

Y beryfav hynny a vynant gael achwysiaid wedy wynt o bydd achvsiaid kynn noc wynt, kanis vnrryw achos ac a vo kynn noc wynt a vydd wedy wynt, val y mae *misereor hominis volentis esse boni*; *parco homini volenti esse bono*; *video hominem volentem esse bonum*; *loquor de homine* volente esse bono. Ac vnrryw gystrowen a honno a vydd ar y participiav a ddaw i gan y bervav hynny, val y mae *miseret* (?) *hominis -entis boni*; *parco homini -enti bono; video hominem -entem -bonum*; *loquor de homine -ente bono.*

Copi Robert ab Ifan

Pvm berf galwedig ysydd, nid amgen, *fo'm gweli.*[2] Berfav eraill sydd ferfav gweinion. Berfav kedyrn, a berfav galwedig, a berfav i bo i grym hwythav arnvnt ar ddisbydigaeth, *i sefyll, i eisde,* y berfav a berthynant ar ymwanedigaeth, fal i mae *fo a'm kynhyddir,*[3] *fo a'm gelwir,* y rhain a fynant gael nomnadio o bo[b]tv vddynt, val i mae *fo'm gelwir Wiliam.*

A'r berfav hyn a fynant gael achvsiad kyn na hwynt, kanys yr vnRyw achos a fynant kyn no hwynt a fynant gwedi hwynt, fal i mae *parchaf wr sydd yn amkanv bod yn dda,* ne *mi a drigarhaf wrth wr sy'n amkanv bod yn dda.* Ag yr vn draethiad a hyny a fydd ar y partipiav a ddel gan y berfav hyny, fal i mae *gwelaf ferch yn ymkanv bod yn dda*; [1]*wrth wr amkanav fod yn dda.*[2]

Yng nghopïau'r unfed ganrif ar bymtheg rhoir gwedd fwy Cymreig ar lawer o'r termau gramadegol, ond yn y copïau cynnar y mae'r termau naill ai wedi eu benthyca o'r Lladin neu wedi eu llunio ar ddelw'r Lladin. Gellir canfod datblygiad gwahanol yng ngwerslyfrau gramadeg beirdd Iwerddon yn yr un cyfnod.[6] Y mae gramadegau'r beirdd Gwyddelig yn adlewyrchu, nid benthyca oddi wrth y traddodiad Lladinaidd, ond yn hytrach priodi'r traddodiad clasurol â'r traddodiad brodorol hynafol a estynnai yn ôl i'r gorffennol cyngristnogol.

Diddorol nodi mai dwy ran ymadrodd, sef enw a berf (a'r rhagenw, a gynhwysid am y gellir ei roi yn lle enw) a geir yn y gramadegau a dadogir ar Einion Offeiriad a Dafydd Ddu. Ond tua chanol y bymthegfed ganrif cynhwysir yr wyth rhan ymadrodd. Noda Robert ab Ifan:[7]

> . . . bellach i dylid son am ddwned yr hwn a elwir wyth ran ymadrodd ag yn amser yr hen brydyddion i kynhwysid yr wyth mewn dwy ran nid amgen henw a berf ag yrowan mewn wyth ran i mae son am danaw.

Dwned oedd gair y beirdd am eu gramadeg ac y mae'r enw yn fenthyciad trwy'r Saesneg Canol o enw'r gramadegydd Lladin Donatus. Gwaith Donatus a Priscian oedd sylfaen gramadegau'r beirdd; seiliwyd yr adran ar y rhannau ymadrodd ar waith Donatus a'r adran ar gystrawen ar waith Priscian.

Parhaodd y ddiddordeb mewn athronyddu am iaith gydol yr Oesoedd Canol. Adfywiwyd y ddadl ynglŷn â'r *signifiant* a'r *signifié* a cheisiwyd sefydlu rhesymau athronyddol i roi cyfrif am reolau gramadeg. I'r ysgol o athronwyr a adwaenir fel y *Modistae* (y drydedd ganrif ar ddeg) yr athronydd yn unig oedd yn gymwys i wneud penderfyniadau ar ramadeg. Tybid bod un gramadeg cyffredinol a oedd yn sylfaen i gyfluniad pob iaith, ac o ganlyniad yr oedd rheolau gramadeg yn hollol annibynnol ar yr ieithoedd unigol ac yn seiliedig felly ar resymeg. Ceisiwyd darganfod ffurf y gramadeg hwn a phennu egwyddorion cyffredinol a fyddai'n ei egluro. Ar y cychwyn trafodid y pwnc o safbwynt y Lladin bron yn llwyr, oherwydd y gred ei bod hi yn adlewyrchu'r rheolau cyffredinol hyn, ond yn ddiweddarach lledwyd y drafodaeth i gynnwys ieithoedd eraill yn ogystal.

Ymhell cyn diwedd yr Oesoedd Canol yr oedd un gŵr yn amlygu diddordeb gwreiddiol mewn iaith ac yn y berthynas a fo'n bodoli rhwng ieithoedd a'i gilydd. Yn ei *De vulgari eloquentia* a ysgrifennwyd tua 1303, maentumiodd Dante (1265–1321) fod yr 'iaith *si*' (yr Eidaleg), yr 'iaith *oc*' (Yr Ocitaneg) a'r 'iaith *oil*' (y Ffrangeg) yn perthyn i'r un teulu, a dyfynnodd enghreifftiau i ategu ei ddadl. Yn yr un gyfrol ceir arolwg manwl, ynghyd ag enghreifftiau, o'r prif amrywiadau rhanbarthol ar yr Eidaleg. Er bod cyfraniad Dante i ysgolheictod Románs yn un sylweddol, derbyniodd yn anfeirniadol ddamcaniaethau tra amheus ynglŷn â dosbarthiad gweddill ieithoedd Ewrob, damcaniaethau megis mai'r Hebraeg, rhodd Duw i Adda, oedd yr iaith gyntaf cyn adeiladu Tŵr Babel (Genesis, pennod 11) a chymysgu'r ieithoedd. Syniadau oedd y rhain a ddaeth yn hysbys yn Ewrob yn sgîl astudio llenyddiaeth yr Hen Destament a darganfod yno ddull yr Hebreaid gynt o ddosbarthu ieithoedd a tharddu'r cenhedloedd a'r cymunedau ieithyddol a oedd yn hysbys iddynt hwy o dri mab Noa: Sem, Cham a Jaffeth. Arddelwyd y dosbarthiad hwn gan ysgolheigion iaith tan ddiwedd y ddeunawfed ganrif a gweithgarwch dyfalbarhaus i ieithyddion oedd ceisio impio'r traddodiad Beiblaidd ar ieithoedd nad oeddent yn perthyn i'r traddodiad hwnnw. Cri yn yr anialwch a chri heb ei hateb oedd y wedd gadarnhaol ar weithgarwch ieithyddol Dante. Nid tan ddechrau'r bedwaredd ganrif ar bymtheg yr aethpwyd ati o ddifri i astudio'r berthynas rhwng ieithoedd a'i gilydd ac nid tan ddiwedd y ganrif honno y sylweddolwyd pwysigrwydd astudio amrywio ieithyddol-ddaearyddol.

O'R DADENI DYSG HYD AT DDIWEDD Y DDEUNAWFED GANRIF

Nid tan ddiwedd yr unfed ganrif ar bymtheg y caniatái'r hinsawdd ysgolheigaidd i astudiaethau ieithyddol difrifol o'r ieithoedd diweddar ddatblygu yn Ewrob. Parodd sêl efengylaidd y diwygwyr gyfieithu'r ysgrythurau i nifer o ieithoedd ac er i'r Lladin gadw ei bri, pylodd y dirmyg tuag at yr ieithoedd diweddar yn raddol a diflannu yn wyneb cyfnod toreithiog a chyfoethog o lenydda o du'r anghyfiaith. Sicrhaodd ymgecru diwinyddol y cyfnod fod yn rhaid wrth wybodaeth o'r Hebraeg, iaith Semitaidd a iaith wahanol iawn ei chyfluniad i ieithoedd Ewrob. Rhoddwyd, o ganlyniad, le breiniol i'r Hebraeg ochr yn ochr â'r Roeg, ac er bod gwerth yr Hebraeg ar gyfer astudio'r Hen Destament wedi ei sylweddoli er cyfnod Jerome (O.C. 345–420) a bod Isidore o Seville (y seithfed ganrif) o'r farn mai dyma'r iaith a siaradai Duw, nid tan gyfnod y Dadeni yr ystyrid yr Hebraeg yn iaith deilwng i'w hastudio. Ymddangosodd nifer o ramadegau Hebraeg megis *De rudimentis Hebraicis* gan Almaenwr o'r enw Reuchlin ac yn 1529 gramadeg Hebraeg safonol o waith N. Clénard.

Yn sgîl y bri a roddwyd i'r Hebraeg daeth ysgolheigion y Gorllewin, am y waith gyntaf, i wybod am iaith nad oedd yn perthyn i'r teulu Indo-Ewropeaidd ac am iaith a chanddi draddodiad o ddadansoddi gramadegol a oedd heb ei sylfaenu ar Roeg a Rhufain. Datblygasai astudiaethau ieithyddol yn yr Hebraeg dan ddylanwad yr Arabiaid. Digwyddodd hyn yn sgîl grym gwleidyddol yr Arabiaid a lledaeniad Islam ar draws y Dwyrain Agos, gogledd Affrica a Sbaen. At hyn, perthynai'r Arabeg a'r Hebraeg fel ei gilydd i'r un teulu o ieithoedd, ac nid annhebyg mo'u cyfluniad sylfaenol. Gwyddys bod yr Arabiaid yn gyfarwydd â *Téchnē* Dionysius Thrax ond ni cheisiwyd impio modelau disgrifio a ddatblygwyd ar gyfer y Roeg ar yr Arabeg fel y gwnaed yn achos y Lladin. Ar gyfer disgrifio'r Hebraeg benthyciwyd llawer o'r termau technegol oddi wrth yr ieithyddion Arabaidd, a'r Hen Destament oedd y sylfaen ar gyfer y gwaith. Erbyn diwedd y ddeuddegfed ganrif yr oedd gramadegau Hebraeg yn cael eu hysgrifennu gan Iddewon yn Sbaen ac mewn gwledydd eraill.

Parodd y diddordeb yn yr Hebraeg ac yn yr Arabeg ac yn y traddodiad gramadegol annibynnol a amlygid ynddynt, fod sylw ysgolheigion iaith yn cael ei ddenu fwyfwy oddi wrth y Lladin a'r Roeg, a phrysurwyd hyn gan yr astudio brwd ar ieithoedd diweddar Ewrob. Eisoes, yn ystod yr Oesoedd Canol, ymddangosodd gramadegau o'r Brofensaleg ac o'r Gatalaneg a gwnaethai Dante lawer i hyrwyddo astudio'r wedd lafar ar yr ieithoedd Románs. Ond yn ystod y Dadeni cyhoeddwyd llu o ramadegau y gellir eu galw'n ramadegau'r Dadeni, y disgrifiadau cyntaf y gwyddom amdanynt o ieithoedd diweddar Ewrob, gan gychwyn traddodiad o ysgolheictod ieithyddol sydd wedi parhau byth er hynny. Yn ystod y bymthegfed ganrif ymddangosodd gramadegau o'r Eidaleg ac o'r Sbaeneg. Ddechrau'r unfed ganrif ar bymtheg ymddangosodd disgrifiad o'r Ffrangeg ac ychydig yn ddiweddarach ramadeg o'r Bwyleg ac o Hen Slafoneg Eglwysig.

Mudiad pendefigaidd oedd dyneiddiaeth a'r nod oedd dwyn Dysg o'r prifysgolion i lys y Tywysog i gyfoethogi ymddiddan boneddigion a boneddigesau, a dyhead y dyneiddwyr Cymraeg hwythau oedd gweld y Gymraeg yn cymryd ei lle gyda ieithoedd eraill gorllewin Ewrob. Wedi'r cyfan nodai Brut y Brenhinoedd fod cenedl y Cymry yn hanfod o Gaerdroea ac felly safai'r Gymraeg ochr yn ochr â'r Roeg a'r Lladin. Yr oedd y Gymraeg yn un o'r mamieithoedd dwyreiniol a siaredid pan gymysgwyd yr ieithoedd yn Nhŵr Babel. Rhagorai felly ar yr ieithoedd diweddar ar gyfandir Ewrob a oedd yn ieithoedd cymysg. At hyn yr oedd y Gymraeg yn iaith Dysg ond bod yr hen lenyddiaeth a gynhwysai'r Ddysg wedi diflannu. Ceidwaid y Ddysg hon oedd y beirdd, disgynyddion yr hen dderwyddon dysgedig gynt. Y wedd grefyddol ar ddyneiddiaeth oedd Protestaniaeth ac i goroni'r cyfan onid Cristnogaeth Dysg, Cristnogaeth y Beibl Protestannaidd, ydoedd crefydd hen Eglwys y Cymry? Dyma'r syniadau a'r damcaniaethau a ysbardunai'r dyneiddwyr yng Nghymru ac a gorddai ddamcaniaethwyr ieithyddol tan ddiwedd y ddeunawfed ganrif. Gobaith dyneiddwyr Cymru oedd y byddai ysgolheigion gwledydd eraill, yn ogystal â'r bendefigaeth Gymreig, yn ymroi i ddysgu'r Gymraeg ac y gwelid hi yn cymryd ei lle fel un o ieithoedd Dysg y Dadeni. Dyma fynd ati felly i gyhoeddi llyfrau at wasanaeth pawb a fynnai ymgynefino â dysg Gymraeg. Rhoddwyd sylw i astudiaethau ieithyddol gan William Salesbury a gyhoeddoedd yn 1550 *A briefe and a playne introduction, teachyng how to pronounce the letters in the British tong.*[8] Dyma'r traethawd cyntaf ar seineg y Gymraeg a chynnwys, yn ogystal, ymdriniaeth elfennol â'r elfen Ladin ynddi. Ailargraffwyd y gwaith yn 1567 o dan y teitl *A playne and a familiar introduction...*

Yn 1567 dechreuwyd argraffu gramadeg Gruffydd Robert gan wasg Athrofa Archesgob Milan.[9] Y mae'r gwaith ar ffurf ymddiddan rhwng Gruffydd Robert a Morys Clynnog sy'n cwrdd â'i gilydd yn y winllan i 'siarad am bethau perthynasol at yn gụlad a'n hiaith'. Dyma'r dull a ddewiswyd gan yr Abad Aelfric ar gyfer ei ramadeg yntau ac yr oedd yn ddull o hyfforddi ac iddo draddodiad parchus yn ysgolion yr eglwys yng Ngorllewin Ewrob. Teitl llawn y gramadeg yw *Dosparth Byrr ar y rhann gyntaf i ramadeg cymraeg ḷe ceir lawer o bynciau an-hepgor i vn a chụen-nychai na doedyd y gymraeg yn ḍilediaith, na'i scrifennu'n iawn.*

Y Gymraeg i Gruffydd Robert oedd Cymraeg cyfoes — Cymraeg llafar cyfoes neu'n hytrach y wedd ar Gymraeg llafar cyfoes a oedd yn hysbys iddo ef, a phwrpas y gramadeg oedd dysgu i'w gyd–genedl sut i wneud yr iaith hon yn gyfrwng priodol ar gyfer cyfnod newydd o lenydda yn hanes y genedl.

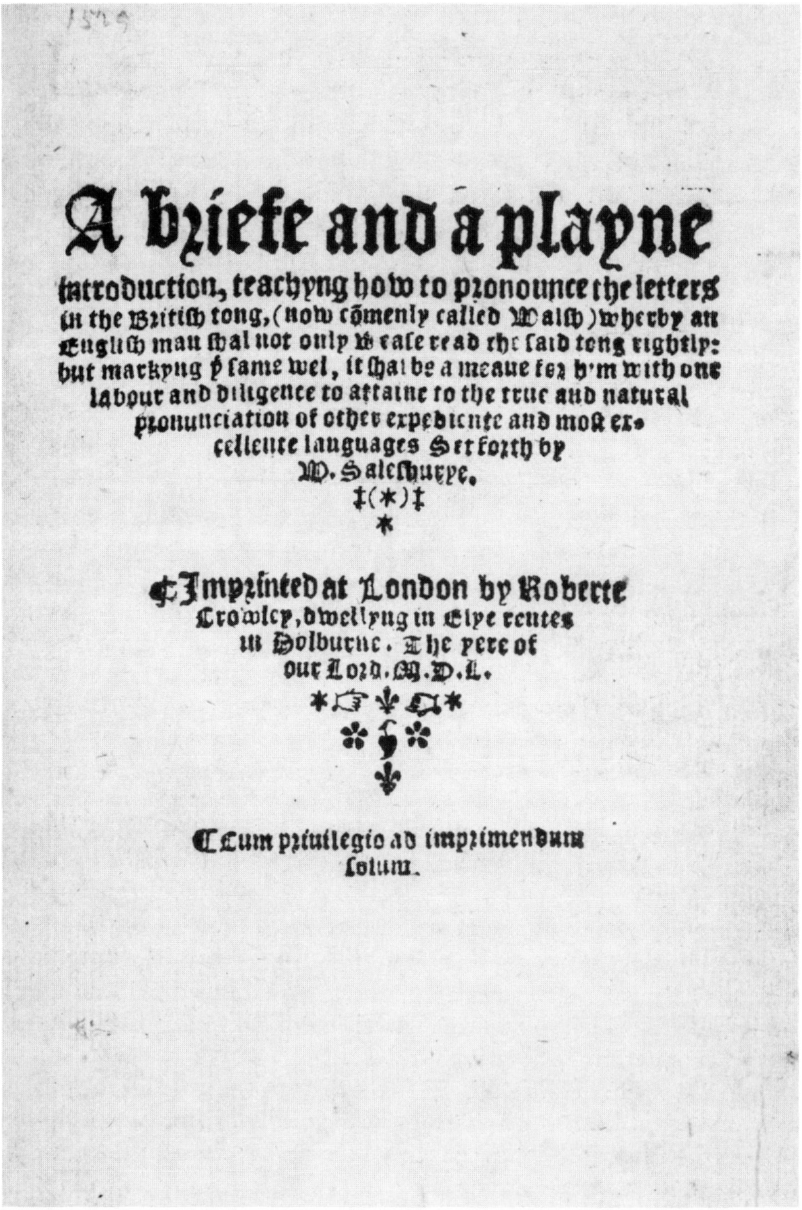

1549

A briefe and a playne introduction, teachyng how to pronounce the letters in the British tong, (now cōmenly called Walsh) wherby an English man shal not only w ease read the said tong rightly: but markyng ỳ same wel, it shal be a meane for h'm with one labour and diligence to attaine to the true and natural pronunciation of other expedient and most excellente languages Set forth by W. Salesburye.

‡(*)‡

*

¶ Imprinted at London by Roberte Crowley, dwellyng in Elye rentes in Holburne. The yere of our Lord. M.D.L.

¶ Cum privilegio ad imprimendum solum.

Tudalen deitl *A briefe and a playne introduction*

Yn y rhannau o'r gramadeg sydd o ddiddordeb uniongyrchol i ieithyddion ymdrinnir â seiniau'r iaith ac â ffurfiant. Fel cynifer o ramadegwyr y cyfnod y mae Gruffydd Robert yn awyddus i weld diwygio'r orgraff. Poënid ef, fel eraill yn y cyfnod, gan yr arfer o ddyblu'r cytseiniaid i ddynodi un sain megis *ll dd*. Awgryma Gruffydd Robert roi dot dan *l* i ddynodi *ll*, dot dan *d* i ddynodi *dd* a dot dan *u* i ddynodi *w*. Ceir *ph* am *ff* bob amser. Y mae gofynion argraffu yn barhaus yn ei feddwl wrth fynnu cael safonau gweddol bendant ynglŷn â phynciau megis y defnydd a wneir o briflythrennau, yr acen ac atalnodau. Dangosir sut y dylid defnyddio gwahanol ffurfiau'r fannod a rhoir dosbarth manwl ar y treigladau. Ymdrinia â gwyriad llafariaid a chais eu dosbarthu a'u cyfundrefnu. Yn Rhan II ymdrinnir â 'chyfiachydiaeth', h.y. traethir ar yr wyth ran ymadrodd. Yn aml y mae'n defnyddio'r un termau ag a geir yn y dwned Cymraeg, ond er ei fod yn benthyca o ramadegau'r beirdd y mae ei ymdriniaeth yn gwbl wahanol i'r eiddynt hwy. Cais Gruffydd Robert ddisgrifio'r iaith Gymraeg a dywed nad oes rhaid sôn am wahanol gyflyrau'r enw yn Gymraeg yn null y dwned. Er bod gan Gruffydd Robert ramadegau o'r Eidaleg (ac o'r Ffrangeg o bosibl) a chopi o ddwned y beirdd wrth ei benelin a bod y rheini'n cynnig math ar batrwm iddo, eto prawf ei ramadeg fod gan Gruffydd Robert ddawn anghyffredin fel ieithydd. Canfu rym y gwahanol derfyniadau a ddefnyddir wrth lunio enwau ac ansoddeiriau. Rhydd ddadansoddiad o gyfansoddeiriau'r Gymraeg. Ceir ganddo ymdriniaeth â gradd gyfartal yr ansoddair. Manyla ar ystyron berfau. Ymdrinia â chystrawen y berfenw.

Rhoddid pwys mawr yn y cyfnod ar gyfieithu testunau Groeg a Lladin ac un peth y ceisiai gramadegwyr y cyfnod ei wneud oedd dangos sut y gellid cyfleu ffurfiau a chystrawennau'r Lladin yn eu hieithoedd hwythau. Gwelir Gruffydd Robert yn ceisio gwneud hynny yn y cyfarwyddiadau a rydd ynglŷn â sut y dylid troi *gerundia* a *supina* a rhangymeriadau'r Lladin i'r Gymraeg. Dangosir sut i gyfleu cymalau perthynol y Lladin yn Gymraeg. Ond ni ellid cyfieithu llyfrau Lladin heb gyfoethogi a thecáu'r iaith, ac un arall o amcanion Gruffydd Robert oedd cyflenwi'r diffyg hwn yn Gymraeg. Manyla ar y modd y dylid llunio geiriau newydd — sut i lunio enwau a'r modd i ffurfio berfau o enwau ac ansoddeiriau. Mynn y dylai'r Cymry fenthyca geiriau o ieithoedd eraill megis y gwneid yn Ffrainc ac yn Lloegr, ac felly ceir ymdriniaeth â'r Elfen Ladin yn y Gymraeg er mwyn dangos sut yr oedd y Cymry gynt wedi trin y seiniau Lladin. Dengys sut i lunio enwau haniaethol. Heb wneud hyn nid oedd modd cymhwyso'r iaith i fod yn gyfrwng addas i'r sawl a fynnai gyfieithu gweithiau athronwyr yr Hen Fyd.

Gramadeg Gruffydd Robert yw'r ymgais ddifrifol gyntaf i ddisgrifio'r iaith Gymraeg. Yr oedd yr awdur yn ymwybodol iawn o hyn canys gwyddai mai gramadegau Lladin oedd eiddo'r beirdd a dywed ar ddechrau ei ramadeg nad amcanodd neb 'y ḷụybr hwn yn gymraeg on blaen ni'.

Fel y dywedwyd eisoes nid astudiaeth fanwl o lawysgrifau ac o safonau ieithyddol beirdd cyfnod y cywydd a geir ganddo. Y mae Gruffydd Robert yn cyfansoddi ei ramadeg ymhell o Gymru heb 'fo̧d i graphu ar yr iaith' a heb help y llawysgrifau. Y tebyg yw nad oedd Gruffydd Robert yn hyddysg iawn yn yr iaith lenyddol nac yn gwybod ychwaith ryw lawer am safonau'r beirdd. Ond nid disgrifio'r iaith lenyddol oedd ei amcan ond yn hytrach dadansoddi gwedd ar yr iaith lafar a dangos sut y gellid ei chymhwyso i gyfarfod â'r gofynion a roid arni yn y cyfnod hwnnw ac yn arbennig sut y gellid ei chyfoethogi a'i thecáu. Disgrifiad o'r Gymraeg a geir gan Gruffydd Robert wẹdi ei ysgrifennu yn Gymraeg. Y mae adran o'r gramadeg yn ymdrin â 'thonyḍiaeth' sef celfyddyd barddoniaeth Gymraeg, lle y cais roddi i ieuenctid Cymru gyfarwyddiadau ynglŷn â sut i gyfansoddi gwahanol fathau o gerddi. Ceir disgrifiad o'r Cynganeddion a'r Pedwar Mesur ar Hugain. Cynhwysir casgliad o gerddi o waith Gruffydd Robert ei hun, ynghyd â detholiad o gywyddau o waith Siôn Cent, Siôn Tudur, Dafydd ap Gwilym, Tudur Aled, Gruffudd Hiraethog ac eraill a dechrau cyfieithiad Cymraeg o *De Senectute* gan Cicero.

Yn 1592 cyhoeddwyd gramadeg y Dr Siôn Dafydd Rhys (1534–?1609) *Cambrobrytannicae Cymraecaeve Linguae Institutiones et Rudimenta.*[10] Y cynnwys yw gramadeg o'r iaith ac ymdriniaeth â cherdd dafod. Nid oes gan yr awdur allu hafal i eiddo Gruffydd Robert fel ieithydd ac y mae'n ceisio impio ffrâm ramadegol y Lladin ar y Gymraeg.

Ceir ymdriniaeth â llythrennau'r wyddor a dyry Siôn Dafydd Rhys un ar ddeg ar hugain o lythrennau sy'n gais ganddo i gynnwys yn yr wyddor holl seiniau'r iaith Gymraeg. Pedair ar hugain yw'r nifer a geir gan Gruffydd Robert. Dengys y drafodaeth ar y llafariaid, y deuseiniaid a'r cytseiniaid fod Siôn Dafydd Rhys yn hyddysg yn y Saesneg, yr Eidaleg, y Roeg, y Lladin a'r Hebraeg a'i fod wedi astudio, yn ogystal, egwyddorion seineg gynanol. Ymdrinia â'r wyth ran ymadrodd a Siôn Dafydd Rhys oedd y cyntaf i restru'r fannod ymhlith y rhannau ymadrodd. Rhaid rhoi clod iddo am hyn ond at ei gilydd y mae'n derbyn yn anfeirniadol fodelau Groeg a Lladin yn sylfaen i'w waith. Gwyddai Siôn Dafydd Rhys am ramadegau'r beirdd ac am waith Gruffydd Robert ond fel y cyfeddyf ef ei hun, ansicr yw ei ddawn fel gramadegydd: 'Canys ymmhossibl yw dechreu a pherpheithio arr vnwaith vnpeth mor galed ac yw Grammâdec Cymreic'. Cynhwysir, yn ogystal, adrannau ar Gystrawen a'r Ffigurau Ymadrodd ac ymdriniaeth helaeth ar Gerdd Dafod. Ar gyfer yr adran ar Gerdd Dafod casglodd Siôn Dafydd Rhys ynghyd lawer o ddefnyddiau a gollesid yn llwyr onibai am ei amynedd ef fel casglwr.

Er mai methiant oedd gramadeg Siôn Dafydd Rhys fel llyfr gramadeg *per se*, fe geisiodd ddehongli gramadeg fel disgrifiad o iaith. I'r beirdd, gwyddor ydoedd gramadeg y gellid ei hastudio heb gyfeirio at unrhyw iaith arbennig. Disgyblaeth feddyliol ydoedd gramadeg y beirdd a chan mai Lladin oedd eu ffynhonnell yr oedd eu gramadeg yn debycach i ddisgrifiad o'r Lladin nag i ddisgrifiad o nodweddion y Gymraeg. Er mor amherffaith ydoedd, yr oedd

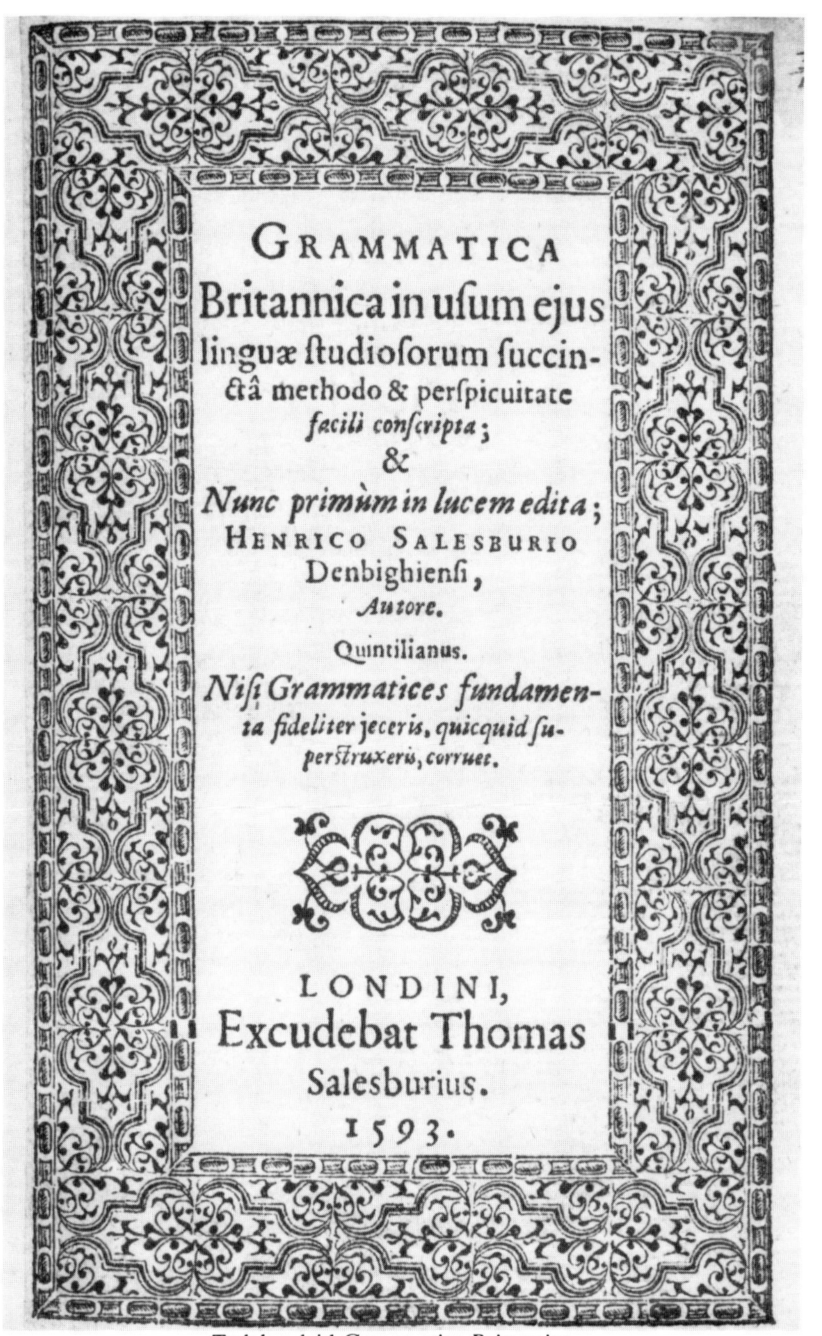
GRAMMATICA
Britannica in uſum ejus
linguæ ſtudioſorum ſuccin-
ctâ methodo & perſpicuitate
facili conſcripta;
&
Nunc primùm in lucem edita;
HENRICO SALESBURIO
Denbighienſi,
Autore.

Quintilianus.
*Niſi Grammatices fundamen-
ta fideliter jeceris, quicquid ſu-
perſtruxeris, corruet.*

LONDINI,
Excudebat Thomas
Salesburius.
1593.

Tudalen deitl *Grammatica Britannica*

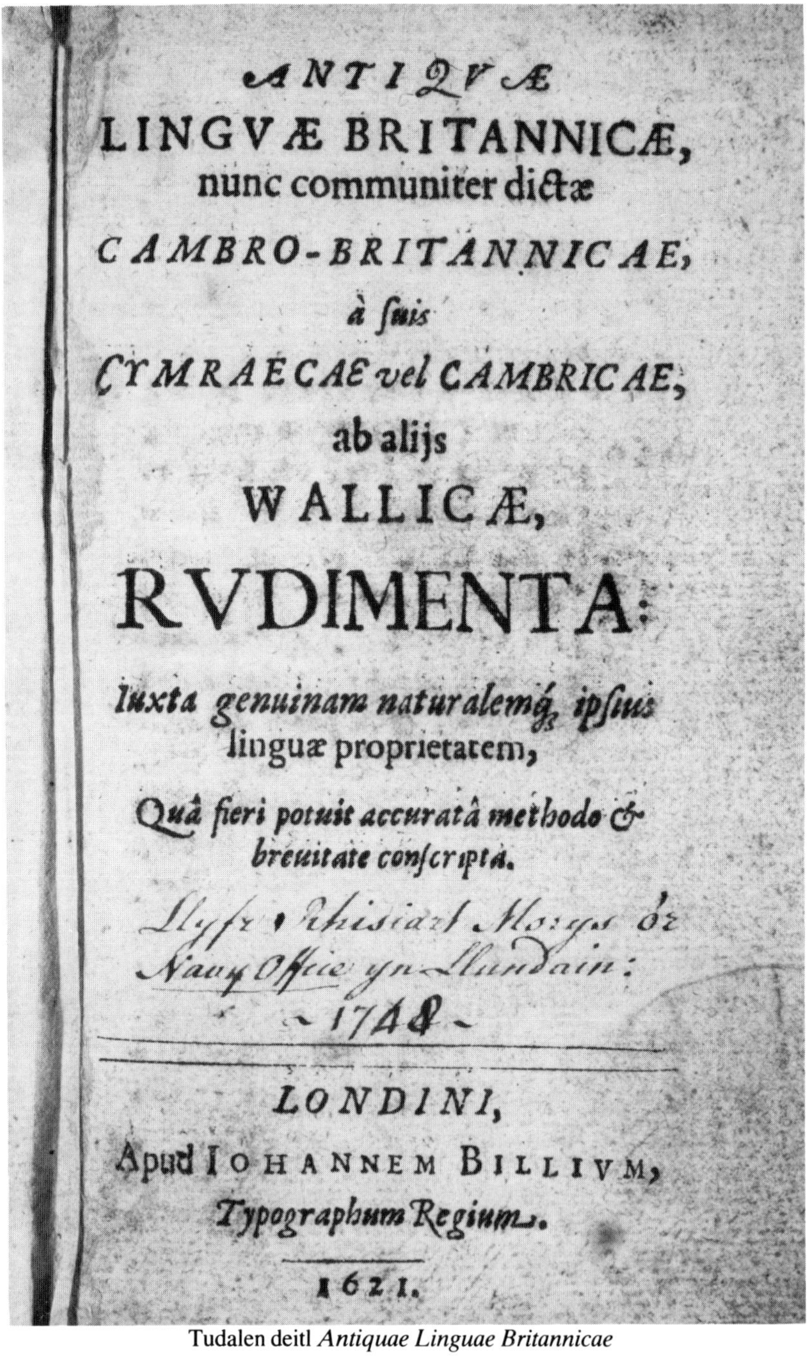

ANTIQVÆ

LINGVÆ BRITANNICÆ,

nunc communiter dictæ

CAMBRO-BRITANNICAE,

à suis

CYMRAECAE vel CAMBRICAE,

ab alijs

WALLICÆ,

RVDIMENTA:

Iuxta genuinam naturalemq́; ipsius linguæ proprietatem,

Quà fieri potuit accuratâ methodo & breuitate conscripta.

Llyfr Rhisiart Morys o'r Navy Office yn Llundain: ~1748~

LONDINI,

Apud IOHANNEM BILLIVM,

Typographum Regium.

1621.

Tudalen deitl *Antiquae Linguae Britannicae*

gwaith Siôn Dafydd Rhys yn ymgais i ddisgrifio'r Gymraeg ac ysgrifennai yn Lladin er mwyn arddangos nodweddion y Gymraeg i'r byd.

Y mae Siôn Dafydd Rhys yn awdur dau lyfr arall ar bynciau ieithyddol yn ogystal, sef *De Italica Pronunciatione,*[11] a gyhoeddwyd yn Padua yn 1567, a gramadeg o'r Lladin a gyhoeddwyd yn Fenis.

Yn 1593 cyhoeddwyd *Grammatica Britannica*[12] Henry Salesbury (1561–1637). Gramadeg ydoedd a fwriedid ar gyfer boneddigion ac ysgolheigion ac megis gramadeg Siôn Dafydd Rhys y mae wedi ei ysgrifennu yn Lladin. Tra diffygiol oedd gwybodaeth Salesbury o'r iaith lenyddol, er ei fod yn dyfynnu o weithiau'r penceirddiaid. Y mae'r gramadeg, sut bynnag, yn gyfor o ffurfiau llafar. Amddiffynna'r Gymraeg yn erbyn haeriadau ei bod yn iaith anodd ac afreolaidd. Cynnig arwyddion newydd ar gyfer dynodi *ng, ll, rh, nh, mh, ngh, ch, dd* ac *th* a ddehonglir ganddo fel seiniau syml.

Yn 1621 cyhoeddwyd *Antiquae Linguae Britannicae . . . Rudimenta*[13] y Dr John Davies, a dedfryd Syr John Morris-Jones[14] dair canrif yn ddiweddarach ar y gwaith hwn oedd:

> . . . the author's analysis of the modern literary language is final; he has left to his successors only the correction and amplification of detail.

Ceir ganddo ddisgrifiad cyflawn o'r iaith lenyddol, hanes yr orgraff, dadansoddiad o'r ffurfiau a geir yng nghanu'r Gogynfeirdd a phenceirddiaid cyfnod y cywydd ac adran dreiddgar ar gystrawen. Ni ddyfynna John Davies o'r gweithiau rhyddiaith o gwbl. Gwyddai amdanynt a dyfynna ohonynt yn ei eiriadur ond yn ei farn ef nid oedd dim yn ieithyddol gymeradwy onis ceid gan y beirdd.

Ysgrifennwyd y gramadeg yn Lladin ac fe'i bwriedid fel llawlyfr i'r ysgolhaig ac i ysgolheigion gwledydd eraill, a hefyd i offeiriaid a boneddigion Cymru. Siarad ac ysgrifennu'n gain ac urddasol oedd delfryd y dyneiddwyr, gan geisio rhoi i'r ieithoedd diweddar urddas cyffelyb i eiddo awduron Groeg a Rhufain. Y mae'n llawdrwm ar ffurfiau llafar yn enwedig ffurfiau'r *Demetae* sef pob rhan o'r Deheudir, *ou* am *au* yn *dou; wh* am *chw; iddi* am *i'w;* defnyddio *mor* o flaen ffurfiau cyfartal yr ansoddair yn *-ed; hyn, hynny,* ar ôl ffurfiau unigol; *-ws,* terfyniad y trydydd person unigol Gorffennol; ffurfiau megis *buo, eutho, dywad,* etc. ac amcan John Davies yw arddangos y rhain fel ffurfiau y dylid eu hosgoi.

Ar ddiwedd y llyfr ceir pennod fer ar fesurau Cerdd Dafod lle y mae'r awdur yn cymharu barddoniaeth Gymraeg â barddoniaeth Hebraeg.

Yr ydys wedi crybwyll eisoes fod gramadegwyr Ewrob wedi dod i gysylltiad â thraddodiad newydd ac annibynnol yn sgîl y bri a roddwyd ar yr Hebraeg a'r Arabeg yn ystod y Dadeni. O Dde America ymddangosodd gramadegau o Nahuatl (Mecsico) yn 1547, Quechua (Periw) yn 1560, Guarani (Brasil) yn 1639. Yn Ewrob ymddangosodd gramadeg o iaith y Basgiaid yn 1587 o'r Llydaweg[15] yn 1659 ac o'r Wyddeleg[16] yn 1677. Cyhoeddwyd nifer o ddisgrifiadau o wahanol agweddau ar yr iaith Saesneg yn ystod yr unfed ganrif ar bymtheg a'r ganrif wedyn. Ddechrau'r ail ganrif ar bymtheg cyhoeddwyd gramadegau o'r Siapaneg, y Bersieg, a'r Fietnameg. Wedyn, ddechrau'r ddeunawfed ganrif, cyhoeddwyd gramadegau o'r Sinaeg, er bod traddodiad gramadegol China yn llawer hŷn na hyn, i'w olrhain o leiaf i gyfnod Conffiwsiws (?551–497 C.C.). Law yn llaw â chyhoeddi gramadegau dechreuwyd cyhoeddi geiriaduron, gweithgarwch sydd wedi parhau byth er hynny. Yn 1547 ymddangosodd *A Dictionary in Englyshe and Welshe. . .* William Salesbury, 1632 *Antiquae Linguae Britannicae . . . Dictionarium Duplex*[18] y Dr John Davies, geiriadur Cymraeg-Lladin a Lladin-Cymraeg, y naill ran yn waith gwreiddiol a'r llall yn dalfyriad o waith mwy gan y Dr Thomas Wiliems o Drefriw. Yn ei ragymadrodd i'r geiriadur dywed y Dr John Davies ei fod yn ystyried Henri Perri yn gryn awdurdod ar yr iaith, ond yr unig lyfr a gyhoeddodd hwnnw oedd ei lyfr ar rethreg, sef *Eglvryn Phraethineb,*[19] a ymddangosodd yn 1595. Y mae'n amlwg fod Henri Perri yn cytuno â syniadau Siôn Dafydd Rhys ynglŷn â'r orgraff a cheir ganddo *bh* am *f, dh* am *dd, gh* am *ng, ghh* am *ngh, ph* am *ff, lh* am *ll.* Gwahaniaetha rhwng sain glir a sain dywyll *y* a dyry *sh* am *si,* sef *sharad* yn lle *siarad.* Y mae tystiolaeth hefyd i Henry Salesbury ddechrau ar eiriadur Cymraeg-Lladin sef *Geirva Tavod Cymraec.*[20] Yn 1688 ymddangosodd *Y Gymraeg yn ei Disgleirdeb,* geiriadur Thomas Jones (1648?–1713).[21]

Gadawodd Thomas Lloyd, offeiriad a gladdwyd yn Wrecsam yn 1734, gopi ar ei ôl o eiriadur y Dr John Davies â thua chan mil o eiriau ychwanegol wedi eu casglu o lawysgrifau a llyfrau printiedig.[22] Lluniodd y Parch. Erasmus Lewes[23] (1663–1745) o Lanbedr Pont Steffan eiriadur Saesneg-Cymraeg a William Gambold[24] (1672–1728), rheithor Llanychaer, eiriadur tebyg. Y mae tystiolaeth i Gambold ddechrau cynllunio geiriadur mor gynnar â 1707 a'i orffen yn 1722 er iddo fethu â chasglu'r cyllid angenrheidiol ar gyfer ei gyhoeddi. Llwyddodd Gambold, sut bynnag i gyhoeddi yn 1727 *A Grammar of the Welsh Language.* Yn 1724–5 cyhoeddodd John Roderick (1673–1735) a John Williams *English and Welsh Dictionary* ac yn 1728 cafwyd *Gramadeg Cymraeg* o law John Roderick.[25] Ailargraffwyd y gwaith yn 1824. Cyhoeddodd y Parch. Thomas Evans (Tomos Glyn Cothi, 1763–1833)[26] *An English Welsh Dictionary neu Eir–Lyfr Saesneg a Chymraeg.* Rhwng 1770 a 1794 cyhoeddwyd geiriadur Saesneg-Cymraeg y Parch. John Walters (1721–97)[27] yn rhannau. Seiliwyd y gwaith ar eiriadur Gambold ond bu Walters yntau wrthi'n dyfal gasglu defnyddiau ychwanegol. Yn 1753 ymddangosodd geiriadur y Parch. Thomas Richards (1710–90)[28] a oedd yn seiliedig ar waith y Dr John Davies ynghyd ag ychwanegiadau o waith Edward Lhuyd a defnyddiau llafar o Forgannwg. Ymddangosodd argraffiad arall yn 1759. Cyfieithodd Richards, yn ogystal, ramadeg y Dr Davies i'r Gymraeg, a Thomas Richards a oedd yn gyfrifol am ddeffro diddordeb Iolo Morganwg yng ngeirfa'r Gymraeg.

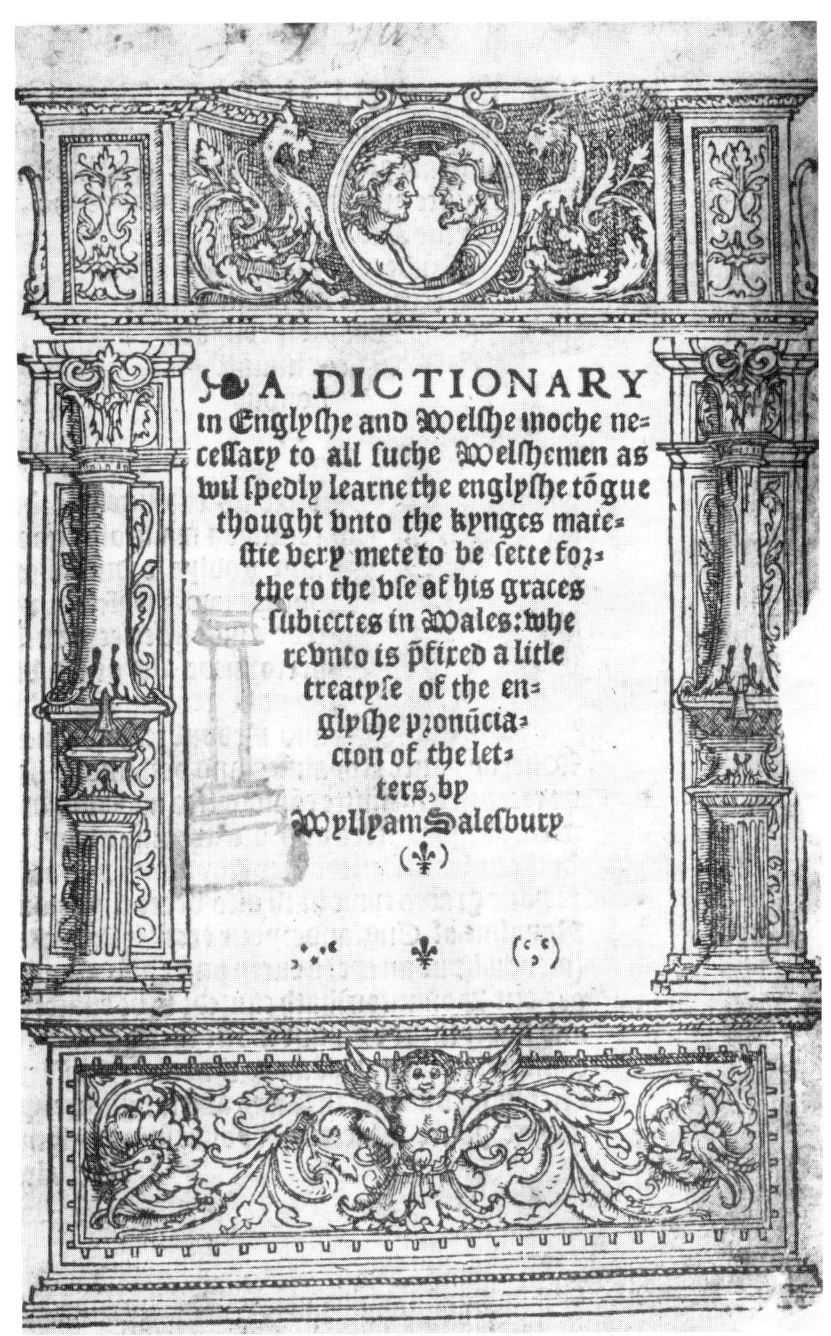

A DICTIONARY
in Englyshe and Welshe moche ne-
cessary to all suche Welshemen as
wil spedly learne the englyshe tõgue
thought vnto the kynges maie-
stie very mete to be sette for-
the to the vse of his graces
subiectes in Wales: whe
revnto is p̃fixed a litle
treatyse of the en-
glyshe pronũcia-
cion of the let-
ters, by
Wyllyam Salesbury

Tudalen deitl *A Dictionary in Englyshe and Welshe*

¶ Kamberaec	Saesonaec	Walshe	Englyshe
Awydd	Gredynesse	Baiddu ssysa-	Dare
Awyr	Ayer	Bagad (sy	
Awen awenydd	Aptenesse	Basa ssynn	
		Balch	Proude
Awenyddgar	Apte	Balchedd	Pryde
Awenyddyaeth	Felicitie	Balchder	
		Balk	Baulke
Awditor	Auditor	Banyw	A she
Audur	Auctor	Banadlen	A brome
Audurdot	Auctoritie	Banw	Femal
Auduredic	Auctorized	Ban tuedd	Cost
Awyn frwyn	Reyne of a brydell	Bagluryn	Budde
		Baglurawe	Budde
¶ B o. vlaen a		Bar	
Baban	A babe	Bar	
Bacul	A cruche	Barr	A barre
Bacyloc		Barieth	
Backwn twrch	Bacon	Bara	Bred
		Bara gwyn	Whyte bred
Bach	A hoke	Bara gwenith	Whete bred
Bach ne vychan	Lytel	Bara haidd	Barly bred
		Bara rhyc	Rye bread
Bad	A botte	Bara keirch	Ote bred
Bado vn ne ew ado vn	Euerych one	Bara koch	Browne bred
		Bara meirch	Horse bred
Baeds wr bonheddic	A badge	Barbio	
		Barbwr	A barbour
Baedd	A bore	Bardd	A poet
Bai	Faute	Barddas	Affayres
Baius	Fauty	Barddonieth	Poetry
Baich	A burden	Barf	A berde

B.i.

Tudalen o *A Dictionary in Englyshe and Welshe*

Yn 1771 ymddangosodd *A New English-Welsh Dictionary . . .*, William Evans (?–1776?)[29] ac yn 1798 cafwyd *Geiriadur Saesneg a Chymraeg,* William Richards (1749–1818).[30] Yn 1805 cyhoeddwyd *A Welsh-English Dictionary, Geiriadur Cymraeg a Saesneg,* Titus Lewis (1773–1811).[31]

Ni raid synnu'n ormodol at y toreth o eiriaduron a ymddangosodd yn y cyfnod hwn oherwydd yr oedd astudiaethau geiriadurol yn hen ddisgyblaeth yng Nghymru ac yn rhan o ddysg y beirdd Cymraeg. Disgwylid i ddisgyblion ysgolion y beirdd ddysgu geirfa'r iaith lenyddol ac yn yr unfed ganrif ar bymtheg aeth Gruffudd Hiraethog ati i droi'r geirfâu barddol yn eiriadur, y geiriau wedi eu gosod yn nhrefn yr wyddor a dyfyniadau o weithiau'r penceirddiaid fel enghreifftiau.[32] Gŵr arall a fu'n diwyd gopïo'r geirfâu gan ychwanegu atynt ffurfiau llafar oedd John Jones, Gellilyfdy (*c.* 1578–*c.* 1658).[33]

Yn ystod y Dadeni yn ogystal, datblygodd yr argraffwasg yn Ewrob. Yn sgîl hynny cynyddodd y galw am wybodaeth ac am addysg a hybwyd a hwyluswyd astudio ieithoedd gan y cyfoeth o destunau, gramadegau a geiriaduron a oedd at wasanaeth ysgolheigion. Hwyluswyd, yn ogystal, gyfnewid syniadau a gwybodaeth rhwng ysgolheigion o wahanol wledydd a ffurfiwyd llawer o gymdeithasau i feithrin a datblygu ymchwil a thrafod ymhlith eu haelodau. Ym Mhrydain, ffurfiwyd y Gymdeithas Frenhinol yn 1622, ac yn ei blynyddoedd cynnar, rhoddwyd cryn sylw ganddi i ymchwil ieithyddol. Yn Ffrainc sefydlodd y Cardinal Richelieu yr *Académie Française* yn 1635 i warchod safonau ieithyddol a llenyddol y Ffrangeg. Dechreuwyd cyhoeddi cylchgronau i roi cyfle i ieithyddion, ac eraill, ddatblygu eu syniadau ac i feirniadu gwaith ei gilydd.

Parhaodd cymhelliad athronyddol y cyfnodau cynt gydol y Dadeni. Tan y ddeunawfed ganrif prif destun dadlau'r byd athronyddol oedd yr ymdrafod rhwng yr empeirwyr (a honnai fod pob gwybodaeth ddynol yn tarddu o brofiad y synhwyrau) a'r rhesymolwyr (a honnai fod pob gwybodaeth yn tarddu o'r rheswm) a chafodd syniadau'r naill garfan a'r llall eu heffaith ar astudiaethau ieithyddol. Ysgrifennwyd nifer o 'ramadegau athronyddol' megis *Grammaire général et raisonnée Port Royal* 1660 gan Claude Lancelot ac Antoine Arnauld a ystyrid yn batrwm perffaith ar gyfer astudiaeth o ramadeg drwy orllewin Ewrob am yn agos i ddwy ganrif. Yn y ganrif hon cafodd gwaith Lancelot ac Arnauld amlygrwydd unwaith eto gan i nifer o ieithyddion dylanwadol, gan gynnwys Noam Chomsky,[34] geisio dangos ei fod yn trafod pynciau sy'n mynd â bryd ieithyddion y ganrif hon. Ffynnodd ysgolion Port–Royal yn Ffrainc rhwng 1637 a 1661. Y mae gwaith gramadegwyr Port–Royal yn ymgais ddifrifol i lunio gramadeg cyffredinol. Y Lladin, y Roeg, yr Hebraeg ynghyd â'r ieithoedd modern oedd y sylfaen ar gyfer eu gwaith. Nid oedd ganddynt nemor ddiddordeb mewn ieithoedd o'r tu allan i Ewrob.

Ond ymddangosodd nifer o ramadegau eraill yn ogystal a geisiai ddadlau fod yna ramadeg cyffredinol a oedd yn sylfaen i ramadegau unigol yn y gwahanol ieithoedd. Er mwyn gwneud hyn, cymhwyswyd dosbarthiad athronyddol cyfoes ar gyfer dadansoddi ieithyddol megis y syniad bod dwy lefel i ystyr (y mae i iaith ffurf 'allanol' yn ogystal ag ystyr fewnol neu ddwfn) a oedd yn gynnyrch rhaniad y corff a'r rheswm gan Decartes ac eraill. Ychydig yn ddiweddarach ceisiodd Leibniz, ymhlith eraill, lunio system newydd o arwyddion ar gyfer cyfleu pob gwybodaeth, ac unwaith eto, rhaid oedd holi'r cwestiwn a ellid gramadeg cyffredin i bob iaith. Cymhlethwyd y broblem yn ystod y ddeunawfed ganrif pan ddaeth astudio cymdeithasau cyntefig ac astudio llafar i fri a than bwysau'r amrywiaeth deunydd a dyrchwyd i'r wyneb collwyd golwg ar wraidd y pwnc athronyddol. Yr oedd llawer o syniadau eraill yn y gwynt yn ogystal, syniadau a gynigai, fel y tybid, ateb i nifer o broblemau megis datblygu ieithoedd artiffisial (ac y mae Esperanto a Volapük mewn cyfnod diweddarach yn enghreifftio'r duedd hon), diwygio'r gyfundrefn sillafu, llawfer a gwyddorau cydwladol. Ar y cyfan, dibwys oedd y tueddiadau hyn. Er iddynt gael sylw mawr yn ystod yr ail ganrif ar bymtheg, bychan o sylw a gawsant gan ieithyddion diweddar a fynnodd, yn hytrach, archwilio a ydyw gramadeg cyffredinol yn ddichonadwy ai peidio. Nid awn i ymhél â'r pwnc hwnnw yma, ond dywedwyd digon i ddangos bod llawer o'r pynciau y rhoir y pwys mwyaf arnynt gan ieithyddion cyfoes wedi eu gwreiddio yn athroniaeth yr ail ganrif ar bymtheg.

Gwawr y Cyfnod Modern

Crybwyllwyd eisoes y syniad bod perthynas yn bodoli rhwng ieithoedd a'i gilydd a'r syniad hwn a oedd yn gyfrifol am holl weithgarwch y ddeunawfed ganrif a'r bedwaredd ganrif ar bymtheg ym maes Ieithyddiaeth Gymharol Ddeiacronig neu Ieitheg. Dwyn sylw ysgolheigion gorllewin Ewrob at yr iaith Sansgrit oedd y man cychwyn. Bu cysylltiadau rhwng Ewrob a'r India er yr unfed ganrif ar bymtheg a gwnaed rhai sylwadau mewn cyfnod cynnar ar y tebygrwydd rhwng y Sansgrit a ieithoedd Ewrob. Er enghraifft nodasai'r Eidalwr Filippo Sassetti a drigai yn Goa rhwng 1583 a 1588, rai cyfatebiaethau rhwng y Sansgrit a'r Eidaleg (megis *ṣáṣ/sei, saptá/sette, ạṣṭaú/otto, náva/nove, devá/dio, sarpá/serpe*). Yn 1769 sylwasai cenhadwr o Urdd y Jesiwitiaid yn Pondicherry, Père G. L. Coeurdoux, fod tebygrwydd geirfaol a gramadegol rhwng y Sansgrit a'r Roeg a'r Lladin. Ni chyhoeddwyd sylwadaeth Coeurdoux tan 1808 nac eiddo Sassetti tan 1855. Erbyn hynny cyhoeddasai ieithegwr o dras Cymreig, Syr William Jones (1746–94), ac yntau'n Brif Farnwr Bengal, mewn darlith i'r gymdeithas Asialaidd yn Calcutta yn Chwefror 1786 y geiriau sydd bellach yn enwog,[36]

> The Sanskrit language, whatever be its antiquity, is of a wonderful structure, more perfect than the Greek, more copious than the Latin and

> more exquisitely refined than either, yet bearing to both of them a stronger affinity, both in the roots of verbs and in the forms of grammar, than could possibly have been produced by accident; so strong indeed that no philologer could examine them all three without believing them to have sprung from some common source, which, perhaps no longer exists: there is a similar reason though not quite so forcible, for supposing that both the Gothic and the Celtic, though blended with a very different idiom, had the same origin with the Sanskrit, and the old Persian might be added to the same family. . .

Er na fanylir ar y pwnc ymhellach gan Syr William Jones cyhoeddwyd y ddarlith a chafodd ei sylwadau gylchrediad eang. Yr oedd Edward Lhuyd (1660–1709)[37] yn ogystal wedi dechrau sylwi ar gyfatebiaethau rhwng ffurfiau yn yr ieithoedd Celtaidd ac yn yr *Archaeologia Britannica*[38] a gyhoeddwyd yn 1707 cynnwys adran ar 'Comparative Etymology' chwedl yntau. Noda:[39]

> Parallel Observations relating to the Origin of Dialects, the Affinity of the British with other languages, and their Correspondence to one another. What I aimed at therein was the shewing by the Collection of Examples methodized, that Etymology is not . . . a Speculation merely Groundless or Conjectural.

Rhaid, sut bynnag, oedd aros tan 1814 am astudiaeth fanwl o holl oblygiadau datganiad Syr William Jones. Cwblhawyd yr astudiaeth honno *Undersøgelse om det gamle Nordiske eller Islandske Sprogs Oprindelse* (Ymchwiliad i darddiad Hen Norseg neu iaith Gwlad yr Iâ) gan Ddanwr o'r enw Rasmus Rask (1789–1832).[40] Nid oedd Rask yn hyddysg yn yr iaith Sansgrit a chan iddo arddel y Ddaneg yn gyfrwng ei ysgolheictod a'i ysgrifennu, ni chafodd ei waith gymaint o ddylanwad ag eiddo'r Almaenwr Franz Bopp (1791–1863)[41] a gyhoeddodd yn 1816 *Über das Conjugationssystem der Sanskritsprache, in Vergleichung mit jenem der Griechischen, Lateinischen, Persischen und Germanischen Sprache* (Astudiaeth Gymharol o Ffurfdroadau'r Sansgrit, y Roeg, y Lladin, y Bersieg a'r Almaeneg). Dair blynedd yn ddiweddarach ymhelaethodd Almaenwr arall, Jacob Grimm (1785–1863)[42] ar astudiaeth Rask gan gaboli ychydig ar ei ymdriniaeth yn ei *Deutsche Grammatik* (Gramadeg Ellmynaidd). Erbyn 1883 tyfodd y deunydd a gasglwyd gan y tri hyn, ynghyd â defnydd ychwanegol trwy law cyfoeswyr, yn gyfrol *Vergleichende Grammatik des Sanskrit, Zend, Griechischen, Lateinischen, Litauischen, Gotischen und Deutschen* (Astudiaeth Gymharol o'r Sanskrit, y Zend, y Roeg, y Lladin, y Lithiwaneg, y Gotheg a'r Almaeneg). Yn y trydydd argraffiad cynhwyswyd adrannau ar Hen Slafoneg, Celteg a iaith Albania yn ogystal.

Cychwynnodd yr astudiaethau hyn mewn dull empeiraidd, ond cyn hir denwyd ieithyddion cymharol gan bwnc arall. Yn hytrach na chymharu'n unig, dechreuasant ddadansoddi nodweddion iaith y tybient ei bod yn bodoli cyn cyfnod y dogfennau cynharaf. Hawlient mai bodolaeth yr iaith hon a oedd i

6. Edward Lhuyd

gyfrif am y tebygrwydd rhwng ieithoedd megis y Sansgrit, y Roeg, a'r Lladin. Gellir gweld Edward Lhuyd yn mynegi'r union syniad unwaith eto o safbwynt yr ieithoedd Celtaidd. Wrth gyflwyno'r adran ar 'Comparative Etymology' yn yr *Archaeologia Britannica* dywed:[43]

> The design then of this *Comparative Etymology* being, to shew that Languages receive their Origin from an Accidental Difference either in the Acceptation and Use, or else in the Orthography or Pronunciation of Words, and an Addition or Omission of Syllables . . .

Esgorodd y ddamcaniaeth fod ieithoedd yn perthyn i'w gilydd ar y ddamcaniaeth bellach eu bod yn tarddu o un iaith gyffredin. Ar y cyntaf tybid bod y Sansgrit yn famiaith i'r Roeg a'r Lladin ond wedi ymchwil pellach, sylweddolwyd bod i'r ieithoedd hyn famiaith gyffredin a oedd erbyn hyn wedi diflannu. Dechreuwyd, felly, bennu nodweddion yr iaith ddiflanedig hon. Yr oedd yr ieithoedd Románs, wrth gwrs, yn arddangos patrwm tebyg. Profai'r tebygrwydd rhwng rhai geiriau a ffurfiau yn yr Eidaleg, y Sbaeneg a'r Ffrangeg, er enghraifft, eu bod yn tarddu o'r un famiaith. Gellir canfod tebygrwydd amlwg rhwng y ffurf ar y gair *tad* yn y tair iaith (yr Eidaleg *padre,* y Sbaeneg *padre,* y Ffrangeg *père*). Ond gellid mynd gam ymhellach ac awgrymu bod y gair ym mamiaith yr ieithoedd hyn yn cynnwys *p* gan ei bod yn elfen gyffredin i'r tair iaith fodern; yn yr un modd ag *r* a phe gwneid digon o waith cymharol gellid, hwyrach, egluro'r amrywio llafarog. Yn y dull hwn gellid adlunio'r ffurf *pater* — ffurf sydd, wrth gwrs, yn bodoli yn y Lladin. O astudio llu o enghreifftiau tebyg a chynnwys, yn ogystal, gyfluniadau gramadegol mwy cymhleth, gellid adlunio'r Lladin yn ei chrynswth o'r ieithoedd diweddar sy'n ei chynrychioli. Cymhwyswyd y dechneg hon wedyn ar gyfer y Lladin a'r Roeg a'r Sansgrit a ddangosai gyfatebiaethau tebyg: Lladin *pater,* Groeg πατηρ (*pater*), Sansgrit *pitar.* Daethpwyd i'r casgliad mai ffurf yr enw *tad* ym mamiaith y tair iaith hyn oedd **patér.* Ym maes ieitheg/ieithyddiaeth gymharol dynoda seren fod y ffurf wedi ei hadlunio yn y dull a ddisgrifiwyd uchod sef trwy grynhoi cyfatebiaethau ac nad ydyw, hyd y gwyddys, yn digwydd mewn dogfen ysgrifenedig. I adlunio'r ffurf ar gyfer *brawd* gellid ystyried fel rhan o'r dystiolaeth ffurfiau megis Lladin *frāter,* Groeg φρᾱτηρ (*phrātēr*), Sansgrit *bhrātār,* Hen Slafoneg Eglwysig *bratrŭ,* Gotheg *broðar,* Hen Wyddeleg *brāthir,* Hen Saesneg *brōðor* ac adlunio'r ffurf **bhrāter.*

Arweiniwyd ysgolheigion iaith gan gysondeb y cyfatebiaethau seinegol mewn rhestrau fel yr uchod i awgrymu perthynas seinegol rhwng ieithoedd a'i gilydd gan lunio 'deddfau seinegol' sef fformiwlâu ar gyfer dynodi sylweddoliad seiniau arbennig yn yr ieithoedd unigol. Yn yr enghreifftiau uchod, y mae pwys y dystiolaeth o blaid llafariad *ā* yn y famiaith ond bod **ā* yn cael ei sylweddoli fel *o* yn sgîl cyfnewid seinegol yn rhai o'r ieithoedd unigol. Dull arall, fwy cryno, o gyfleu'r un wybodaeth fyddai IE /**ā*/ > Lladin /*ā*/,

Groeg /ā/, Sansgrit /ā/ etc. Yn ddiweddarach datblygodd ysgol ieithyddol a wadai bod eithriadau i 'ddeddfau seinegol' ond ar y cychwyn nid deddfau haearnaidd heb eithriadau iddynt yr ystyrid y 'deddfau seinegol' hyn.

Yn y dull a ddisgrifiwyd uchod adluniwyd geiriau yr hen iaith wreiddiol cyn belled ag y caniatái'r defnyddiau ysgrifenedig. Gelwir yr iaith wreiddiol honno bellach yn Proto-Indo-Ewropeg (PIE). Galwyd yr ieithoedd a ddatblygodd o'r Proto-Indo-Ewropeg yn 'deulu' Indo-Ewropeaidd o ieithoedd a disgrifiwyd y berthynas rhwng yr ieithoedd a ffurfiai'r teulu drwy ddefnyddio termau sy'n dynodi perthynas deuluol; yr oedd y Sansgrit, y Roeg a'r Lladin etc. yn chwaerieithoedd.

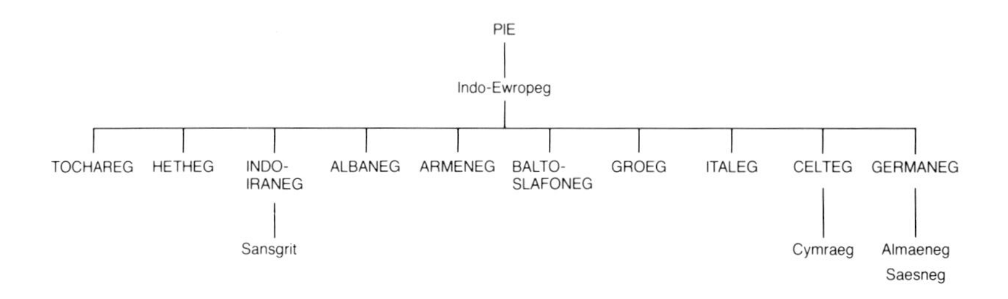

(Ni chydnabuwyd Tochareg na Hetheg yn ieithoedd yn perthyn i'r teulu Indo Ewropeaidd tan y ganrif bresennol)

Eglura'r dull cymharol y berthynas a fodola rhwng y rhan fwyaf o ieithoedd Ewrob (ac eithrio iaith y Basgiaid, Ffinneg a Hwngareg) a'i gilydd yn foddhaol drwy dyb–osod neu ddamcaniaethu ynglŷn â gwahanol raniadau o fewn y teulu. Sut bynnag, y mae'n bwysig cofio mai tra anodd yw pennu dyddiad pendant a rhoi enw gyferbyn â phob cyflwr o iaith arbennig, fel sy'n gyffredin weithiau ym myd ieitheg. Y mae iaith mewn cyflwr parhaol o newid. Nid dros nos y datblygodd y Ffrangeg o'r Lladin na Hen Gymraeg yn Gymraeg Canol; a hyd yn ddiweddar amhosibl oedd pennu'r union gyfnod pryd y datblygodd gweddau gwahanol ar yr un iaith yn annealladwy y naill i siaradwyr y llall fel bod modd honni eu bod yn ieithoedd gwahanol. (Er bod disgyblaeth o'r enw glotochronoleg wedi ei hadfywio'n ddiweddar i honni'r union beth hyn).[44] Awgrym petrus ar y gorau yw'r dyddiadau a roir gyferbyn ag ieithoedd a adluniwyd trwy dechneg cymharu ac y mae, bob amser, gyfnod o drawsnewid rhwng y cyfnodau a bennwyd gan ieithegwyr ar gyfer astudio hanes iaith.

Gellir galw'r dull uchod o ddosbarthu ieithoedd yn ddull achyddol. Yn yr un cyfnod gwnaed cais i lunio dosbarthiad o fath gwahanol, dosbarthiad wedi ei sylfaenu ar nodweddion morffolegol yr ieithoedd. Manylwyd ar y dull hwn gyntaf yn 1818 gan A. W. von Schlegel (1767–1845), Athro'r Sansgrit ym Mhrifysgol Bonn. Awgrymodd Schlegel fod tri math o iaith a gellid eu disgrifio a'u dosbarthu yn y dull hwn: iaith ANALYTIG megis y Sinaeg sydd heb ffurfdroadau ond yn cyfleu perthynas ramadegol yn hytrach drwy ddibynnu ar safle'r gair mewn brawddeg — drwy dôn a thrwy ddosbarth o ffurfiau gramadegol sy'n hollol ddiystyr ar eu pennau eu hunain ac a elwir gan ramadegwyr y Sinaeg yn 'eiriau gwag' sy'n wahanol eu swyddogaeth i 'eiriau cyflawn' neu ystyrlon; iaith SYNTHETIG (neu FFURFDROADOL) megis y Roeg neu'r Sansgrit neu'r Lladin; iaith DDODIADOL megis y Dwrceg neu'r Goreëg neu'r Hwngareg neu'r Swahili, sy'n cydio rhesi hirion o elfennau morffolegol wrth fôn arbennig. Er nad yw'r rhan fwyaf o ieithoedd yn disgyn yn grwn i'r un o'r dosbarthiadau hyn datblygwyd y ddamcaniaeth gan yr Almaenwr August Schleicher (1821–68)[45] o Brifysgol Jena a'r Athro Max Müller (1823–1900)[46] o Brifysgol Rhydychen. Efallai mai prif fantais rhaniad Schlegel dros y dull achyddol yw nad oes angen dadansoddi corff helaeth o ddeunydd ysgrifenedig cyn medru gwneud datganiad ac felly y mae'n ddull mwy defnyddiol na'r dull achyddol ar gyfer dosbarthu ieithoedd sydd heb wedd ysgrifenedig. Hyd yma, sut bynnag, nid ymddangosodd dosbarthiad hollol foddhaol wedi ei sylfaenu ar raniad triphlyg Schlegel.

Y mae'n bwysig cofio bod y dull cymharol i bob pwrpas yn ddull empeiraidd ac yn ddull trylwyr, yn seiliedig ar dystiolaeth dogfennau ysgrifenedig a'r wybodaeth am y wedd lafar ar iaith yn dibynnu, gan amlaf, ar ffynonellau ysgrifenedig. Yr oedd a wnelo'n bennaf â chymharu seiniau (yn hytrach na geiriau neu ystyron) a cheisiai arddangos bod patrwm yn perthyn i'r amrywio ieithyddol a nodai. Ni chyrhaeddid y nod hwn bob amser gan na roddwyd sylw digon gofalus i nodweddion cyfluniadol yr ieithoedd a oedd yn sylfaen i'r gymhariaeth. Rhaid oedd aros tan i Ferdinand de Saussure[47] ordeinio bod disgrifiad anhanesyddol yn rhagflaenu disgrifio hanesyddol. Yn y cyfamser, wrth i'r ganrif fynd yn ei blaen, perffeithiwyd methodoleg, gwnaed datganiadau manylach a mwy cynhwysfawr yn seiliedig ar ddulliau gwyddonol o astudio.

Yn ystod ail hanner y bedwaredd ganrif ar bymtheg, casglwyd llawer iawn o wybodaeth ynglŷn â Phroto-Indo-Ewropeg. Yr oedd gwybodaeth o'r Sansgrit yn hanfodol ar gyfer gwaith o'r fath ac ymddangosodd gramadegau o'r Sansgrit ynghyd â chyfieithiadau o lenyddiaeth glasurol yr iaith honno, yn ieithoedd y Gorllewin. Yn sgîl yr holl astudio manwl ar ieithoedd a datgelu llu o ffeithiau newydd ynglŷn ag iaith, enynnwyd diddordeb mewn ieithyddiaeth ddamcaniaethol. Dechreuodd ieithegwyr ystyried pa arwyddocâd a berthynai i gyfnewid seinegol a datblygiadau tebyg. Yn benodol, mabwysiadwyd agwedd esblygol tuag at astudiaethau ieithyddol, a hynny dan ddylanwad syniadaeth Darwin. Os oedd genedigaeth, twf a marwolaeth i'w ganfod ym myd planhigion ac anifeiliaid, oni allai hynny fod ym myd iaith yn ogystal? Yr oedd Wilhelm von Humboldt (1767–1835)[48] er yn gynnar yn y bedwaredd ganrif ar bymtheg wedi pwysleisio bod iaith mewn cyflwr parhaol o newid gan geisio ei egluro fel newid yng ngrym ymenyddol a chyflwr diwylliannol defnyddwyr yr iaith. August Schleicher oedd y cyntaf i geisio datblygu damcaniaeth Humboldt. Plediai ef, fel y gwelsom eisoes, raniad triphlyg Schlegel o ddosbarthu ieithoedd, a chyfunai ei syniadaeth athroniaeth Hegelaidd a damcaniaeth naturoliaeth Darwin. Honnai Schleicher fod y dull triphlyg yn enghreifftio'r rhaniad Hegelaidd: gosodiad (*thesis*) — gwrthosodiad (*antithesis*) — cydosodiad (*synthesis*). Cydosodiad neu *synthesis* oedd uchafbwynt datblygiad, ac yr oedd cydberthynas rhwng iaith o safon uchel a nifer y ffurfdroadau a geid ynddi: y Lladin, y Roeg, a'r Sansgrit yn ddiamau oedd ar frig y cynghrair ieithyddol hwn o eiddo Schleicher a'r Sinaeg ar y gwaelod, ac yr oedd pob iaith er Proto-Indo-Ewropeg mewn cyflwr o araf ddadfeilo gan fod y dull cymharol yn dangos bod y famiaith hon (Ursprache) yn meddu ar fwy o ffurfdroadau nag unrhyw iaith y bodolai tystiolaeth ynglŷn â hi.

Y feirniadaeth sylfaenol ar y ddamcaniaeth hon oedd mai ychydig sy'n gyffredin rhwng iaith a phlanhigyn. Nid oes gan iaith fodolaeth anianol annibynnol, felly ni ellir priodoli na bywyd na marwolaeth iddi. Siaradwyr iaith sydd yn bennaf gyfrifol am newid ieithyddol ac yn anuniongyrchol yn unig, drwy'r siaradwyr hyn, y gellir synio am iaith fel cyfanwaith haniaethol. Un wedd yn unig ar weithgarwch dynol yw iaith ac y mae'n weithgarwch sy'n newid yn barhaus; nid yw ond cyfres o gonfensiynau defnyddiol. Cawsai August Schleicher ei hyfforddi fel botanydd, a syniai ef am astudiaethau ieithyddol fel gwyddor anianol, ac amdano'i hun fel gwyddonydd anianol. Cais oedd ei ddamcaniaethu ieithyddol i gymhwyso damcaniaethu Darwin at ieithyddiaeth, ac yn wir yn 1863 cyhoeddodd draethawd *Die Darwinische Theorie und die Sprachwissenschaft* (Damcaniaeth Darwin ac Ieithyddiaeth).

Ail ddamcaniaeth ieithyddol a gysylltir ag enw August Schleicher yw'r *Stammbaumtheorie* sy'n honni bod y famiaith gyntefig wedi ymrannu'n ddwy iaith: ymrannodd un o'r ieithoedd hyn yn ei thro yn ddwy gangen, Germaneg a Balto-Slafeg (rhagflaenydd Balteg a Slafeg); o'r rhain fe ddatblygodd ieithoedd y mae tystiolaeth hanesyddol yn bodoli ynglŷn â hwynt. Ystyrid bod y fforch arall (Ario-Greco-Italo-Gelteg) wedi ymrannu'n Arieg (iaith y mae ieithoedd Iran a'r India wedi datblygu ohoni) a Greco-Italo-Gelteg a roes ar y naill law Gelt-Italeg (a gynrychiolir gan Gelteg ac Italeg, ieithoedd y mae tystiolaeth hanesyddol yn bodoli ynglŷn â hwynt) ac ar y llall yr iaith Roeg.

Sefydlodd y *Stammbaumtheorie* felly gyfres o unedau cyfryngol neu gyfres o ieithoedd tybiedig rhwng Indo-Ewropeg a'r ieithoedd y mae tystiolaeth hanesyddol yn bodoli ynglŷn â hwynt.

Anodd yw cysoni'r ffaith bod Schleicher yn gallu mabwysiadu'r rhaniad triphlyg â'r cysyniad bod esblygiad ieithyddol yn adlewyrchu proses o ddirywiad cyson, tra'n arddel damcaniaeth ar yr un pryd ynglŷn â datblygiad parhaol unedau ieithyddol. Plediai esblygiad o'r cyflwr analytig i'r cyflwr synthetig yn y dull a gynrychiolir isod.

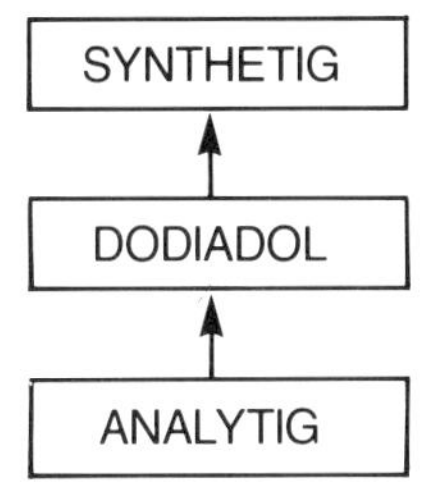

Y cyflwr synthetig oedd uchafbwynt esblygiad ieithyddol, ond unwaith y bydd iaith wedi ymgyrraedd at y cyflwr hwnnw y mae'n dechrau dirywio ar unwaith, dirywio o ran ei chyfluniad ieithyddol. Honnai Schleicher fod dau gyfnod yn perthyn i hanes bob iaith: cyfnod o dwf a datblygiad, cyfnod o brifiant a elwir ganddo'n 'gyfnod cynhanes', a chyfnod o ddirywiad a elwir ganddo'n 'gyfnod hanesyddol' — er bod y cyfnod hwnnw, o reidrwydd, yn cychwyn cyn bod tystiolaeth ynglŷn â'r ieithoedd ar gael. Nid oes, wedi'r cyfan, ronyn o dystiolaeth ynglŷn â chyflwr 'perffaith' yr un iaith.

Cafodd *Stammbaumtheorie* Schleicher gryn sylw gan ei gyfoeswyr ac y mae'n ddamcaniaeth bwysig yn hanes datblygiad astudiaethau ieithyddol. Yr oedd Sansgrit o'r diwedd wedi ei gosod yn ddi–os yn ei phriod le o fewn y teulu Indo-Ewropeaidd: fe'i priodolwyd gan Schleicher i'r dosbarth Ariaidd o ieithoedd. Un feirniadaeth bendant ar y ddamcaniaeth yw hyn: os yw ieithoedd megis y Gymraeg a'r Saesneg yn fiolegol wahanol, yn ffrwytho ar wahanol ganghennau o'r goeden deuluol yna, unwaith y byddant wedi gwahanu oddi wrth ei gilydd ni allant ddylanwadu y naill ar y llall. Ond anghywir yw hynny fel y dengys nifer y geiriau a fenthyciwyd i'r Gymraeg o'r Saesneg ar draws y canrifoedd.

Un o'r cyntaf i fynegi ei amheuon ynglŷn â'r *Stammbaumtheorie* oedd un o ddisgyblion Schleicher ei hun, sef Johannes Schmidt (1843–1910) a gymhwysodd ychydig ar ddamcaniaeth ei athro. Awgrymodd Schmidt ddisodli delweddaeth y *Stammbaumtheorie* ag eiddo'r *Wellentheorie* sef tonnau yn lledu ar draws wyneb pwll o ddŵr llonydd sydd wedi ei gynhyrfu gan garreg. Lleda'r tonnau ar ffurf cylch tan iddynt gwrdd ac ymdoddi â thonnau eraill sy'n gynnyrch cynhyrfiadau eraill. Dyma, yn ôl Schmidt, sut y dylid disgrifio a synio am ledaeniad nodweddion ac unedau ieithyddol. Diffinir pob ardal gan isoglosau, sef y llinellau hynny a roir gan ieithydd ar fap i nodi ffiniau ieithyddol, sy'n gwau drwy ei gilydd i ffurfio rhwydwaith gymhleth o nodweddion ieithyddol. Damcaniaethai fod undod gwreiddiol Indo-Ewropeg wedi ei chwalu gan we eang o isoglosau yn ymestyn ar draws ardal helaeth. Y mae ieithoedd sy'n perthyn i'r un teulu neu i'r un uned ieithyddol yn ymwahanu fwyfwy po bellaf y bônt oddi wrth ei gilydd, ac o ganlyniad i amgylchiadau gwleidyddol, crefyddol a chymdeithasol.

Ymgais oedd y *Wellentheorie* i egluro sut yr ymwahanodd yr ieithoedd oddi wrth ei gilydd trwy gymhwyso ychydig ar syniadaeth Schleicher. Er i ymchwil diweddarach, fel y cawn weld yn y man, gadarnhau llawer agwedd ar y ddamcaniaeth, nid oes arwydd bod Schmidt ei hun yn ymwybodol o gymhlethod y pwnc yr oedd wedi ei godi.

Yn 1872 y cyhoeddodd Schmidt ei sylwadau am y waith gyntaf; yn 1878 dangosodd John Rhŷs ei fod yn amharod i dderbyn y ddamcaniaeth[49] er iddo eisoes yn argraffiad cyntaf *Lectures in Welsh Philology* 1877 grybwyll gwaith Schmidt a chydnabod bod gwendidau yn perthyn i'r dull arall. Ddwy flynedd yn ddiweddarach erbyn cyhoeddi ail argraffiad *Lectures in Welsh Philology* yr un oedd safbwynt cyhoeddus Rhŷs er bod tystiolaeth o ffynhonnell arall ei fod wedi ei argyhoeddi gan ddamcaniaeth Schmidt mor gynnar â 1877.[50]

Mawr fu dylanwad damcaniaethau fel hyn ym maes ieithyddiaeth yn ystod y rhan hon o'r bedwaredd ganrif ar bymtheg. Hyd hynny bu'r pwyslais ar ffiloleg yn ei ystyr ehangaf, sef astudio iaith fel cyfrwng ar gyfer dehongli diwylliant cenedl a'i llenyddiaeth yn bennaf dim. Dan sbardun anianyddiaeth (*natural science*), sut bynnag, daethpwyd i synio am astudiaethau ieithyddol fel disgyblaeth annibynnol, gan briodoli iddi statws gwyddor anianol. Dechreuwyd astudio iaith o ddifri, ei hastudio er ei mwyn ei hun yn hytrach nag er mwyn dehongli testunau a llawysgrifau.

Yr oedd gwaith Jacob Grimm eisoes wedi sicrhau bod mwy o sylw yn cael ei roi i ieithoedd byw. Yn 1836 ymddangosodd gramadeg cymharol Friedrich Diez (1794–1896) o'r ieithoedd Románs ac yn 1852 gramadeg F. Miklosich (1813–93) o'r ieithoedd Slafonig a blwyddyn yn ddiweddarach, *Grammatica Celtica* Johann Kaspar Zeuss (1806–56). Ysgolfeistr o Bafaria oedd Zeuss a chyhoeddodd ei waith a ysgrifennwyd yn Lladin yn Leipzig. Nid gormod maentumio mai Zeuss oedd tad ysgolheictod ieithyddol Geltaidd. Ef a osododd y sylfeini yr adeiladwyd arnynt gan ysgolheigion diweddarach.[51] Defnyddiau ieithyddol o weithiau Zeuss, Miklosich, Diez ac eraill oedd y sylfaen ar gyfer amlinell *Stammbaum* August Schleicher. Disgybl i Friedrich Diez oedd Hugo Schuchardt (1842–1927)[52] a ddaeth yn gyfaill i Syr John Rhŷs (1840–1915). Yr oedd Rhŷs yntau wedi astudio yn Leipzig dan Georg Curtius (1820–85)[53] ac August Leskien (1840–1916).[54] Yn Leipzig yn 1870 y daeth Rhŷs i gysylltiad â Schuchardt gyntaf a denwyd hwnnw i Gymru, i ddysgu'r Gymraeg a chyfrannu at astudiaethau Celtaidd. *Privat-dozent* oedd Schuchardt ym Mhrifysgol Leipzig ond fe'i penodwyd yn athro Ffiloleg Románs yn Halle yn 1876 ac yn Graz ychydig yn ddiweddarach. Bu Schuchardt yn ddylanwad ar waith ieithyddol John Rhŷs a phan etholwyd Rhŷs i'r gadair Geltaidd ym Mhrifysgol Rhydychen yr oedd Schuchardt, Curtius a Leskien ymhlith ei gefnogwyr.[55]

Yn ogystal ag ennyn diddordeb yn yr ieithoedd diweddar, yn yr ieithoedd byw, sicrhaodd gwaith Grimm ac eraill agwedd a dulliau mwy gwyddonol wrth drafod deunydd ieithyddol a llunio rhagor o ddeddfau seinegol. Cynhwysai'r

Deutsche Grammatik nid yn unig ramadeg o'r Almaeneg, ond yn ogystal arolwg cymharol o nodweddion gramadegol y teulu Ellmynaidd o ieithoedd. Yn yr ail argraffiad (1822) ychwanegodd Grimm adran yn olrhain y berthynas rhwng cytseiniaid yr ieithoedd Ellmynaidd a'r rhai cyfatebol yn yr ieithoedd Indo-Ewropeaidd, gan geisio sefydlu cyfres o reolau i egluro'r berthynas rhyngddynt. Ond yr oedd llawer o ddeunydd na ellid rhoi cyfrif amdano, a chyfnewidiadau seinegol a ymddangosai'n hollol groes i batrwm normal datblygiad seiniau. Pan ddangosodd Karl Verner (1846–96)[56] yn 1875 fod cyfres o gyfnewidiadau seinegol a oedd wedi cael eu hesbonio'n anfoddhaol yn y gorffennol yn ymddwyn yn berffaith reolaidd pe cymhwysid egwyddor seinegol a oedd, hyd yma, wedi ei hanwybyddu, esgorwyd ar gyfnod newydd o ymchwil ieithyddol. Fe'i hategid gan gyhoeddiadau eraill a ymddangosodd tua'r un pryd (o law Ferdinand de Saussure er enghraifft) a ddangosai'n fwy eglur y berthynas rhwng y Sansgrit a'r Indo-Ewropeg. Daeth rhai ysgolheigion iaith i gredu fod modd egluro *pob* cyfnewid seinegol a ymddangosai fel petai'n eithriad yn yr un modd, sef eu bod yn eithriadau am fod yr astudio ar y deunydd sylfaenol wedi bod yn annigonol cyn llunio'r ddeddf. Nid ar hap a damwain, fe ddadleuid, y mae cyfnewidiadau seinegol yn digwydd a dangosai astudiaeth fanwl a gwrthrychol o'r deunydd crai, gan roi sylw dyladwy i ddylanwad y naill sain ar y llall, fod eglurhad boddhaol ar gyfer pob cyfnewid seinegol.

Syr John Rhŷs

John Peter (*Ioan Pedr*)

Hugo Schuchardt

Ym Mhrifysgol Leipzig y datblygodd y wedd hon ar astudiaethau ieithyddol a chyfeiriwyd at gynheiliaid yr agwedd hon yn wawdlyd gan eu cyfoedion fel 'y gramadegwyr newydd' (*Junggrammatiker*) enw a fabwysiadwyd ganddynt â balchder. Datblygwyd damcaniaeth Verner gan August Leskien a Karl Brugmann (1849–1919)[57] a chrynhoir ymchwil yr ysgol hon o ieithegwyr yn astudiaeth Karl Brugmann a Berthold Delbrück (1842–1922),[58] *Grundriss der vergleichenden Grammatik der indogermanischen Sprachen* (Arweniad i ramadeg cymharol o'r ieithoedd Indo-ellmynaidd) a gyhoeddwyd mewn pum cyfrol rhwng 1886 a 1900. Cymhwyswyd y ddamcaniaeth ar gyfer yr ieithoedd Románs gan W. Meyer Lübke (1861–1936)[59] yn ei *Grammatik der romanischen Sprachen* a gyhoeddwyd yn Leipzig rhwng 1890 a 1902. Mawr fu dylanwad y *Junggrammatiker* ac yn nulliau'r ysgol hon yr hyfforddwyd y Ffrancwr Antoine Meillet (1866–1936)[60] a gyhoeddodd astudiaethau safonol ar nifer helaeth o ieithoedd gan gynnwys yr ieithoedd Celtaidd, Syr John Rhŷs, ac Americanwyr megis Franz Boas (1858–1942),[61] Edward Sapir (1884–1939)[62] a Leonard Bloomfield (1887–1949)[63] a sefydlodd astudiaethau ieithyddol yn yr Unol Daleithiau, gan ganolbwyntio'n bennaf ar ieithoedd Indiaid America.

Yr oedd cydweddiad yn ffenomenon hollol sylfaenol i athrawiaeth y gramadegwyr newydd, a chredent mai dyma'r grym ieithyddol a gysonai wahaniaethau mewn iaith. Pwysleisiai'r dull hwn felly ochr anianol (*physical*) iaith ond tynnodd methodoleg haearnaidd cynheiliaid y dull hwn nyth cacwn am eu pennau. Yr oedd y dull yn rhy fecanyddol, fe ddywedid, ac yn anwybyddu siaradwyr. Yr oedd dwy wedd ar iaith, ffurf yr iaith ei hun, a'r defnydd a wneid o'r iaith, ac ni ellid diystyru'r wedd gymdeithasegol wrth astudio iaith. Anwybyddu'r feirniadaeth bron yn llwyr a wnaeth y gramadegwyr newydd.

Yr oedd sail i'r feirniadaeth hon, ond wedi dweud hynny rhaid cofio nad oedd y wedd gymdeithasegol ar iaith wedi ei harchwilio'n fanwl hyd yma. Sut bynnag, un o ganlyniadau'r mudiad fu mabwysiadu agwedd fwy gwyddonol fanwl tuag at astudiaethau ieithyddol a synio am y pwnc fel gwyddor anianol. Parhâi'r agwedd esblygol — yr oedd gogwydd hanesyddol i bob esboniad yn ystod y blynyddoedd dilynol — ond mabwysiadwyd agwedd fwy rhesymol, empeiraidd tuag at astudiaethau ieithyddol, yn enwedig ar gyfer astudio'r wedd gyfoes ar iaith, y datblygwyd ei gwedd ddamcaniaethol am y waith gyntaf gan Ferdinand de Saussure. Pwysleisiai de Saussure y dylid rhoi blaenoriaeth i astudio'r wedd gyfoes ar iaith a chynigiodd ganllawiau hollol bendant ar gyfer astudio'r wedd honno. Perthynai'r hen ddamcaniaethu ffansïol anfanwl i'r gorffennol ac yr oedd damcaniaethau wedi eu seilio ar wir ysgolheictod a hwnnw'n ysgolheictod eang yn dod i glawr.

Yr oedd Hugh Schuchardt yn chwyrn ei feirniadaeth o'r *Junggrammatiker*. Er ei fod yn cyfoesi â'r gramadegwyr newydd, perthynai Schuchardt i gylch ieithyddol bychan, eto wedi ei ganoli ar Leipzig i gychwyn, a adwaenir fel 'yr

Annibynwyr' am iddynt ddewis dilyn trywydd ieithyddol gwahanol i eiddo Karl Brugmann a'i gymheiriaid. Ni allai Schuchardt dderbyn y gredo ganolog yn athrawiaeth y *Junggrammatiker* nad oedd eithriadau i ddeddfau seinegol. Yn 1885 cyhoeddodd Schuchardt erthygl 'Über die Lautgesetze: gegen die Junggrammatiker' ('Ynglŷn â deddfau seinegol: yn erbyn y Gramadegwyr Newydd').[64] Sylweddolodd fod sawl eglurhad arall yn bosibl: ef oedd un o'r cyntaf i sylweddoli arwyddocâd yr elfen ddaearyddol mewn newidiadau ieithyddol a hynny yn sgîl ei waith arloesol yn y maes hwn yn yr Almaen ac yn Awstria. Ddechrau'r ganrif bresennol cafodd dulliau'r ysgol hon o ieithyddion gryn amlygrwydd pan gyhoeddwyd gwaith Jules Gilliéron (1854–1926) *Atlas Linguistique de la France* a'r hyn a ddaeth i'r golwg trwy astudiaethau o amrywio daearyddol a danseiliodd yn y pen draw athroniaeth ganolog y gramadegwyr newydd ar ddeddfau seinegol. Dangosodd Schuchardt yn ogystal sut y gall nodwedd ieithyddol a fo'n perthyn i unigolyn ddatblygu'n nodwedd gyffredinol drwy ddynwarediad.

Yn ôl syniadaeth draddodiadol yr ieithegwyr cymharol, i un teulu o ieithoedd yn unig yr oedd pob iaith yn perthyn, yr oedd pob iaith yn achyddol bur. Ond ymroes Schuchardt i astudio ieithoedd *pidgin*, sef ieithoedd a ffurfiwyd drwy i gyfluniadau ieithyddol nad ydynt yn perthyn i'w gilydd o gwbl asio ynghyd (er enghraifft, iaith a siaredir yn rhai o ranbarthau'r Affrig sydd wedi ei sylfaenu ar y Saesneg ond yn cynnwys, yn ogystal, elfennau o'r ieithoedd brodorol). Dyma safbwynt pur wahanol, wrth gwrs, i eiddo'r ieithegwyr cymharol. Erbyn hyn cydnabyddir gwaith arloesol Schuchardt yn y maes hwn. Gwrthodai Max Müller y syniad o ieithoedd cymysg yn llwyr, ond maentumiai Schuchardt fod pob iaith yn gymysg.

Law yn llaw â'i waith ar amrywiadau ieithyddol-ddaearyddol, ac unwaith eto'n wahanol i'r rhan fwyaf o'i gyfoeswyr, sylweddolodd Schuchardt bwysigrwydd astudiaethau a roddai sylw manwl i hanes a dosbarthiad daearyddol agweddau ar ddiwylliant materol (offer amaethyddol, planhigion, etc.) ynghŷd â'r eirfa berthnasol. Cyfrannai'n gyson i'r cylchgrawn *Wörter und Sachen* (Geiriau a Phethau) a sefydlwyd yn 1909 gan Rudolf Meringer (1859–1931), Athro Ffiloleg Gymharol Prifysgol Graz, i hyrwyddo'r wedd hon ar astudiaethau ieithyddol. Ymddiddorai Schuchardt yn arbennig mewn termau pysgota a cheisiodd wybodaeth ynglŷn ag arferion pysgotwyr afon Dyfrdwy trwy law'r Athro Hermann Ethé, oddi wrth yr Athro Edward Anwyl.[65] Pwysleisiai Schuchardt bwysigrwydd astudio dosbarthiad daearyddol geiriau a'r angen am atlasau darluniadol yn nodi dosbarthiad daearyddol offer cyffredin. Ychydig cyn marw Schuchardt sylweddolwyd ei freuddwyd a'i syniadau'n rhannol pan gyhoeddwyd *Sprach- und Sachatlas des Italiens und der Südschweiz* gan Karl Jaberg (1877–1959), Jacob Jud a Paul Scheurmeirer. Cawn John Rhŷs yntau'n pleidio pwysigrwydd hyrwyddo astudio dosbarthiad daearyddol ffurfiau ieithyddol yng Nghymru.[66]

Cyfnod bri'r *Junggrammatiker* oedd cyfnod Schuchardt, ac nid tan ar ôl ei farw y daethpwyd i lawn werthfawrogi pwysigrwydd ei syniadau gan ieithyddion.

Bu gwerth gwirioneddol i'r dull cymharol ym maes astudiaethau deiacronig gan iddo ddatrys nifer o broblemau. Er enghraifft, drylliwyd am byth yr hen ddamcaniaethau fod iaith hynaf y byd yn dal ar dafod leferydd ac mai iaith syml ei chyfluniad a siaredid yng Ngardd Eden. Po bellaf yn ôl y ceisid adlunio gan ddefnyddio'r dull cymharol, mwyaf cymhleth yr ymddangosai'r cyfluniadau. Yr oedd i Indo-Ewropeg lawer yn rhagor o ffurfdroadau na'r Roeg neu'r Sansgrit, ac nid oes ronyn o dystiolaeth mai Indo-Ewropeg oedd iaith wreiddiol dynoliaeth. Ceir llawer o'r syniadau ffansïol a arddelid ynglŷn â ieithoedd yng ngwaith Rowland Jones (1722–74).[67] Hannai o blwyf Llanbedrog ac fe'i ystyrid yn ei ddydd yn ieithydd o fri. Yn ei lyfr *The Origin of Languages and Nations,* 1764, ffurfiodd ddamcaniaeth ynglŷn â tharddiad geiriau, a maentumiai y gellid tarddu geiriau o fân wreiddiau unsillafog, ac mai'r iaith Gelteg oedd yr iaith gyntefig, Dywed yn ei Ragair:

> There have been many nations, who have put in their claim for the honour of the first language; and though the Hebrew, Arabic, Chaldee, Syriac, Armenian, Chinese, Greek, Swedish, Coptic, Teutonic and Celtic have had their advocates, the Celtic seems to me to support the claim with the best proof. Historians are of late generally agreed, from some passages in Ezekiel and Jeremiah, Josephus, Bertostus, Bochart and others that the Cimbri, Gauls, Celtes and Germans are the descendants of Gomer and his eldest son Askenans.

Yn ei eiriadur y mae'n olrhain tarddiad geiriau Saesneg, Lladin, Groeg a Chymraeg i'r un ffynhonnell Gelteg. Bu Rowland Jones yn ddylanwad ar waith ieithyddol William Owen Pughe (1759–1835)[68] a dderbyniodd yn eu crynswth y damcaniaethau rhamantus a gorddai ddyneiddwyr Cymru ganrif a hanner ynghynt. Yn wir o'r Dadeni hyd at gyfnod Syr John Rhŷs, Edward Lhuyd yn unig o blith ieithyddion Cymru a allodd wrthsefyll y demtasiwn i fabwysiadu a chyhoeddi'r syniadau hyn. Canmolir ei gyfraniad gan Hugo Schuchardt.[69] Yn yr ystyr hon yr oedd Lhuyd yn fwy o arloeswr na Syr William Jones oherwydd arddelai hwnnw draddodiad Tŵr Babel, hyd yn oed yn ei ddarlith enwog a ystyrir yn fan cychwyn astudiaethau cymharol modern, ac yn ei 'Origin and families of nations' (1799) dosbarthodd genhedloedd y byd yn dair carfan, y cyfan yn hannu o blant Noa. Ystyriai fod iaith Noa ei hun wedi diflannu a gwadai unrhyw gysylltiad hanesyddol rhwng ieithoedd gwreiddiol y tair carfan. Hil Jaffeth oedd cenhedloedd gogledd Ewrob a gogledd Asia, disgynyddion Sem oedd yr Arabiaid a'r Iddewon, Cham oedd sylfaenydd cenedl yr Indiaid, pobloedd de Ewrop ac, y mae'n bur debyg, weddill yr hil ddynol.[70] Plentyn ei gyfnod oedd Syr William Jones, megis Rowland Jones a William Owen Pughe, wrth arddel y syniadau hyn. Yn llinach Edward Lhuyd ar y llaw arall y saif ysgolheigion iaith megis John Peter (1833–77)[77] a Syr John Rhŷs, ill dau mewn cysylltiad ag ysgolheictod y cyfandir ac â Hugo Schuchardt a oedd yn gwrthryfela yn erbyn y pwyslais hanesyddol pur ar astudiaethau ieithyddol.

Er bod astudiaethau ieithyddol wedi elwa'n fawr ar y dull cymharol, eto ni ddylid credu bod ieitheg gymharol a'r fethodoleg a ddatblygodd yn ei sgîl yn cynnig ateb parod i bob problem. Er enghraifft, nid oes lle, am amryfal resymau, i iaith y Basgiaid, Swmereg ac Etrwsgeg o fewn y teulu Indo-Ewropeaidd. Ond o leiaf gall y fethodoleg ddangos nad ieithoedd Indo-Ewropeaidd yw'r rhain. Amhosibl, yn ogystal, bennu pa berthynas yn union sy'n bodoli rhwng y teulu Indo-Ewropeaidd o ieithoedd a theuluoedd eraill, megis ieithoedd Indiaid Gogledd America; y mae'n amheus a ellir fyth gymryd camau breision yn y maes hwn gan fod cynifer o ieithoedd yn bod ar lafar yn unig a heb ddogfennau ysgrifenedig a allai roi sail hanesyddol ar gyfer adlunio eu gorffennol yn unol ag egwyddorion cymharol. Sut bynnag, cymhwyswyd damcaniaethau a methodoleg yr ieithegwyr cymharol gan Leonard Bloomfield yn ei astudiaethau cymharol a deiacronig o ieithoedd Indiaid America.

Y mae nifer o gyfyngiadau pwysig eraill ar y dull cymharol a dylid gochel rhag pwyso'n ormodol arno. Y mae'n ymwneud yn ormodol â ieithoedd marw, ac â llythrennau yn hytrach nag â seiniau. Yn ail, y mae'n pwyso'n ormodol ar elfennau a fo'n arwynebol gyffredin i ieithoedd yn hytrach nag elfennau a fo'n sylfaenol wahanol. Er enghraifft nid yw'r dull yn ddigon hyblyg i allu egluro cyfnewidiadau annibynnol sydd wedi digwydd o fewn iaith wedi iddi ymwahanu oddi wrth y famiaith, cyfnewidiadau sydd o bosibl heb effeithio ar y famiaith o gwbl; byddai ceisio olrhain cyfnewidiadau o'r fath yn y famiaith yn rhoi, wrth gwrs, ganlyniadau anffodus. Yn drydydd, y mae elfen sylfaenol o ddiffyg cysondeb yn perthyn i'r ddamcaniaeth. Priodolir iaith i'r teulu Indo-Ewropeaidd ar gorn cyfres o gyfnewidiadau ieithyddol a ddigwyddodd iddi yng nghwrs ei hanes gan anwybyddu cyfresi eraill o gyfnewidiadau. Ni chynigir na chanllaw nac egwyddor ar gyfer gogri'r cyfnewidiadau arwyddocaol oddi wrth y cyfnewidiadau anarwyddocaol, wrth adlunio'r famiaith. Yn bedwerydd, y mae'r dull yn rhagdybio bod dwy iaith, wedi iddynt wahanu oddi wrth y fam yn peidio â dylanwadu y naill ar y llall. Damcaniaeth beryglus yw hon oherwydd gwyddom fod yr iaith Saesneg, er enghraifft, wedi dylanwadu ar nifer helaeth iawn o ieithoedd. Yn bumed, y mae'r deddfau seinegol yn anystwyth gan gynnig un fformiwla yn unig ar gyfer pob cyfnod. Po bellaf yr olrheinir hanes iaith, mwyaf oll yr ystod amser a briodolir i gyfnodau'r iaith honno, ac o ganlyniad mwyaf i gyd y ffactorau anhysbys a allai fod wedi dylanwadu ar yr iaith. I gloi, tybir mai un iaith oedd Proto-Indo-Ewropeg y gellir ei hadlunio ar gorn tystiolaeth ieithoedd diweddarach. Ond yn sgîl yr hyn a wyddys bellach am natur iaith, y tebyg yw bod mwy nag un tafodiaith iddi, bod mwy nag un amrywiad arni.

NODIADAU

1. *ὄνομά ἐστι μέρος λόγου πτωτικόν, σῶμα ἢ πρᾶγμα σημαῖνον.*
   ῥῆμά ἐστι λέξις ἄπτωτος, ἐπιδεκτικὴ χρόνων τε καὶ προσώπων καὶ ἀριθμῶν, ἐνέργειαν ἢ πάθος παριστῶσα.
   μετοχή ἐστι λέξις μετέχουσα τῆς τῶν ῥημάτων καὶ τῆς τῶν ὀνομάτων ἰδιότητος.
   ἄρθρον ἐστὶ μέρος λόγου πτωτικόν προτασσόμενον καὶ ὑποτασσόμενον τῆς κλίσεως τῶν ὀνομάτων.
   ἀντωνυμία ἐστὶ λέξις ἀντὶ ὀνόματος παραλαμβανομένη, προσώπων ὡρισμένων δηλωτική.
   πρόθεσίς ἐστι λέξις προτιθεμένη πάντων τῶν τοῦ λόγου μερῶν ἔν τε συνθέσει καὶ συντάξει.
   ἐπίρρημά ἐστι μέρος λόγου ἄκλιτον, κατὰ ῥήματος λεγόμενον ἢ ἐπιλεγόμενον ῥήματι.
   σύνδεσμός ἐστι λέξις συνδέουσα διάνοιαν μετὰ τάξεως καὶ τὸ τῆς ἑρμηνείας κεχηνὸς πληροῦσα.
2. Gw. Robins, R. H. (1973).
3. Priscian, *Institutiones grammaticae.*
   2.4.18: Proprium est nominis substantiam et qualitatem significare; 2.5.22; Nomen est pars orationis, quae unicuique subiectorum corporum seu rerum communem vel propriam qualitatem distribuit.
   2.4.18: Proprium est verbi actionem sive passionem . . . significare; 8.1.1.: Verbum est pars orationis cum temporibus et modis, sine casu, agendi vel patiendi significativum.
   2.4.18: Participium iure separatur a verbo, quod et casus habet, quibus caret verbum, et genera ad similitudinem nominum, nec modos habet, quos continet verbum; 11.2.8: Participium est pars orationis, quae pro verbo accipitur, ex quo et derivatur naturaliter, genus et casum habens ad similitudinem nominis et accidentia verbo absque discretione personarum et modorum.
   2.4.18: Proprium est pronominis pro aliquo nomine proprio poni et certas significare personas; 12.1.1: Pronomen est pars orationis, quae pro nomine proprio uniuscuiusque accipitur personasque finitas recipit.
   13.6.29: Substantiam significat sine aliqua certa qualitate.
   2.4.20: Proprium est adverbii cum verbo poni nec sine eo perfectam significationem posse habere; 15.1.1: Adverbium est pars orationis indeclinabilis, cuius significatio verbis adicitur.
   2.4.20: Praepositionis proprium est separatim quidem per appositionem casualibus praeponi . . . coniunctim vero per compositionem tam cum habentibus casus quam cum non habentibus; 14.1.1: Est praepositio pars orationis indeclinabilis, quae praeponitur aliis partibus vel appositione vel compositione.
   15.7.40: Videtur affectum habere in se verbi et plenam motus animi significationem, etiamsi non addatur verbum, demonstrare.
   2.4.21: Proprium est coniunctionis diversa nomina vel quascumque dictiones casuales vel diversa verba vel adverbia coniungere; 16.1.1: Coniunctio est pars orationis indeclinabilis, coniunctiva aliarum partium orationis, quibus consignificat, vim vel ordinationem demonstrans.

4. Gw. Williams, G. J. ac E. J. Jones (1934).
5. Ibid., tt. lxvii-lxix.
6. Gw. Ó. Cuív, B. (1965), Ahlqvist, A. (1979/80).
7. Williams, G. J. ac E. J. Jones (1934), t. xlvi.
8. Cyhoeddwyd adargraffiad *facsimile* o'r gwaith hwn gan y Scolar Press (Menston, England, 1969) rhif 179 yn y gyfres *English Linguistics 1500–1800.*
9. Gw. Williams, G. J. (1939).
10. Ceir adargraffiad o ragymadrodd Siôn Dafydd Rhys i'r gramadeg yn Hughes, G. (1951) a chyfieithiad Cymraeg o'i gyflwyniad Lladin i Syr Edward Stradling yn Davies, C. (1980), a gw. Gruffydd, R. G. (1971).
11. Ceir cyfieithiad Cymraeg o gyflwyniad Lladin Siôn Dafydd Rhys i Syr Robert Peckham yn Davies, C. (1980), a gw. Griffith, T. G. (1953).
12. Cyhoeddwyd adargraffiad *facsimile* o'r gwaith hwn gan y Scolar Press (Menston, England, 1969) rhif 189 yn y gyfres *English Linguistics 1500–1800.* Ceir cyfieithiad Cymraeg o gyflwyniad Lladin Henry Salesbury i Henry Herbert, Iarll Penfro, ac o'i ragymadrodd i'r gwaith, yn Davies, C. (1980).
13. Ceir adargraffiad *facsimile* o argraffiad 1621 gan y Scolar Press (Menston, England, 1968) rhif 70 yn y gyfres *English Linguistics 1500–1800.* Ceir cyfieithiad Cymraeg o lythyr annerch y Dr John Davies at Edmwnd Prys, Archddiacon Meirionnydd, yn Davies, C. (1980).
14. Morris-Jones, J. (1913) v.
15. Gw. Lambert, P-Y. (1976–7), (1979).
16. Ceir ymdriniaeth â'r Wyddeleg yn 1652 yn *The Christian Doctrine* gan William Perkins ac mewn cyfrol gan awdur anhysbys *Book of Common Prayer . . . with the elements of Irish,* 1712.
    Yn Lladin yr ysgrifennodd Francis Malloy ei *Grammatica Latino-Hibernica* a ymddangosodd yn 1677. Yn 1728 ymddangosodd y gramadeg cyntaf o'r Wyddeleg yn y Saesneg, *The Elements of the Irish Language Grammatically explained in English* gan Hugh MacCurtin ac fe'i cyhoeddwyd yn Louvain. Ceir adargraffiad *facsimile* o ramadeg MacCurtin gan y Scolar Press (Menston, England, 1972) rhif 351 yn y gyfres *English Linguistics 1500–1800.*
17. Ceir adargraffiad *facsimile* o'r gwaith hwn wedi ei baratoi gan T. Richards ar gyfer y Cymmrodorion (London, 1877). Hefyd: *A Scolar Press Facsimile* (1969).
18. Ceir adargraffiad *facsimile* a'r deunydd rhagymadroddol gan y Scolar Press (Menston, England, 1968) rhif 99 yn y gyfres *English Linguistics 1500–1800.* Ceir cyfieithiad Cymraeg o'r cyflwyniad i Charles, Tywysog Cymru, o ragymadrod John Davies a'r cyflwyniad i Syr Richard Wynn yn Davies, C. (1980), a gw. Fynes-Clinton, O. H. (1925).
19. Gw. Williams, G. J. (1930).
20. *YBC.*, t. 843.
21. Ibid., t. 484.
22. Gw. Lewis, A. (1969), t. 223; Jones, E. D. (1955).
23. Ibid.
24. YBC., t. 256.
25. Ibid., t. 834.
26. Ibid., tt. 238–9.

27. Ibid., t. 950–1.
28. Ibid., t. 802–3.
29. Ibid., t. 241.
30. Ibid., t. 804.
31. Ibid., t. 526.
32. Jones, T. G. (1921–2).
33. *YBC*. t. 443. Gw. Emanuel, H. (1972) am eiriaduron Cymraeg 1547–1927. Ceir adargraffiad *facsimile* o argraffiad 1660 o'r *Grammaire* . . . gan y Scolar Press (Menston, England, 1967) a chyfieithiad i'r Saesneg gan Thomas Nugent o argraffiad 1753 *A general and rational grammar* Scolar Press (Menston, England, 1968) rhif 73 yn y gyfres *English Linguistics 1500–1800*.
34. Chomsky, N. (1966).
35. Gw. Sebeok, T. A. (1976) Vol. I, 1–57.
36. Ceir adargraffiad o'r ddarlith hon yn Lehmann, W. P. (1967) tt. 10–20.
37. *YBC*., tt. 529–31.
38. Ceir adargraffiad *facsimile* o'r *Archaeologia Britannica* gan y Scolar Press (Menston, England, 1969) rhif 136 yn y gyfres *English Linguistics 1500–1800*.
39. Ibid. Preface TIT, I.
40. Gw. Sebeok, T. A. (1976) Vol. I, 179–99. Ceir cyfieithiad Saesneg o ran o'r *Undersøgelse* . . . yn Lehmann, W. P. (1967) tt. 31–7.
41. Gw. Sebeok, T. A. (1976) Vol. I, 200–50. Ceir cyfieithiad Saesneg o ran o'r Über . . . yn Lehmann, W. P. (1967) tt. 40–5.
42. Gw. Sebeok, T. A. (1976) Vol. I, 120–79. Ceir cyfieithiad Saesneg o ran o'r *Deutsche Grammatik* yn Lehmann, W. P. (1967), tt. 48–60.
43. Gw. nodyn 38 uchod. t. 2.
44. Ar y pwnc hwn gw. Sebeok, T. A. (1973) tt. 355–67; Ivic, M. (1970) tt. 219–20; Fowkes, R. A. (1971) tt. 189–94; Elsie, R. W. (1979).
45. Gw. Sebeok, T. A. (1976) Vol. I, 374–95.
46. Ibid., tt. 395–9.
47. Gw. Sebeok, T. A. (1976), Vol. II. 87–110.
48. Gw. Sebeok, T. A. (1976), Vol. I, 71–120.
49. Gw. Rhŷs, J. (1878).
50. Schuchardt-Nachlaß, Universitätsbibliothek Graz, Briefe J. Rhŷs.
51. Gw. Pedersen, H. (1962), tt. 59–63.
52. Gw. Sebeok, T. A. (1976), Vol. I. 504–11.
53. Ibid., tt. 311–73.
54. Ibid., tt. 469–73.
55. Morris-Jones, J. (1925), t. 5.
56. Sebeok, T. A. (1976), Vol. I. 538–48.
57. Ibid., tt. 575–80.
58. Ibid., tt. 489–96.
59. Sebeok, T. A. (1976), Vol. II, 174–82.
60. Ibid., tt. 201–47.
61. Ibid., tt. 122–39.
62. Ibid., tt. 489–92.
63. Ibid., tt. 508–21.

64. Ailargraffwyd yr erthygl hon yn Spitzer, L. (1928) tt. 51–107. Ceir cyfieithiad Saesneg yn Vennemann, Th. and Wilbur, T. H. (1972).
65. Schuchardt-Nachlaß, Universitätsbibliothek Graz, Briefe H. Ethé.
66. Gw. Rhŷs, J. (1903).
67. YBC., t. 481.
68. Ibid., tt. 767–8.
69. Gw. Schuchardt, H. (1877).
70. Gw. Sebeok, T. A. (1973), t. 20.
71. Gw. Jenkins, R. T. (1933), tt. 137–68; Rhŷs, J. (1877a), tt. 130–4; *YBC.*, tt. 706–7.

3
SYNIADAU IEITHYDDOL FERDINAND DE SAUSSURE

Ganed Ferdinand de Saussure yng Ngenefa yn 1857 ac er iddo astudio'r Roeg, y Lladin, y Ffrangeg, yr Almanaeneg, y Saesneg a'r Sansgrit er pan oedd yn llencyn dewisodd Ffiseg a Chemeg i'w hastudio ym Mhrifysgol Genefa. Ond alarodd ar wyddoniaeth a chael ei ddenu drachefn gan astudaethau ieithyddol. Cofrestrodd ym Mhrifysgol Leipzig — canolfan yr ysgol o ieithegwyr a adwaenir fel y *Junggrammatiker* — ar gyfer astudio'r ieithoedd Indo-Ewropeaidd. Ac eithrio ysbaid o ddeunaw mis ym Merlin, treuliodd de Saussure bedair blynedd yn Leipzig ac yn 1878, ac yntau yn fyfyriwr un ar hugain oed, cyhoeddodd ei *Mémoire sur le système primitif des voyelles dans les langues indoeuropéenes*[1] a ystyrir yn un o'r gweithiau pwysicaf i'w cyhoeddi ym maes ieitheg gymharol, gan iddo roi hwb diamheuol a chyfeiriad pendant i holl weithgarwch y *Junggrammatiker* yn y maes hwn, maes astudiaethau deiacronig. Ddeugain mlynedd yn ddiweddarach cafodd gwaith arall o eiddo de Saussure lawn cymaint o ddylanwad ar astudiaethau ieithyddol syncronig ag a gafodd ei *Mémoire* ar astudiaethau deiacronig.

Yn y *Mémoire* manyla de Saussure ar y berthynas rhwng llafariaid hirion a llafariaid byrion yr Indo-Ewropeg. Yr oedd yn destun a oedd eisoes wedi cael cryn sylw gan ieithegwyr ond yr oedd de Saussure yn anfodlon ar eu dehongliad o'r pwnc. Hanfod y ddadl a luniodd oedd bod cysylltiad rhwng pob elfen mewn iaith, bod yna gyfluniad sylfaenol sy'n asio ynghyd ffurfiau gramadegol a fo'n perthyn i'r un system. Yn neugeiniau'r ganrif bresennol cadarnhawyd y damcaniaethau ieithyddol a gyflwynodd de Saussure yn y *Mémoire* gan ymchwiliadau H. Hendriksen ar Hetheg — iaith Indo-Ewropeaidd sy'n perthyn i gyfnod cynnar iawn ond nad oedd yn hysbys yng nghyfnod de Saussure.

Hyfforddwyd Ferdinand de Saussure yn nhraddodiad ieithyddol y *Junggrammatiker* gan Karl Brugman, Herman Osthoff (1847–1909)[2] ac August Leskien. Yr oedd yn hyddysg, yn ogystal, yn syniadau naturoliaeth

August Schleicher, yn nulliau'r tafodieithegydd Jules Gilliéron a'r cymdeithasegydd o Ffrancwr, Emile Durkheim (1858–1917). Astudiodd syniadau ieithyddion Slafonig Prifysgol Kazan yn Rwsia gan bwysleisio i'w fyfyrwyr bwysigrwydd ymgydnabod â syniadau'r ysgol fechan hon o ieithyddion.

Wedi iddo adael yr Almaen bu de Saussure yn dysgu Sansgrit, Gotheg, Hen Uchel Almaeneg ac Ieitheg Indo-Ewropeaidd yn yr *École paratiques des hautes études* ac yn weithgar yn y *Société linguistique de Paris*. Yn 1891 dychwelodd i Brifysgol Genefa i ddysgu Sansgrit ac ieitheg. Cyhoeddodd rai astudiaethau deiacronig, gweithiodd ar y Lithwaneg, ar chwedloniaeth ganoloesol yr Almaen ac ar feirdd Lladin. Yn 1906 derbyniodd gyfrifoldeb dysgu ieithyddiaeth gyffredinol a dyma'r pwnc a aeth â'i fryd tan ei farw yn 1913. Buasai'r *Mémoire* yn unig wedi sicrhau lle anrhydeddus i Ferdinand de Saussure yn hanes astudiaethau deiacronig ond, yn ffodus, credai ei fyfyrwyr yng Ngenefa y dylid cofnodi ei gyfraniad ym maes ieithyddiaeth gyffredinol, ei gyfraniad i astudiaethau syncronig, yn ogystal ac yn 1916 cyhoeddwyd *Cours de linguistique général* — gwaith, neu'n hytrach gywaith, a luniwyd gan Charles Bally (1865–1947)[3] ac Albert Sechehaye (1870–1946)[4] trwy gyfuno nodiadau darlithiau o'r eiddynt eu hunain, ynghyd â nodiadau myfyrwyr eraill a fu'n astudio dan Ferdinand de Saussure. Rhwystrodd y Rhyfel Byd Cyntaf y gwaith rhag cael cylchrediad eang a sydyn, ond byth oddi ar ugeiniau'r ganrif bresennol y mae ieithyddion wedi rhoi sylw manwl i'r syniadau a drafodir yn y gyfrol gan dderbyn rhai ohonynt, gwrthod eraill a chymhwyso'r gweddill.

Prif ddiddordeb de Saussure oedd natur iaith fel pwnc ar gyfer ymchwil wyddonol, h.y. sut y dylid synio am iaith a sut y dylid mynd ati i'w hastudio. Er mwyn egluro ei safbwynt, cyffelybai de Saussure iaith i chwarae gwyddbwyll. Gall y darnau a ddefnyddir yn y chwarae fod o gyfansoddiad gwahanol. Yr hyn sy'n bwysig yw'r gwerth a'r swyddogaeth a briodolir i'r darnau yn y chwarae. Yn gyffelyb mewn iaith: yr hyn sy'n penderfynu a ydyw gair megis *dŵr* yn y Gymraeg yn dynodi enw, arddodiad neu ferf yn yr iaith yw'r ystyr a gysylltir â'r olyniad seiniau 'd-ŵ-r' yn y Gymraeg. Nid ffurf y gair ei hun sy'n rheoli union ystyr y gair, ond yn hytrach y mae pob gair yn uned ieithyddol sy'n meddu ar safle arbennig o fewn system yr iaith a'r safle hwn sy'n rheoli ei ystyr.

Wrth chwarae gwyddbwyll rhaid symud y darnau yn ôl rheolau arbennig, ac ni chaniateir cyfnewidiadau mympwyol yng ngwerth a swyddogaeth y darnau yn ystod y chwarae. Ac yn gyffelyb mewn iaith: ar hap y digwydd cyfuniad arbennig o sain, ffurf ac ystyr. Y mae'n bresennol yn y naill iaith ond heb fod yn bresennol yn y llall. Ond unwaith y mae'r cyfuniad wedi ei sefydlu, ni chaniateir ei newid yn fympwyol. Yn yr ystyr hon felly y mae pob arwydd mewn iaith, sef pob uned sy'n sylfaenol ar gyfer cyfathrebu mewn iaith, yn fympwyol ar y naill law ond yn sefydlog ar y llall.

Y mae gan ffenomenon megis diwalliad ieithyddol (*linguistic suppletivism*) (sy'n ymwneud â dwy ffurf hollol wahanol o ran eu seineg ond yn perthyn i'w gilydd o ran eu gramadeg, er enghraifft y ffurfiau *dyn* a *gŵr*) eu cymar mewn gwyddbwyll. Bwrier bod un o'r darnau gwyddbwyll wedi ei golli. Gellir parhau â'r chwarae gan ddefnyddio botwm neu gorn edau neu wniadur neu beth bynnag a fynnir yn ei le. Rhaid cofio, sut bynnag, fod y darn newydd, sy'n meddu ar ei ffurf arbennig ei hun, yn cyflawni swyddogaeth y darn coll yn y chwarae.

Y mae pob symud yn y chwarae yn creu sefyllfa newydd, sefyllfa wedi ei chreu yn unol â rheolau'r chwarae. Y mae treigl amser yn rhoi bod i nifer o gyfnewidiadau ieithyddol, ond rheolir natur y newidiadau hyn yn ddieithriad gan y rheolau sylfaenol sy'n gyfrifol am gyfansoddiad yr arwydd ieithyddol.

Wrth chwarae gwyddbwyll defnyddir un darn ar y tro ar gyfer pob symud. Gall canlyniadau'r symud, sut bynnag, fod naill ai'n ymylol neu'n holl bwysig i rediad y chwarae. Yn yr un modd y mae newid ieithyddol yn cychwyn, yn datblygu ac yn gorffen a gall y broses orffenedig naill ai effeithio ar fanylyn bychan neu beri ail–wampio'r system.

Y mae rheolau arbennig ar gyfer pob sefyllfa newydd a greir ar y bwrdd gwyddbwyll. Y mae'r drefn a oedd yn bod cyn y symudiad diwethaf heb arwyddocâd bellach; y sefyllfa bresennol yn unig sy'n bwysig a rhaid craffu arni a mesur ei harwyddocâd. Yn gyffelyb, arddengys astudiaeth o gyflwr iaith, neu o nodweddion iaith ar yr adeg bresennol, bob amser lu o ffeithiau eglur, cyson a pherthnasol; y mae'r cyflwr hwn neu'r nodweddion hyn yn hollol annibynnol ar gyflwr yr un iaith ar ryw adeg arall yn y gorffennol.

Pennir gwerth a swyddogaeth arbennig i bob darn o wyddbwyll yn ôl rheolau'r chwarae. Yn ystod y chwarae, sut bynnag, symud y darnau i safleoedd gwahanol mewn perthynas â'i gilydd, a rhydd y safleoedd hyn werthoedd a swyddogaethau newydd i'r darnau (er enghraifft, y mae o bwys a ydyw un o'r werin mewn safle ymosodol neu'n hollol o'r neilltu yn y frwydr). Yn gyffelyb, rheolir gwerth unedau mewn iaith trwy'r defnydd a wneir ohonynt. (Er enghraifft, y mae gwerth cyfathrebol *yma* mewn brawddeg megis *y mae'r dyn yma wrth ei waith* yn amrywio yn ôl a ystyrir ef yn adferf neu'n rhagenw dangosol.)

Sylfaen ieithyddiaeth fodern, man cychwyn astudiaethau'r ieithydd, yw'r gredo ganolog a geir yng ngwaith de Saussure, sef mai system wedi ei chyfundrefnu ac iddi swyddogaeth gymdeithasol yw iaith. Wrth iddo ymhelaethu ar y gredo hon esgorodd de Saussure ar nifer o ddamcaniaethau sydd wedi dylanwadu'n fawr ar ieithyddion diweddar. Ceisiwn olrhain isod y mwyaf ffrwythlon yn unig o'r syniadau hyn.

SYNCRONIG A DEIACRONIG

Cynrychiola ieithyddion cymharol y bedwaredd ganrif ar bymtheg a'r *Junggrammatiker* yn anad neb, y wedd hanesyddol ar astudio iaith. Credent mai prif nod astudiaethau ieithyddol oedd astudio esblygiad ieithoedd, sef craffu ar eu datblygiad dros gyfnod o amser a chymharu ieithoedd â'i gilydd. Synient am ddisgrifio ieithoedd yn unig fel llawforwyn a'u galluogai i ymgyrraedd at y nod hwn. Yr oedd de Saussure yn chwyrn ei feirniadaeth ar yr agwedd hon ar astudiaethau ieithyddol, gan bwysleisio bod mabwysiadu dulliau gwyddonol mor bwysig ar gyfer astudiaethau disgrifiadol ag ydyw ar gyfer astudiaethau hanesyddol. Rhannwyd gwyddor astudio iaith ganddo yn ddwy ran. Gwahaniaethodd rhwng y wedd SYNCRONIG a'r wedd DDEIACRONIG ar astudiaethau ieithyddol. Amcan astudiaeth syncronig neu ddisgrifiadol yw astudio cyfansoddiad iaith, ei seiniau, ei geiriau a'i gramadeg ar gyfnod arbennig. Synia ieithydd â'i fryd ar ddisgrifiad syncronig am iaith fel cyfanwaith byw sy'n 'bod' ar gyfnod arbennig (*état de langue* chwedl de Saussure), er enghraifft, gweithgarwch ieithyddol presennol y gymuned Gymraeg ei hiaith yn nhref Llanelli. Ar gyfer astudiaeth o'r fath rhaid i'r tafodieithegydd gasglu ei ddefnyddiau o fewn y cyfnod a neilltuir ar gyfer yr ymchwil a'u disgrifio heb ystyried o gwbl unrhyw nodweddion hanesyddol a allai fod wedi effeithio ar yr iaith hyd at y cyfnod hwnnw. Unwaith y bydd y tafodieithegydd wedi penderfynu ar ei faes ac ar ei gyfnod rhaid iddo anwybyddu'r wedd hanesyddol ar yr iaith yn llwyr.

Y mae sôn am y wedd hanesyddol ar astudiaethau ieithyddol yn ein tywys i faes astudiaethau deiacronig, astudiaeth o'r cyfnewidiadau sy'n digwydd i iaith dros gyfnod o amser, y cyfnewidiadau sy'n digwydd i iaith fel cyfrwng sy'n newid yn barhaus. Gallai ieithydd â'i fryd ar ddisgrifiad deiacronig ddewis astudio'r newid o Hen Gymraeg i Gymraeg Canol neu'r newid yn arddull ieithyddol awdur megis Kate Roberts wrth iddi aeddfedu.

Ceisiodd de Saussure arddangos y ddwy wedd o graffu ar ddeunydd ieithyddol yn y *Cours* drwy dynnu amlinell yn cynnwys dau echelin.

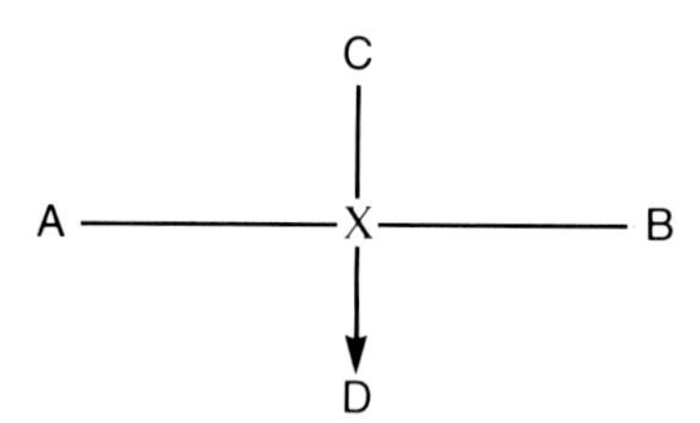

AB yw echelin cydrediadau syncronig. CD yw echelin olyniadau deiacronig. AB yw cyflwr yr iaith fel y mae ar ryw gyfnod ar yr echelin. CD yw'r llwybr hanesyddol y mae'r iaith wedi teithio ar hyd-ddo yn y gorffennol a'r llwybr sydd ganddi i deithio ar hyd-ddo yn y dyfodol.

Y mae man cyfarfod y ddau echelin (X) wedi cael cryn sylw gan ieithyddion diweddar wrth iddynt ymddiddori fwy a mwy mewn cyfnewidiadau mewn iaith, ond yr amcan gwreiddiol gan de Saussure oedd diffinio'r gwahaniaethau rhyngddynt. Y canlyniad oedd i'r wedd syncronig a'r wedd lafar yn arbennig, ar astudiaethau ieithyddol gael cryn sylw a chynyddu mewn bri. Yn wir pwysleisiai de Saussure mai i astudiaethau syncronig y dylid rhoi blaenoriaeth, a hynny am fod pob disgrifiad deiacronig yn rhagdybio, i ryw raddau, ddisgrifiad syncronig. Amhosibl disgrifio sut y mae iaith wedi newid rhwng dau gyfnod heb ddisgrifiadau boddhaol o'r iaith yn y cyfnodau sydd i'w cymharu. At hyn dylid cofio mai'r wedd syncronig ar iaith yw'r wedd sy'n berthnasol i siaradwyr a hon yw'r wedd y mae siaradwyr yn bennaf ymwybodol ohoni.

Langue a Parole

Gwahaniaeth cysyniadol arall o bwys a wnaethpwyd gan de Saussure yw hwnnw rhwng *langue* a *parole*. Cyfyd y broblem yr oedd yn ceisio ei datrys o'r amwysedd sy'n perthyn i'r gair *iaith*, gair hollol sylfaenol i unrhyw drafodaeth ieithyddol. Hollol ddiffrwyth, meddai de Saussure, yw ceisio astudio pob manylyn a fo'n ymwneud â gwyddor iaith. Rhaid yn hytrach, wrth nod eglur wrth ddadansoddi ac egwyddorion pendant ar gyfer didoli'r hyn sy'n berthnasol oddi wrth yr hyn sy'n amherthnasol. Dewisodd wahaniaethu rhwng tair gwedd ar natur y gweithgarwch a elwir iaith, sef *langage, langue* a *parole. Langage* yw gallu cynhenid yr hil ddynol i gyfathrebu trwy gyfrwng arwyddion confensiynol llafar. Gwneir defnydd o organau arbennig yn y geg a'r frest i gynhyrchu seiniau — organau a fwriedid yn wreiddiol ar gyfer amcanion eraill (yr ysgyfaint ar gyfer anadlu, y trwyn ar gyfer arogli etc.). Ond nodwedd gyffredinol ar ein hymddygiad yw *langage* na ellir ei gweld yn ei chyfanrwydd am nad oes iddi ffurf unedig. Gan hynny i'r anthropolegydd neu'r biolegydd y mae *langage* o ddiddordeb yn hytrach nag i'r ieithydd sy'n clustnodi *la langue* a *la parole* fel man cychwyn ei astudio.

Wrth *la langue* golygir system ieithyddol yr iaith, sef yr iaith yn ei chyfanrwydd fel y mae'n bod yng nghof pawb sy'n ei defnyddio — 'Cyfanswm y geirddelwau a gedwir yn ymenyddau unigolion', chwedl de Saussure, y defnydd o'r iaith a wneir gan y gymuned oll. Dadleua de Saussure nad haniaeth yn unig mo *la langue* ond ei bod yn bresennol yn yr ymennydd. Y mae i *la langue* ddwy wedd. Ar y naill law y mae'n seiliedig ar yr union fodd y defnyddir hi gan yr unigolion, ac nid yw'n bod ond fel adlewyrchiad o'r defnydd sy'n dderbyniol i ryw ran o'r gymuned; nid yw'n bod ar wahân ac yn annibynnol ar y gymuned. Ar y llaw arall *la langue* yw'r system dybiaethol y seilir ein harferion ein hunain arni. Pan ddywedir 'Dyma ffurfiau'r ferf *bod* yn y Gymraeg: 'Yr wyf fi, yr wyt ti, etc.', gwneir datganiad disgrifiadol am *langue* y Gymraeg, er mai'r unig ffordd y gellid bod wedi darganfod y wybodaeth sy'n sail i'r datganiad ydoedd trwy astudio'n empeiraidd nifer helaeth o weithredoedd llafar neu ysgrifenedig penodol lle y defnyddiwyd y ffurfiau hyn.

Ni ellir astudio *langue* y gymuned, fe ymddengys, ond drwy ystyried nifer helaeth o *paroles,* nifer helaeth o weithredoedd llafar neu ysgrifenedig. *La parole* yw'r unig wedd ar iaith y gall yr ieithydd sylwi'n uniongyrchol arni ac enillir gwybodaeth am *langue* y gymuned trwy ystyried nifer o *paroles. La langue* yw'r norm systemig wedi ei seilio ar arferion nifer o bobl — y gymuned gyfan yn ôl y ddamcaniaeth, ond rhaid i'r ieithydd wneud *la parole* yn fan cychwyn ei astudiaeth cyn medru traethu yn ddibynadwy ac awdurdodol am *la langue* oherwydd nod yr ieithydd yw gwneud datganiadau grymus, nid yn unig am arferion ieithyddol unigol, ond ynglŷn â'r iaith yn ei chyfanrwydd.

Er cyfnod de Saussure ychwanegwyd pedwaredd gwedd ar *langage* sef idiolect neu iaith yr unigolyn — y rhan honno o *langue* y gymuned ieithyddol a fo'n eiddo i unigolyn ar ryw gyfnod penodol yn ei ddatblygiad ieithyddol. Nid yw profiadau ieithyddol neb yn union fel eiddo unrhyw un arall, felly nid yw idiolect neb yn union yr un fath ag idiolect unrhyw un arall. Canlyniad ydyw, yn hytrach, o'i waith yn dysgu rhannau o *langue* (yn rheolau, geirfa, etc.) y gymuned ieithyddol, neu *langue* mwy nag un gymuned, yn achos person aml-ieithog.

YR ARWYDD IEITHYDDOL

Pe gwahoddid nifer o siaradwyr yn amrywio o ran eu rhyw, eu hoed a'u cefndir daearyddol i ynganu'r frawddeg 'Y mae mul yn pori' ceid cryn amrywiaeth yn y seiniau a gynhyrchid. Ceid amrywio o ran ystyr i raddau yn ogystal, gan nad at yr un mul, gellid tybio, y cyfeiriai pob un o'r siaradwyr. O safbwynt yr iaith Gymraeg, sut bynnag, byddai'r siaradwyr oll yn ynganu'r un olyniad o arwyddion. Y mae'r arwydd felly yn uned haniaethol sy'n hollol annibynnol ar yr olyniad seiniau ac sy'n annibynnol yn ogystal ar y gwrthrych y cyfeirir ato. Y mae'n cynnwys y gwrthrych a ddynodir, y *signifié,* sy'n olyniad ffonolegol, a'r *signifiant,* neu'r syniad a sylweddolir yn *la parole* gan seiniau, ystyron a chyfeiriadaeth. Awgrymodd de Saussure y gellid yn hawdd ddefnyddio 'syniad'/'ffurf glybodig' yn dermau hwylus ar gyfer dynodi'r gwahaniaethau hyn. Mympwyol hollol yw'r berthynas rhwng y *signifié* a'r *signifiant,* h.y. nid oes reswm o fath yn y byd pam y dylai syniad arbennig gael ei gysylltu ag olyniad arbennig o seiniau. Er enghraifft, defnyddia'r Cymry yr enw *ceiliog* i ddynodi'r gwryw o rywiogaeth yr iâr ddof, ond nid yw'r olyniad hwn o seiniau yn gweddu'n well nag unrhyw olyniad arall ar gyfer y diben hwnnw. Byddai olyniadau megis *gegog* neu *olog* yn gwneud y tro llawn cystal, petaent yn dderbyniol i'r gymuned Gymraeg ei hiaith. Nid oes unrhyw reswm cynhenid dros gysylltu yr un o'r olyniadau hyn â dofednod gwryw.

Y mae de Saussure yn diystyru dychmygeiriau, enghreifftiau o onomatopoeia, sef gair sy'n cyfleu ystyr peth wrth ddynwared ei sŵn (megis *tic-toc, go-go-goch, bow-wow)* lle y mae'n ymddangos nad yw'r dewis o arwydd bob amser yn fympwyol. Ond nid yw dychmygeiriau, meddai, byth yn elfennau hanfodol mewn system ieithyddol. Pwysleisia mai prin yw eu nifer ac y mae'r ffaith bod rhaid eu nodi mewn dosbarth ar wahân yn ateg fod arwyddion cyffredin yn fympwyol neu heb eu hysgogi.

Cymhwysir rhyw gymaint ar ei ddatganiad ynglŷn â natur fympwyol yr arwydd ieithyddol gan i de Saussure gydnabod fod yn y system ieithyddol engreifftiau o 'ysgogi eilradd'. Er enghraifft, yn y Gymraeg y mae rhifolion megis *deg* ac *ugain* yn fympwyol neu heb eu hysgogi: nid felly *deunaw* neu *bedwar ar bymtheg* sy'n amlygu'r elfennau a fo yn eu cyfansoddiad, hynny yw *dau* x *naw* = 'deunaw', *pedwar* + *pymtheg* = 'pedwar ar bymtheg'. Ysgogiad morffolegol a semantig sy'n gyfrifol am yr enghreifftiau hyn. Er bod gwahanol brosesau wedi bod yn gyfrifol am uno'r arwyddion, nid yw'n newid natur iaith na natur ei helfennau sylfaenol sy'n arwyddion mympwyol.

Ni ddylid tybio o'r drafodaeth hyd yn hyn mai enwadur (*nomenclature*) syml yw iaith, cyfres o enwau yn cael eu dewis yn fympwyol ar gyfer dynodi gwrthrychau a syniadau. Petai iaith ond yn enwadur, medd de Saussure, gorchwyl hawdd fyddai dysgu ieithoedd a chyfieithu o'r naill iaith i'r llall: dewis yr enw Ffrangeg am y syniad a'i roi yn lle'r ffurf Gymraeg, er enghraifft. Ond y mae'r syniadau a'r gwrthrychau a fynegir gan y naill iaith a'r llall yn hollol wahanol i'w gilydd. Er enghraifft, ni ellir cyfatebiaeth seml uniongyrchol yn y Gymraeg i *aimer* yn y Ffrangeg: rhaid yn hytrach ddewis rhwng *caru* a *hoffi*. Wedyn y mae'n draddodiadol gan y Cymro ddewis *glas* ar gyfer disgrifio rhan o'r hyn a ddynodir gan *green, blue, grey* y Sais.

Cymraeg	Saesneg
Gwyrdd	Green
Glas	Blue
Llwyd	Grey

Prawf hyn nad yw ieithoedd yn gaeth i drefn ragosodedig ond yn syniadau mympwyol, cyfnewidiol. Gan mai perthynas fympwyol sydd rhwng y *signifié* a'r *signifiant* nid oes raid i'r syniad neu'r gwrthrych feddu ar ryw nodwedd arbennig cyn ei briodoli i *signifié* arbennig. Mympwyol yw'r *signifié* a'r *signifiant* fel ei gilydd a nod yr ieithydd yw dangos sut y mae arwyddion mympwyol yn asio'n system unedig, gymesur.

Mynnai de Saussure mai perthynas rhwng dwy nodwedd gyfartal (y gwrthrych neu'r syniadau ar y naill law, a'r iaith a ddefnyddir er mwyn cyfeirio atynt ar y llaw arall) yw'ystyr' neu, a defnyddio term de Saussure, yr arwydd ieithyddol. Y berthynas rhwng y *signifié* a'r *signifiant* yw yr arwydd ieithyddol. Syniai de Saussure am yr arwydd fel uned sylfaenol cyfathrebu: uned o fewn *langue* y gymuned. Gan ei fod yn rhan o *la langue* y mae'n bresennol yn yr ymennydd. A gellir synio am *la langue* fel system o arwyddion.

PERTHYNAS

Ychydig o ieithyddion bellach sy'n arfer y term 'arwydd ieithyddol', ond deil syniadaeth Saussure am iaith fel system o unedau hunan–ddiffiniol yn bwysig ar gyfer disgrifio cyfluniad iaith. I de Saussure nid oedd brawddeg namyn olyniad o arwyddion a phob arwydd yn cyfrannu rhywbeth at ystyr y cyfanwaith ac mewn cyferbyniad â holl arwyddion eraill y frawddeg. Dywedai fod olyniad o'r fath yn meddu ar berthynas syntagmatig, h.y. perthynas linynnol rhwng yr arwyddion sy'n bresennol yn y frawddeg. Er enghraifft, yn y frawddeg 'Y mae mul yn pori' gellir canfod perthynas syntagmatig yn cynnwys pedwar arwydd sef *y mae, mul, yn, pori* mewn trefn arbennig. Wedi inni ddiffinio'r olyniad hwn o arwyddion mewn modd mwy haniaethol (er enghraifft, Berf Gynorthwyol + Enw + Ategydd Berfol + Berfenw) gellir cyfeirio ato fel cyfluniad. Yn ogystal â pherthynas syntagmatig mewn iaith ceir perthynas baradigmatig, sef perthynas arbennig rhwng arwydd a fo'n bresennol mewn brawddeg ac arwydd nad yw'n bresennol yn y frawddeg ond sydd eto'n rhan o'r iaith. Er enghraifft, yn y frawddeg a nodwyd eisoes y mae perthynas amlwg rhwng yr arwydd cyntaf, sef *y mae,* a'r arwyddion eraill *yr oedd, bydd* etc. Ffurfia'r gyfres hon o arwyddion system y gellir defnyddio un ohonynt ac un ohonynt yn unig yn y safle hon yn y cyfluniad, h.y. gellir dewis arwydd ar gyfer llenwi lle yn y cyfluniad. Gellir arddangos y berthynas syntagmatig a'r berthynas baradigmatig yn y dull isod:

y mae	- mul	- yn	- pori	perthynas syntagmatig
yr oedd	- buwch	- wedi	- gorwedd	
bydd	- gafr	- am	- gysgu	perthynas baradigmatig

Rhaid astudio'r berthynas syntagmatig a'r berthynas baradigmatig wrth anelu at ddadansoddiad cyflawn o'r frawddeg.

Y mae'r un peth yn wir, wrth gwrs, am unedau llai na'r frawddeg. Fe'u diffinir hwythau drwy nodi sut y maent yn perthyn i unedau eraill sy'n cyferbynnu â hwynt, ac a allai naill ai eu disodli mewn olyniadau neu gyfuno â hwynt er mwyn ffurfio olyniadau eraill. Felly diffinir y ffonem /t/ drwy ei chyferbynnu â ffonemau eraill a allai ei disodli mewn cyd-destun megis /-ai/ (er enghraifft tai, nai, llai, bai, mai, etc.) a thrwy astudio sut y mae'n cyfuno â ffonemau eraill i ffurfio geiriau. Yn yr un modd wrth astudio morffoleg neu gyfluniad geiriau amlygir y berthynas syntagmatig a pharadigmatig. Diffinir enw yn rhannol trwy graffu ar ba ragddodiaid ac olddodiaid y mae'n bosibl iddo eu dewis. Gall yr enw *bwbach* yn y Gymraeg, er enghraifft, ddewis yr olddodiaid *-aidd, -es, -og, -ni, -wr.* Ni all ddewis *-os, -ell, -ig, -yd* etc. Cynrychiolir perthynas syntagmatig gan gyfuniad sydd *yn* bosibl a chynrychiolir perthynas baradigmatig gan y cyferbyniad rhwng morffemau a all ddewis yr un cyd–destun. Hynny yw, y mae perthynas baradigmatig rhwng *-aidd, -es, -wr* etc. gan eu bod i gyd yn gallu dilyn yr enw *bwbach* a'i bod yn bwysig o safbwynt ystyr yr olyniad pa ddewis a wneir.

Synio am iaith fel rhwydwaith eang o gyfluniadau a systemau a wnâi Ferdinand de Saussure. Dyma'r llinyn cyson yn ei waith deiacronig a syncronig a chan i astudiaethau ieithyddol dan ei ddylanwad ef newid o fod yn wyddor empeiraidd yn cofnodi ffeithiau i fod yn wyddor yn astudio ymddygiad y ffeithiau hyn o fewn system iaith, fe'i cydnabyddir fel sylfaenydd astudiaethau ieithyddol diweddar.

NODIADAU

1. Ceir cyfieithiad Saesneg o'r *Mémoire* . . . yn Lehmann, W.P. (1967), tt. 218–24.
2. Gw. Sebeok, T. A. (1976), Vol. I, 555–62.
3. Ibid., Vol. II, 188–201.
4. Ibid., Vol. II, 328–32.

4
LLEDU GORWELION YSGOLHEICTOD IEITHYDDOL: CYFLWYNIAD I ASTUDIAETHAU IEITHYDDOL-DDAEARYDDOL

Credo sylfaenol y gramadegwyr newydd oedd nad oedd eithriadau i ddeddfau seinegol. Sut bynnag, yr oedd elfennau afreolaidd yn dal i fritho hyd yn oed yr ieithoedd hynny a gawsai'r sylw mwyaf a'r sylw manylaf dan law'r *Junggrammatiker*. Awgrymwyd mai'r rheswm am yr amrywio hwn oedd bod y wedd safonol ar yr ieithoedd hyn yn cynnwys elfennau estron. Rhaid fyddai astudio'r iaith lafar, fe gredid, i gael hyd i'r iaith bur, a throdd rhai ysgolheigion iaith at yr iaith lafar er mwyn chwilio ateg i ddamcaniaethau'r *Junggrammatiker*. Credid y byddai'r iaith lafar yn arddangos cysondeb cyfnewidiadau seinegol yn fwy eglur na'r iaith safonol. Yr oedd Johann Andreas Schmeller wedi cyhoeddi'r gramadeg cyntaf o'r iaith lafar, gramadeg o dafodieithoedd Bafaria, yn 1821 ac fe'i dilynwyd gan ieithyddion eraill â'u bryd ar ddatrys problemau deiacronig. Nid tan 1876 y cyhoeddwyd, rhwng cloriau llyfr, gredo ganolog y *Junggrammatiker,* sef nad oedd eithriadau i ddeddfau seinegol. Yn ei gyfrol *Die Declination im Slavisch-Litauischen und Germanischen* (Ffurfdroadau'r Ieithoedd Lithwanaidd–Slafonig ac Ellmynig) a gyhoeddwyd yn Leipzig yn 1876 honnodd August Leskien bod caniatáu eithriadau i ddeddfau seinegol yn gyfystyr â dweud nad oedd modd astudio iaith mewn dull gwyddonol. Maentumiai Herman Osthoff (1847–1909) a Karl Brugmann (1849–1919) yn eu *Morphologishe Untersuchungen auf dem Gebiete der indogermanischen Sprachen* (Astudiaethau Morffolegol ym Maes yr Ieithoedd Indo-Ewropeaidd)[1] 1878, y gellid canfod gweithredu diwyro'r deddfau seinegol yn y tafodieithoedd yn ogystal.

Nid oedd honiad Leskien, ebr Hugo Schuchardt, namyn brawychiaeth wyddonol a pherthyn, medd ef, amwysedd cynhenid i ddefnydd y *Junggrammatiker* o'r term tafodiaith gan nad oes ffiniau tafodieithol fel y cyfryw. Gogwydd ddeiacronig, sut bynnag, oedd i astudiaethau ieithyddol yn y

1. Im Winter fliegen die trocknen Blätter durch die Luft herum. – 2. Es hört gleich auf zu schneien, dann wird das Wetter wieder besser. – 3. Thu Kohlen in den Ofen, daß die Milch bald an zu kochen fängt. – 4. Der gute alte Mann ist mit dem Pferde durch's Eis gebrochen und in das kalte Wasser gefallen. – 5. Er ist vor vier oder sechs Wochen gestorben. – 6. Das Feuer war zu heiß, die Kuchen sind ja unten ganz schwarz gebrannt. – 7. Er ißt die Eier immer ohne Salz und Pfeffer. – 8. Die Füße thun mir sehr weh, ich glaube, ich habe sie durchgelaufen. – 9. Ich bin bei der Frau gewesen und habe es ihr gesagt, und sie sagte, sie wollte es auch ihrer Tochter sagen. – 10. Ich will es auch nicht mehr wieder thun. – 11. Ich schlage Dich gleich mit dem Kochlöffel um die Ohren, Du Affe! – 12. Wo gehst Du hin, sollen wir mit Dir gehn? – 13. Es sind schlechte Zeiten! – 14. Mein liebes Kind, bleib hier unten stehn, die bösen Gänse beißen Dich todt. – 15. Du hast heute am meisten gelernt und bist artig gewesen, Du darfst früher nach Hause gehn als die Andern. – 16. Du bist noch nicht groß genug, um eine Flasche Wein auszutrinken, Du mußt erst noch ein Ende wachsen und größer werden. – 17. Geh, sei so gut und sag Deiner Schwester, sie sollte die Kleider für eure Mutter fertig nähen und mit der Bürste rein machen. – 18. Hättest Du ihn gekannt! dann wäre es anders gekommen, und es thäte besser um ihn stehn. – 19. Wer hat mir meinen Korb mit Fleisch gestohlen? – 20. Er that so, als härten sie ihn zum dreschen bestellt; sie haben es aber selbst gethan. – 21. Wem hat er die neue Geschichte erzählt. – 22. Man muß laut schreien, sonst versteht ar uns nicht. – 23. Wir sind müde und haben Durst. – 24. Als wir gestern Abend zurück kamen, da lagen die Andern schon zu Bett und waren fest am schlafen. – 25. Der Schnee ist diese Nacht bei uns liegen geblieben, aber heute Morgan ist er geschmolzen. – 26. Hinter unserm Hause stehen drei schöne Apfelbäumchen mit rothen Aepfelchen. – 27. Könnt ihr nicht noch ein Augenblickchen auf uns wartem dann gehn wir mit euch. – 28. Ihr dürft nicht solche Kindereien treiben. – 29. Unsere Berge sind nicht sehr hoch, die euren sind viel höher. – 30. Wieviel Pfund Wurst und wieviel Brod wollt ihr haben? – 31. Ich verstehe euch nicht, ihr müßt ein bißchen lauter sprechen. – 32. Habt ihr kein Stückchen weiße Seife für mich auf meinem Tische gefunden? – 33. Sein Bruder will sich zwei schöne neue Häuser in eurem Garten bauen. – 34. Das Wort kam ihm vom Herzen! – 35. Das war recht von ihnen! – 36. Was sitzen da für Vögelchen oben auf dem Mäuerchen? – 37. Die Bauern hatten fünf Ochsen und neun Kühe und zwölf Schäfchen vor das Dorf gebracht, die wollten sie verkaufen. – 38. Die Leute sind heute alle draußen auf dem Felde und mähen. – 39. Geh nur, der braune Hund thut Dir nichts. – 40. Ich bin mit den Leuten da hinten über die Wiese ins Korn gefahren. –

Ffigur 1.
Deugain brawddeg holiadur Georg Wenker.

cyfnod hwn a sylfaen astudiaethau deiacronig oedd y ddamcaniaeth nad oedd eithriadau i ddeddfau seinegol. Ymgais i ategu'r ddamcaniaeth hon yn rhannol a ysbardunodd ymchwil Georg Wenker (1852–1911) ar amrywio ieithyddol–ddaearyddol yn yr Almaen, gwaith a gychwynnwyd ganddo yn 1876.

Ail nod Wenker oedd darganfod ffiniau tafodieithol pendant. Cychwynnodd drwy wneud arolwg o dafodieithoedd ardal Düsseldorf ond yn 1877 ehangodd yr arolwg i gynnwys Westphalia. Erbyn 1897 yr oedd Gogledd a Chanolbarth yr Almaen wedi eu cynnwys o fewn cwmpas yr arolwg. Yn 1881 dechreuodd Wenker gyhoeddi mapiau ieithyddol a gofnodai ffrwyth ei ymchwil ond yn fuan wedyn dechreuodd ganolbwyntio ar arolwg o'r Almaen gyfan.

Dosbarthodd Wenker holiadur drwy'r post i bob dalgylch ysgol yn yr Almaen (dros 40,000 ohonynt) ynghyd â chyfarwyddyd i'r athrawon ddynodi deugain o frawddegau (gw. Ffigur 1) yn y wedd leol ar yr Almaeneg, gan fwriadu casglu gwybodaeth ynglŷn â nodweddion seinegol a gramadegol yr ardaloedd. Derbyniodd dros 52,000 o atebion. Profodd y toreth mawr hwn o ddeunydd, sut bynnag, o anfantais iddo a bu'n rhaid i Wenker gyfyngu ar ei ddadansoddiad, gan gofnodi dosbarthiad rhai ffurfiau yng ngogledd a chanolbarth yr Almaen yn unig. Rhwymodd ddau gopi o'r gwaith dan y teitl *Sprachatlas des Deutschen Reiches* a'u gosod ym Marburg ac ym Merlin. Parhaodd Wenker i gasglu a dadansoddi holiaduron ond nid ymddangosodd cyfrol gyntaf y *Deutscher Sprachatlas* wedi'i seilio'n bennaf ar gofnodion Wenker tan 1926. Bu farw Wenker yn 1911 a'i olynydd fel cyfarwyddwr y *Deutscher Sprachatlas* oedd Ferdinand Wrede. Olynwyd Wrede yntau yn 1933 gan Walter Mitzka. Yn 1939 dosbarthodd Mitzka holiadur pellach drwy'r post i ysgolion yn yr Almaen ac yn Awstria. Derbyniodd dros 48,000 o atebion. Amcan Mitzka oedd llenwi bylchau a ddaethai i'r amlwg yn neunydd Wenker. Cynhwysai holiadur Mitzka dros 200 o gwestiynau yn gofyn am wybodaeth am enwau ar rannau'r corff, coed a phlanhigion, offer etc. ynghyd â 12 brawddeg i'w dynodi yn y wedd leol ar yr Almaeneg.

Nid oedd holiaduron Wenker na Mitzka yn llwyddiannus wrth gasglu gwybodaeth ynglŷn â chynanu oherwydd nid yw'r wyddor gyffredin yn ddigonol ar gyfer cyfleu gwahanol ansoddau sain arbennig. At hyn nid oedd y canlyniadau a ddaeth i law bob amser yn ddibynadwy gan mai athrawon heb brofiad o dechnegau'r ieithydd a oedd yn gyfrifol am gwblhau'r holiaduron yn y maes. Yn 1956 rhoddwyd y gorau i'r cynllun a ddechreuwyd gan Wenker ac yn swyddfa'r arolwg ym Marburg y mae tua 16,000 o fapiau a wnaed â llaw, y rhan fwyaf ohonynt heb eu cyhoeddi. Ar gyfer astudiaethau diweddarach yn yr Almaen defnyddiwyd dull gwahanol, dull wyneb yn wyneb, er casglu'r wybodaeth. Golygai'r dull wyneb yn wyneb fod yr ymchwilydd yn ymweld â phob un o'r canolfannau holi gan ddynodi'r hyn a gofnodai gan y siaradwr mewn gwyddor seinegol arbennig.

Datblygwyd y dull wyneb yn wyneb ar gyfer yr *Atlas Linguistique de la France*. Dechreuwyd ar y gwaith yn y maes ar gyfer yr atlas hwn gan Edmond Edmont yn 1897 dan gyfarwyddyd Jules Gilliéron a oedd eisoes yn 1880 wedi cyhoeddi atlas o'r rhanbarth Ffrengig yn y Swistir. Groser oedd Edmont wrth ei alwedigaeth. Cyhoeddasai, sut bynnag, eiriadur o iaith ei ardal sef *Lexique Saint-Polois*. Ar berwyl llawer mwy uchelgeisiol y tro hwn ac ar gefn ei feic, ymwelodd Edmont â 639 o ganolfannau yn Ffrainc gan nodi atebion i holiadur a oedd wedi ei baratoi ymlaen llaw. Ar gorn y deunydd a gasglwyd ganddo rhwng 1879 a 1901 y cyhoeddwyd yr *Atlas Linguistique de la France* yn dair cyfrol ar ddeg rhwng 1901 a 1910. Yr oedd holiadur Gilliéron yn ehangach ac yn fwy cyflawn nag eiddo Wenker; cynhwysai ychydig dan 2,000 o eitemau ac fe'i hadolygid a'i gymhwyso yn barhaus yn ystod yr ymchwil. Yr oedd swm y deunydd a gasglwyd, sut bynnag, lawer yn llai na chorff deunydd Wenker. O ganlyniad daeth canlyniadau i law gryn dipyn ynghynt. Nod bendant gan Gilliéron oedd ceisio gwella ar ddulliau Wenker, ac er bod nifer ei ganolfannau holi lawer yn llai, ceisiodd sicrhau bod y canolfannau hyn wedi eu trefnu ar draws gwlad yn ôl patrwm geometrig arbennig mewn cais i sicrhau patrwm cyson o ganolfannau holi. Yn ystod yr ymchwil cwblhaodd Edmont tua 700 o gyfweliadau a gynhwysai 60 o gyfweliadau â merched; yr oedd 200 o'r rheini a holwyd wedi derbyn addysg a oedd yn uwch na norm gwledig y cyfnod. Wedi iddo gwblhau'r gwaith ar gyfer yr *Atlas Linguistique de la France* ymwelodd Edmont â 44 o ganolfannau yng Nghorsica ar gyfer yr *Atlas Linguistique de la Corse* a gyhoeddwyd yn 1914.

Anodd gorbwysleisio dylanwad gwaith Gilliéron ac Edmont ar astudiaethau ieithyddol-ddaearyddol yn Ewrob ac yn yr Unol Daleithiau. Astudiaeth syncronig, astudiaeth o'r iaith lafar oedd prif nod Gilliéron. Pe buasai wedi dechrau trwy astudio nodweddion llafar yr unigolyn, buasai wedi cynhyrchu gwaith llawer mwy cynhwysfawr. Ei fan cychwyn yn hytrach oedd astudiaeth o'r gymuned ieithyddol leiaf, sef y pentref yn ei achos ef, ac wrth i'r gwaith fynd rhagddo cwmpasai ardaloedd ehangach eu maint; yr amcan yn y pen draw oedd arddangos nodweddion llafar ar draws Ffrainc. Astudio'r wedd gyfoes ar iaith er ei mwyn ei hun a wna'r *Atlas*. Dau o fyfyrwyr Gilliéron, Karl Jaberg[2] a Jacob Jud a gyfarwyddodd rhwng 1925 a 1940 astudiaeth o dafodieithoedd yr Eidal a de'r Swistir, astudiaeth a gynhwysai ganolfannau gwledig a threfol. Yn ddiweddarach aeth Jud i'r Unol Daleithiau i gynorthwyo gyda hyfforddi gweithwyr maes ar gyfer atlas ieithyddol o'r Unol Daleithiau a Chanada. Dull digon tebyg i eiddo Edmont a ddefnyddiwyd ar gyfer casglu gwybodaeth ar gyfer *Survey of English Dialects*. Rhwng 1948 a 1961 casglwyd gwybodaeth yn y maes o 311 o ganolfannau gan naw gweithiwr maes. Canolbwyntiwyd ar siaradwyr o blith y genhedlaeth hŷn mewn ardaloedd gwledig. Cynhwysai'r holiadur 1,322 o gwestiynau ar bynciau megis y fferm, creaduriaid, rhannau'r corff etc.

Arolwg dafodieithol gynnar arall a ddefnyddiodd y dull wyneb yn wyneb oedd eiddo'r Almaenwr G. Weigand, *Linguistischer Atlas des decorumänischen Sprachgebietes,* a gyhoeddwyd yn Leipzig yn 1909. Dechreuwyd ar yr arolwg yn 1895 ac 114 o eiriau yn unig oedd yn sail i'r holiadur. Astudio cyfresi o seiniau yn y gwahanol dafodieithoedd Daco–Rwmanaidd ynghyd â safle'r seiniau hynny yn y gair oedd y bwriad gwreiddiol, ond yn anffodus methwyd â chwblhau'r gwaith yn unol â'r bwriad hwn. Nid yw'r gwaith gorffenedig hafal i'r *Atlas Linguistique de la France.*

RHAI O'R CANLYNIADAU CYNTAF

Gobaith y *Junggrammatiker* oedd y byddai astudiaeth o'r iaith lafar yn ategu eu damcaniaeth nad oedd eithriadau i ddeddfau seinegol. Pan ddechreuodd y canlyniadau ddod i glawr, sut bynnag, nid oedd y wybodaeth a gasglwyd ynglŷn â dosbarthiad daearyddol y gwahanol ffurfiau yn ymddangos fel petai o gymorth o fath yn y byd ar gyfer sefydlu ffiniau tafodieithol pendant heb sôn am brofi damcaniaethau'r *Junggrammatiker*. Yn wir, defnyddiodd Ferdinand Wrede y deunydd a gasglwyd yn yr Almaen i ddadlau yn erbyn damcaniaeth ganolog y *Junggrammatiker*. Yn ôl y ddamcaniaeth hon byddai cyfnewid seinegol arbennig yn weithredol ar draws ardal gyfan gan effeithio ar bob ffurf a allai, yn sgîl ei chyfluniad ffonolegol, arddangos y cyfnewid.

Yn ôl egwyddor y deddfau seinegol a sefydlwyd gan y *Junggrammatiker*, felly, disgwylid i'r seiniau [*p, *t, *k] mewn Proto-Almaeneg diweddar, er enghraifft, aros yn ddigyfnewid yn y rhanbarth a siaradai Isel Almaeneg a datblygu'n [f, s, x] drwy'r rhanbarth a siaradai Uchel Almaeneg. Dyma sy'n egluro ffurfiau megis Isel Almaeneg [dorp], Uchel Almaeneg [dorf]; Isel Almaeneg [dat], Uchel Almaeneg [das]; Isel Almaeneg [makən], Uchel Almaeneg [maxən]; Isel Almaeneg [ik], Uchel Almaeneg [ix].

Cais Ffigur 2 nodi dosbarthiad daearyddol y ffurfiau a nodir uchod. Hyd at afon Rhein isoglos [makən]/[maxən] yn unig a nodir ar y map. Isoglos yw'r llinell a roir ar fap gan yr ieithydd i nodi ffiniau dosbarthiad daearyddol y ffurf neu'r ffurfiau dan sylw. Nid yr un llwybr yn union ar draws gwlad a ddilynir gan yr isoglosau a fo'n nodi ffiniau'r ffurfiau eraill a grybwyllir uchod. Y maent, yn hytrach, yn gwau drwy ei gilydd blith draphlith ar draws dwyrain yr Almaen ond gan gadw at yr un llwybr cyffredinol â [makən]/[maxən]. Yng nghyffiniau afon Rhein, sut bynnag, gwahanant megis adenydd o foth olwyn. Nid oedd dichon, neu dyna a dybid, wneud unrhyw sylwadau cyffredinol o fudd ynglŷn ag Uchel Almaeneg ac Isel Almaeneg. Mewn un ardal digwydd [dorp] Isel Almaeneg ynghŷd â [maxən] Uchel Almaeneg. Nodweddir iaith ardal arall gan [maxən] [dorf] a [dat]. Hynny yw, y mae'r isoglosau fel petaent yn dilyn llwybrau annibynnol heb falio dim am ddeddfau seinegol.

Crybwyllwyd uchod lwybr dyrys yr isoglosau ar draws dwyrain yr Almaen, ac o graffu ar batrymau isoglosau mewn rhan arall o'r Almaen ymddangosai fod gan bob pentref ei dafodiaith ei hun. Rhydd Ffigur 3 ddarlun a seiliwyd ar batrymu 10 isoglos o amgylch pentref Bubsheim yn yr Almaen. Ychydig o gilomedrau yn unig sydd rhwng y pentrefi ar y map a'i gilydd ond nid yw nodweddion ieithyddol yr un pentref yn union fel eiddo pentref arall. Perthyn i bob pentref nifer o nodweddion ieithyddol nad ydynt yn digwydd gyda'i gilydd yn yr un pentref arall.

Wedi i ieithyddion sylweddoli, yn sgîl y math o ganlyniadau a grybwyllwyd uchod, nad oedd modd synio am dafodieithoedd fel unedau cyflawn, annibynnol yn meddu ar ffiniau hollol bendant, aeth rhai mor bell â thybio nad oedd y fath beth â thafodiaith yn bod o gwbl ac afraid felly sôn amdani. Deallodd eraill, sut bynnag, fod cysondeb i'w ganfod ym mhatrymu'r isoglosau ar y gwahanol fapiau; hynny yw bod cydberthynas rhwng patrymu'r isoglosau â nodweddion ieithyddol y gwahanol ardaloedd. Er enghraifft, diffinid rhai ardaloedd gan nifer fechan yn unig o isoglosau ond amgylchynid ardaloedd eraill gan nifer helaeth o isoglosau (gw. Ffigur 4). Dynodwyd ardaloedd o'r fath yn *ardaloedd ffocol,* canolfannau o bwys, canolfannau o ddylanwad ar gyfer lledu ffurfiau ieithyddol. Bydd yr isoglosau a fo'n amgylchynu ardal ffocol naill ai'n gorgyffwrdd â'r isoglosau a fo'n amgylchynu ardal ffocol gyferbyn, neu gwelir bwndel o isoglosau rhwng yr ardaloedd ffocol. Er nad yw'r isoglosau hyn yn dilyn yr un llwybr yn union, dilynant, at ei gilydd, yr un llwybr cyffredinol. Rhwng dwy ardal ffocol felly ceir ardaloedd sy'n rhannu nodweddion ieithyddol dwy neu fwy o ardaloedd ffocol cyfagos. Gelwir ardaloedd o'r fath yn ARDALOEDD TRAWSNEWID. Y mae'n amlwg bod yr ymwahanu a ddisgrifiwyd eisoes yng nghyffiniau afon Rhein yn arddangos nodweddion ardal drawsnewid, yr ardal drawsnewid rhwng y rhanbarth y siaredir Uchel Almaeneg ynddi a'r rhanbarth y siaredir Isel Almaeneg ynddi. Daethpwyd i ddeall hefyd fod ffurfiau ieithyddol newydd yn lledu ar draws gwlad gan agor llwybr, fel petai, ar draws rhanbarth sy'n cynnwys ffurfiau hŷn. Pan fydd dau lwybr fel hyn yn cwrdd, ynysir y ffurf hŷn; gelwir ardaloedd ynysig fel hyn yn ARDALOEDD CEIDWADOL. Yn aml, er nad bob amser, y mae ardaloedd ceidwadol naill ai'n ardaloedd diarffordd neu'n ardaloedd ar ffin ieithyddol eithaf y wlad. Dengys Ffigur 5 yr ardaloedd hynny yn Lloegr y sylweddolir yn eu llafar y sain [r] mewn ffurfiau megis *cart* a *car* a'r ardaloedd hynny yn Lloegr na sylweddolir y sain [r] yng nghynaniad y ffurfiau hyn. Gwyddys mai'r cynaniad heb [r] yw'r diweddaraf o safbwynt hanesyddol ac awgryma'r map i'r nodwedd hon gychwyn yn nwyrain Lloegr a lledu i gyfeiriad y gorllewin a'r gogledd gan ffurfio tair ynys gref; tair ardal ieithyddol geidwadol lle y mae'r [r] yn dal ei thir. Digwydd nifer o ardaloedd ceidwadol yn ogystal ar hyd arfordir dwyrain Lloegr, er mai rhai ffurfiau yn unig sy'n sylweddoli'r [r] yn yr ardaloedd hynny.

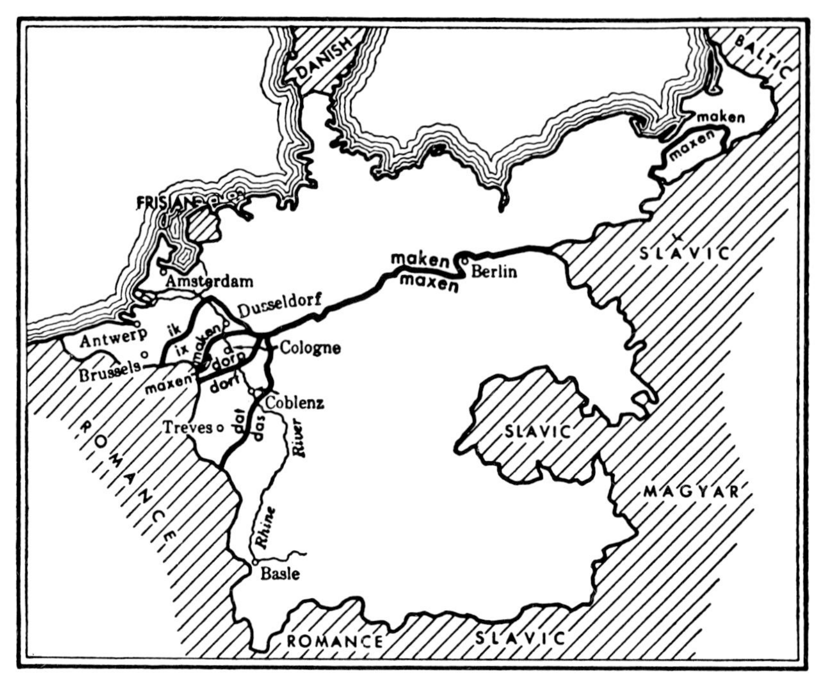

Ffigur 2.
Dosbarthiad daearyddol [makən]/[maxən].

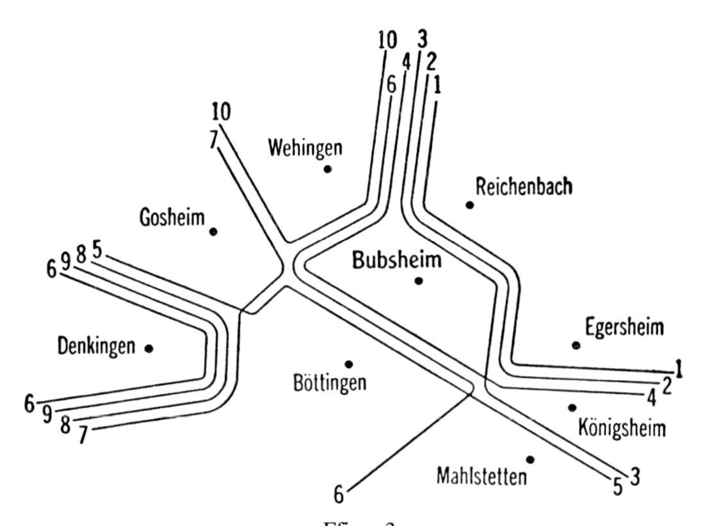

Ffigur 3.
Patrymu'r isoglosau o amgylch pentref Bubsheim.

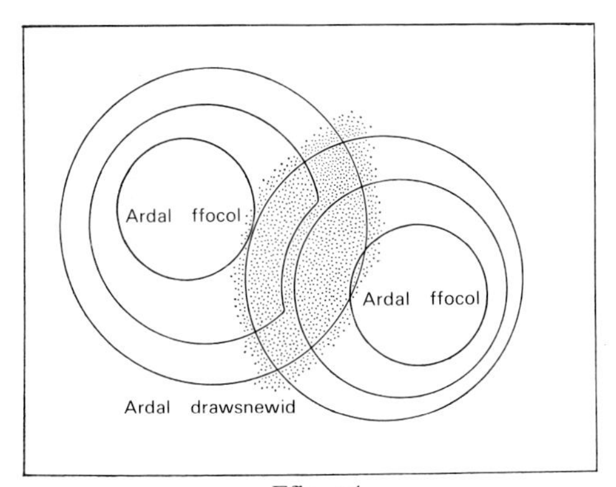

Ffigur 4.
Amlinell arddangos i ddynodi patrymu isoglosau o amgylch dwy ardal ffocol.

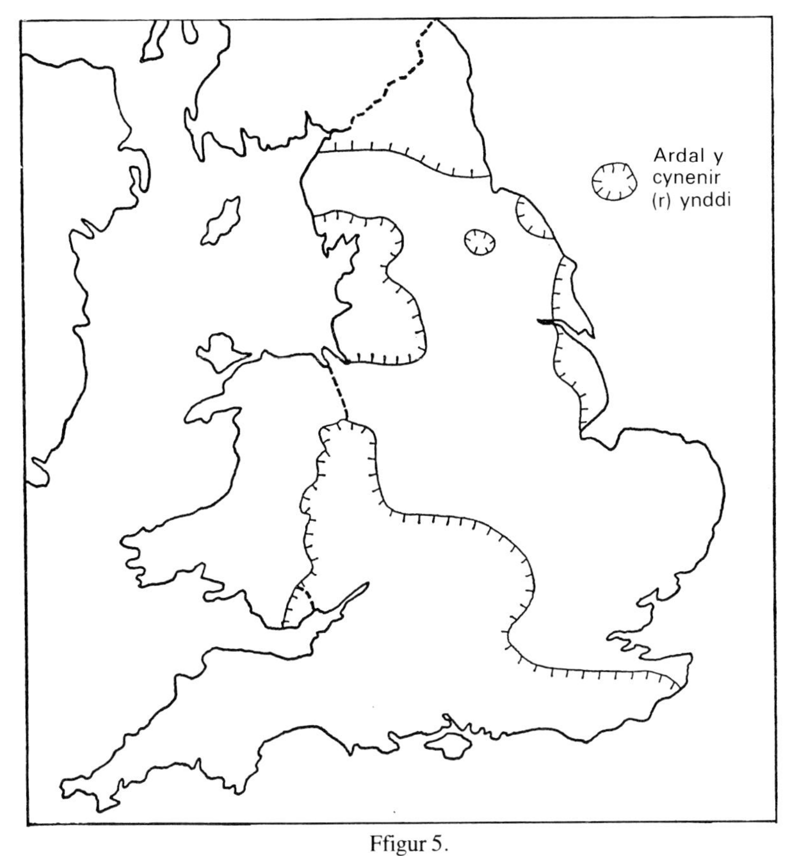

Ffigur 5.
Yr ardaloedd hynny yn Lloegr y sylweddolir yn eu llafar y sain [r] mewn ffurfiau megis *cart* a *car*.

ARDDANGOS GWYBODAETH AR FAP

Wedi casglu gwybodaeth yn y maes a dadansoddi'r deunydd a gasglwyd rhaid arddangos y wybodaeth ar fap. Gall mapiau ieithyddol naill ai fod yn FAPIAU ARDDANGOS GWYBODAETH neu'n FAPIAU DADANSODDI GWYBODAETH. Amcan mapiau arddangos yw nodi ar fap y wybodaeth a gasglwyd ynglŷn â rhyw nodwedd arbennig yn y gwahanol ganolfannau holi. Cais mapiau dadansoddi, gyflwyno gwybodaeth o natur fwy cyffredinol drwy graffu yn unig ar ddosbarthiad y prif amrywiadau. Mapiau arddangos yn unig a geir gan Gilliéron yn ei *Atlas Linguistique de la France* a chan Hans Kurath yn ei *Linguistic Atlas of New England.* Ceir rhai mapiau dadansoddi ynghyd â llu o fapiau arddangos gan Kurath yn ei *Word Geography of the Eastern United States* (gw. Ffigur 6). Y mae George Jochnowitz yn ei astudiaeth o'r ffin ieithyddol rhwng de a gogledd Ffrainc, *Dialect Boundaries and the Question of Franco-Provençal,* yn cyhoeddi mapiau dadansoddi, mapiau dadansoddi a seiliwyd ar fapiau arddangos Gilliéron, ynghyd â gweithiau diweddarach (gw. Ffigur 12).

Gall mapiau ieithyddol, yn ogystal, fod yn AGORED neu'n GAEËDIG. Ar fap caeëdig defnyddir naill ai isoglosau neu liwiau neu gysgodion o fath gwahanol er mwyn arddangos y wybodaeth (gw. Ffigurau 7–9). Awgryma mapiau o'r fath fod ymchwil trylwyr wedi ei gwblhau ymhob canolfan yn yr ardal dan gysgod neu o fewn ffin yr isoglos. Gwell gan lawer o ieithyddion, sut bynnag, fabwysiadu dull y map agored gan osod arwydd neu nod gyferbyn â chanolfan y gwyddys bod tystiolaeth hollol bendant ynglŷn â hi (gw. Ffigur 6). Y mae mapiau o'r fath yn agored oherwydd gellir bob amser ychwanegu at y wybodaeth a gynhwysir ynddynt fel y daw rhagor o wybodaeth i glawr. Bydd pob canolfan nad oes tystiolaeth bendant ar ei chyfer, felly, yn amlwg i'r darllenydd; ni ragdybir ychwaith unrhyw wybodaeth o arferion ieithyddol canolfannau nad ydynt wedi eu cynrychioli ar y map.

Pan ddefnyddir y dull agored o gyflwyno gwybodaeth y mae gan olygydd yr atlas ddau ddewis. Gall nodi ar y map yr union ffurf a nodwyd mewn canolfan arbennig gyferbyn â'r ganolfan honno fel yn Ffigur 10; y dewis arall sy'n bosibl yw datblygu cyfundrefn o symbolau i ddynodi'r gwahanol amrywiadau o fewn yr ardal yr ydys yn craffu arni fel yn Ffigur 6. Yn aml iawn rheolir y dull o ddynodi ffurfiau gan fanylrwydd yr ymchwil a'r ymchwilydd. Po fwyaf o ganolfannau a gynhwysir ar y map, lleiaf i gyd yw'r gofod ar gyfer nodi pob ffurf unigol.

Deil tafodieithegwyr i ddosbarthu holiaduron drwy'r post yn null Wenker, ac i weithio yn y maes wyneb yn wyneb â'r siaradwr yn null Edmont. Bellach defnyddir yn ogystal beiriannau arnodi er mwyn cofnodi llafar. Yn sgîl profiad, ceisiwyd gwella ar ddulliau'r tafodieithegwyr cynnar a rhagweld llawer o'r problemau a nodweddai'r astudiaethau cynnar. Wedi casglu'r deunydd a'i ddadansoddi, y nod yw ei arddangos ar fap a chyfuno'r mapiau'n atlas.

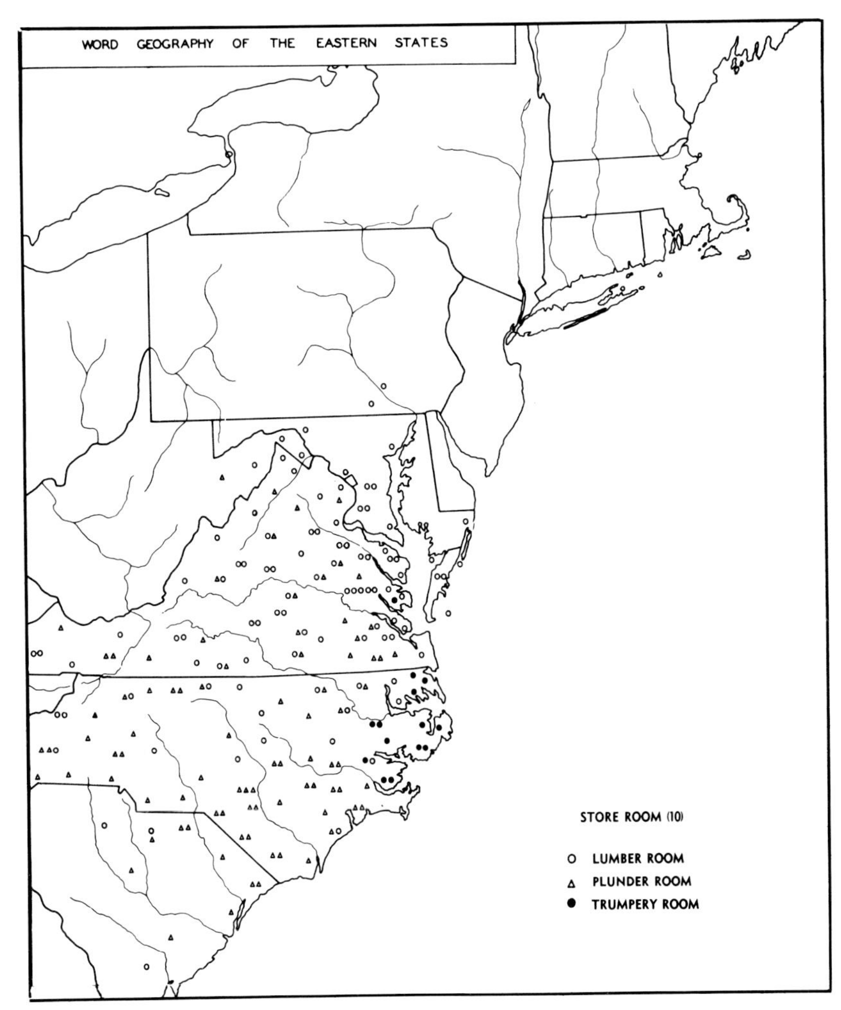

Ffigur 6.
Map arddangos gwybodaeth.

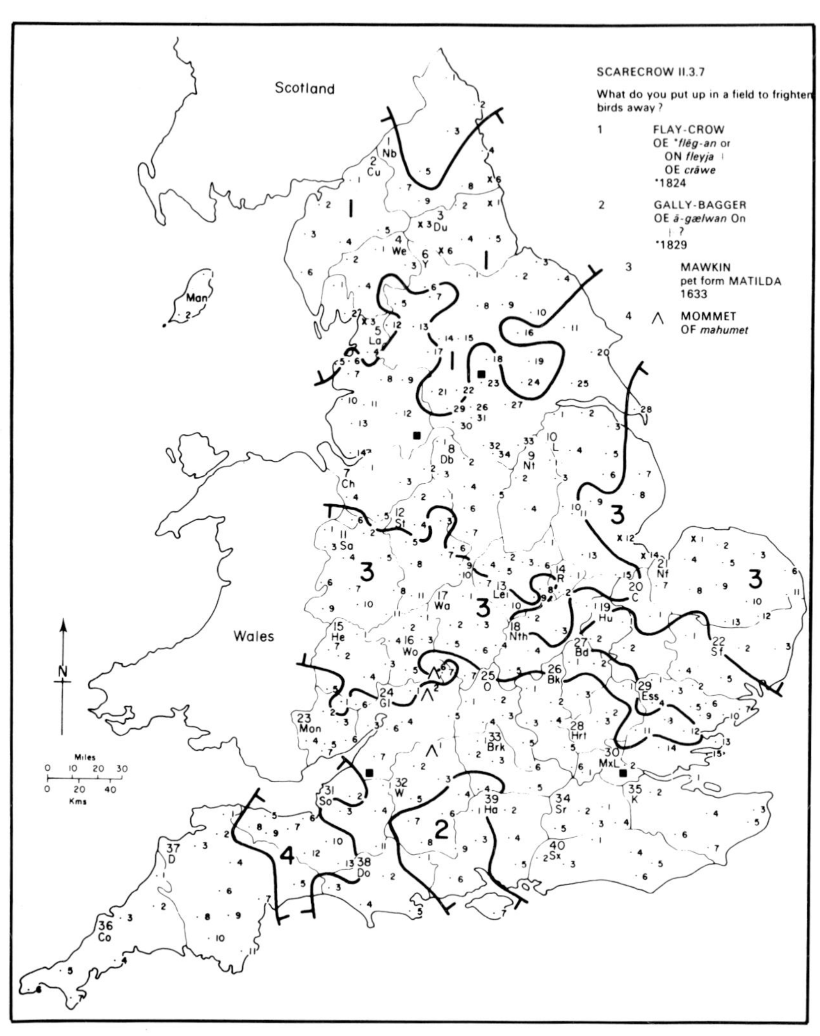

Ffigur 7.
Map caeëdig.

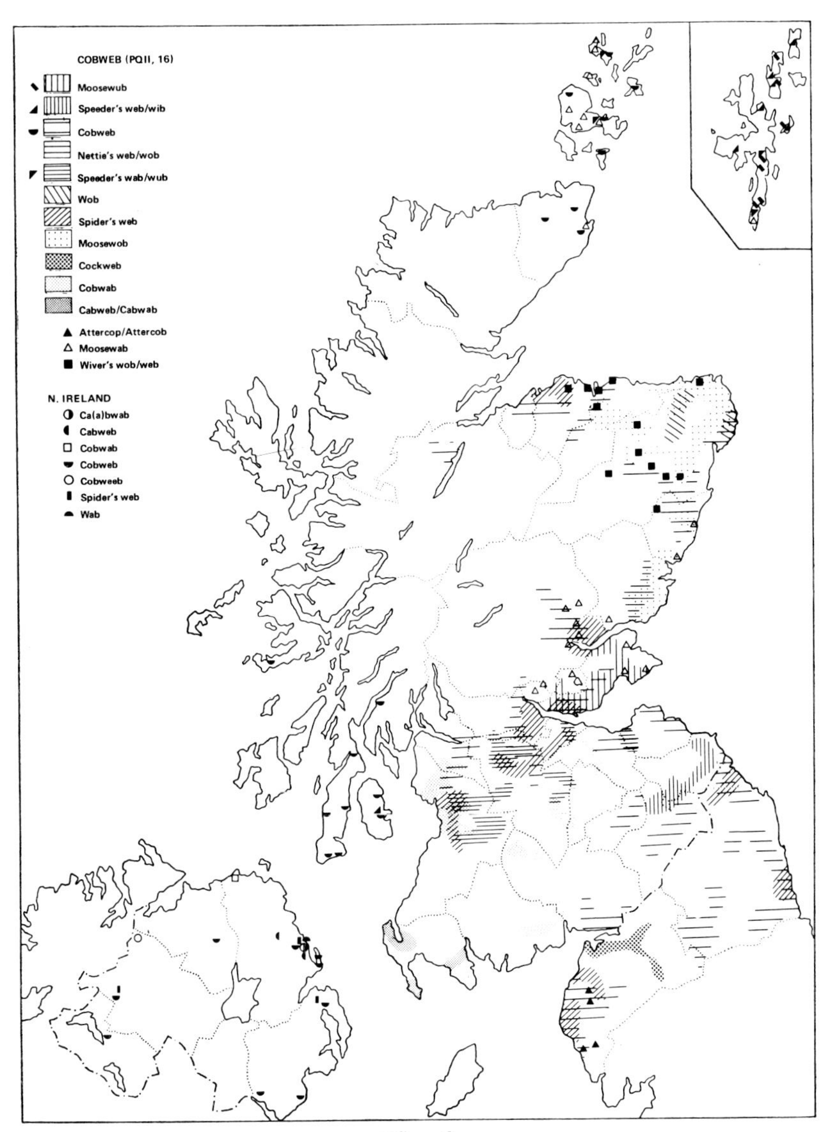

Ffigur 8.
Map caeëdig.

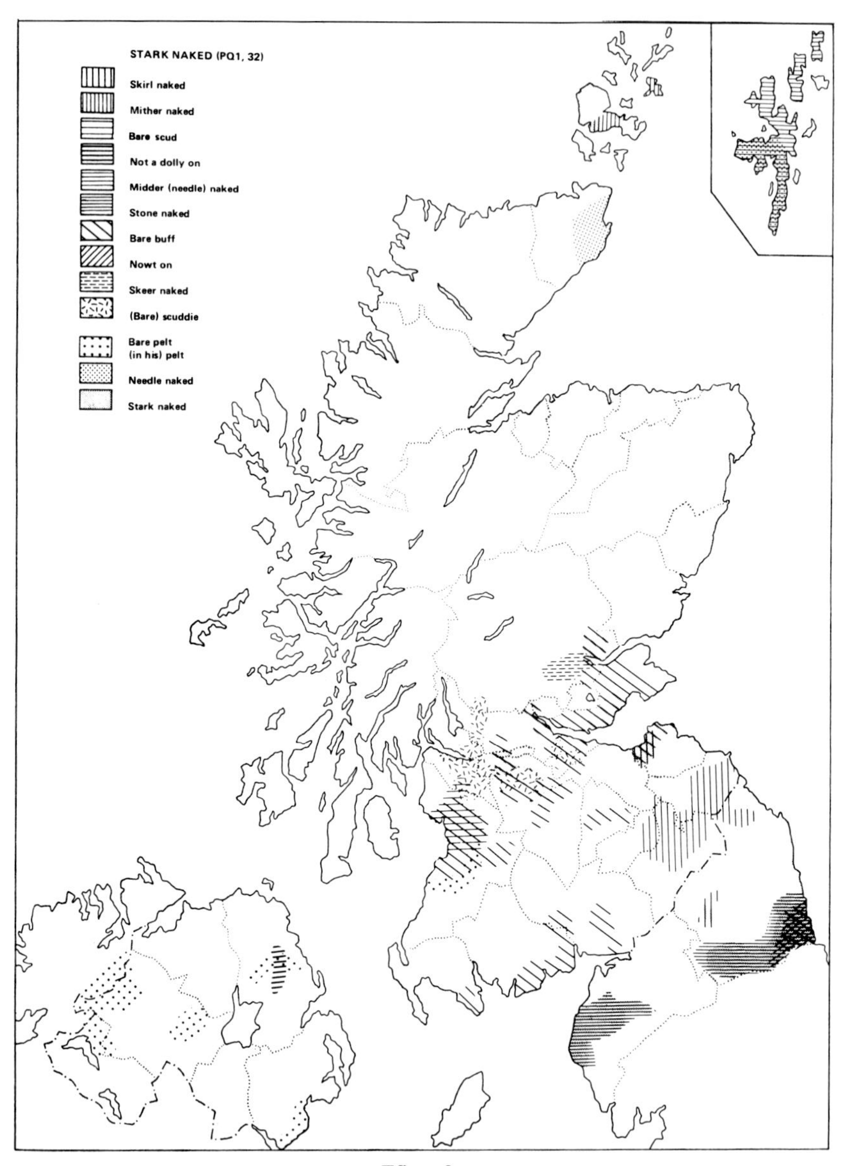

Ffigur 9.
Map caeëdig.

Un anfantais bendant sy'n perthyn i'r holiadur drwy'r post yw na all yr ymchwilydd, gan amlaf, ddychwelyd at y bobl sy'n ei fwydo â gwybodaeth er mwyn holi ymhellach. Mantais ar y llaw arall sy'n perthyn i ddull yr holiadur o gasglu gwybodaeth ieithyddol yw y gellir ei roi yn llaw llu o ymchwilwyr profiadol, eu gyrru i'r maes, a chasglu swm go helaeth o ddefnyddiau ieithyddol yn lled ddidrafferth. Yn aml iawn gellir sicrhau'r wybodaeth yr ydys yn ei cheisio trwy holi anuniongyrchol, sef arnodi sgwrs â siaradwyr ar bwnc pendant — y grefft o wneud caws neu fenyn neu o gloddio glo, er enghraifft. Cyn mentro i'r maes, sut bynnag, dylai'r ymchwilydd fod yn hollol gyfarwydd â chefndir ei bwnc rhag iddo golli'r un dim, er fe dâl iddo'n aml ffugio anwybodaeth ddybryd er mwyn denu'r eglurhâd mwyaf cynhwysfawr. Weithiau y mae'r amgylchiadau sy'n bodoli ar y pryd yn pennu pa nodweddion a gofnodir yn ystod y sgwrs; er enghraifft, yn iaith lafar Llanllwni, yng ngogledd yr hen Sir Gaerfyrddin gellir, ymhlith y genhedlaeth hŷn, ddewis o blith tri therm yn yr ail berson unigol.[3] Neilltuir un o'r termau hyn ar gyfer annerch babanod a phlant dan oed ysgol yn unig; eithriadol o anodd yw cofnodi sgwrs sy'n cynnwys nodwedd o'r fath ac y mae'n nodwedd ieithyddol y gallai ymchwilydd beidio â sylwi arni o gwbl oni bai ei fod yn ymwybodol o'r nodwedd, ac o'i harwyddocâd ieithyddol–gymdeithasegol, ac yn llwyddo i greu sefyllfa a fydd yn denu ymateb boddhaol oddi wrth y siaradwyr. Wrth gasglu gwybodaeth yn y maes rhaid i'r ymchwilydd fod yn effro a hyblyg, yn hyblyg i arfer y dull o gasglu gwybodaeth a fydd yn gweddu orau i nod a chwmpas ei ymchwil. Y mae llawer yn dibynnu ar ba adnoddau sydd wrth law, adnoddau o ran amser ac ymchwilwyr, cyllid a chyfarpar. Amcanu at gasglu defnyddiau geiregol, seinegol a morffolegol a wna'r holiadur traddodiadol ond bellach cynlluniwyd holiaduron â'r nod pendant o gasglu defnyddiau ar gyfer astudio goslef a chyweiriau.[4]

FFINIAU TAFODIEITHOL

Yn sgîl cyhoeddi mapiau ac atlasau ieithyddol dechreuwyd holi pam yr oedd isoglosau'n dilyn llwybr arbennig. Fel y gwelsom eisoes y mae rhai isoglosau yn amgylchynu canolfannau o bwys, ond arwyddocâd eraill, yn aml, yw dynodi fod ardal yn bellennig. Dangosodd Ferdinand Wrede a Theodore Frings, sut bynnag, fod ystyriaethau, gwleidyddol a diwylliannol yn gallu pennu llwybr isoglos. Er enghraifft, y mae'r isoglosau [makən/maxən] [dorp/dorf] [dat/das] yn ymestyn ar draws yr Almaen gan ymwahanu yng nghyffiniau afon Rhein (gw. Ffigur 2). Dangosodd Frings fod yr isoglos [ik/ix] (sy'n croesi'r afon Rhein ger Ürdingen) yn dilyn ffiniau gogleddol hen ddugiaeth Jülich a Berg yn ogystal â ffin ogleddol esgobaeth Cologne; dilyn yr isoglos [makən/maxən] ffiniau cynharach yr unedau hyn. Y mae'r isoglos

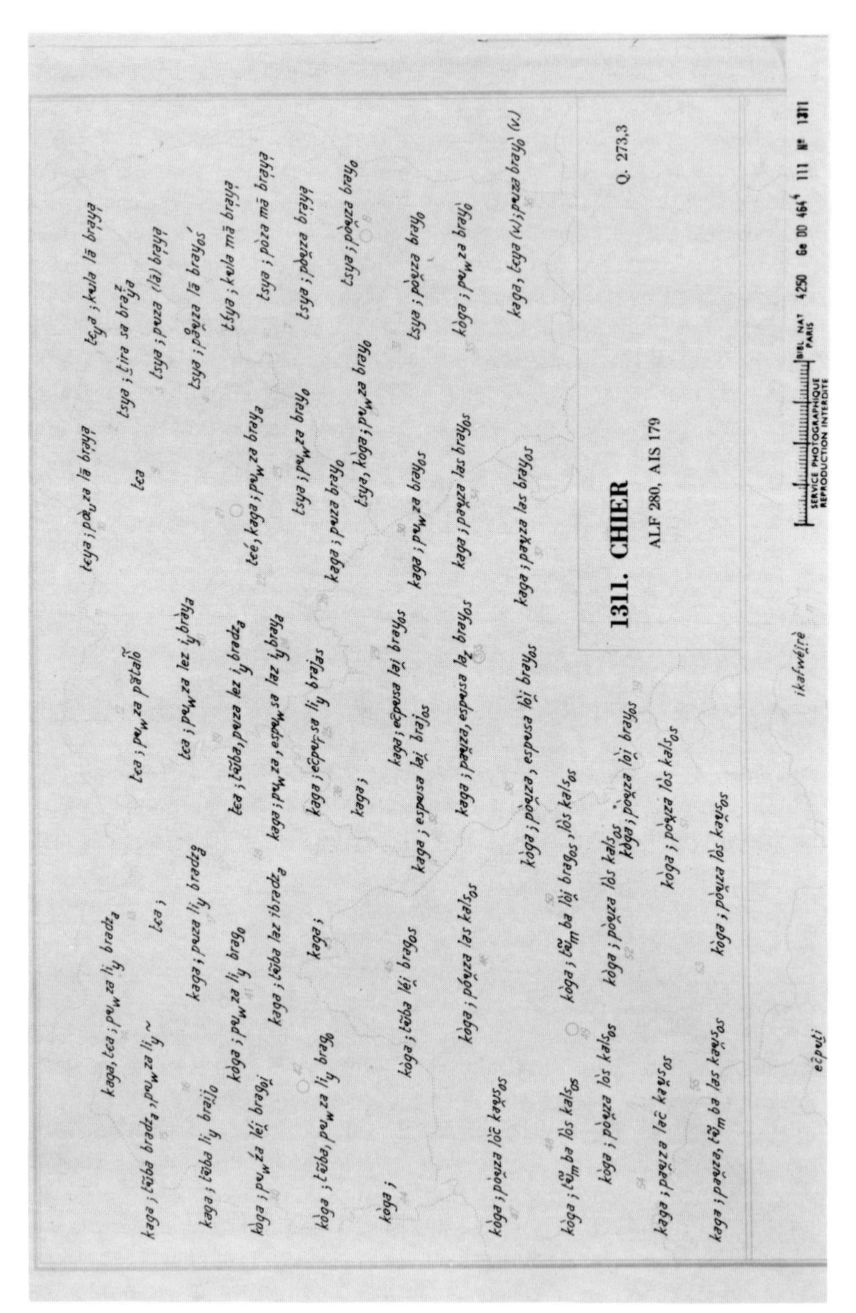

Ffigur 10.
Map arddangos gwybodaeth.

[dorp/dorf] yn dilyn ffin ddeheuol esgobaeth Cologne; y mae'n dilyn y ffin rhwng esgobaethau Cologne a Trier. Diffinir ffin ddeheuol esgobaeth Trier gan yr isgolos [das/dat]. Bu Mainz,Trier a Cologne yn unedau gweinyddol eglwysig o bwys o'r oesoedd canol tan y ddeunawfed ganrif. Awgrymodd Frings i ffurfiau ieithyddol ledu o ganolfannau diwylliannol pwysig de'r Almaen ar hyd afon Rhein i ganolfannau megis Cologne a Trier, a lledu oddi yno wedyn dros yr unedau gweinyddol yr oeddent yn ganolfannau ar eu cyfer. Derbyniai siaradwyr o fewn yr esgobaethau iaith y brifddinas yn safon, a theithient i'r brif ddinas ar fusnes. O ganlyniad ceir cydberthynas rhwng ffiniau ieithyddol a ffiniau gweinyddol. Yn ôl ysgolheigion eraill o'r Almaen, gellir canfod y rhaniadau a grybwyllir uchod mewn cyfnod llawer iawn cynt, cyfnod archaeoleg cynhanesyddol. Awgrymir ganddynt hwy nad yw'r rhaniadau tafodieithol mor ddiweddar ag a dybiwyd gan Frings a'u bod, yn hytrach, yn adlewyrchu gwahaniaethau ieithyddol rhwng y Ffranciaid a'r Alemaniaid.

Yn yr Eidal darganfuwyd bod un o'r ffiniau tafodieithol pwysicaf yn cyd-daro â'r hen ffin ethnig rhwng llwythau Gâl a'r Etrwsgiaid. Yn ddiweddarach ceid yr un ffin rhwng archesgobaethau Ravenna a Rhufain. Ceir ffin dafodieithol bwysig arall rhwng de a chanol yr Eidal gan ddilyn ffiniau hen ddugiaeth Spoleto (gw. Ffigur 11).[5]

Dangosodd astudiaeth o ffiniau tafodieithoedd Saesneg yr Unol Daleithiau fod cydberthynas rhwng y ffiniau tafodieithol a phatrwm gwladychu'r wlad yn ystod yr ail ganrif ar bymtheg, y ddeunawfed ganrif a'r bedwaredd ganrif ar bymtheg.[6] Dangosodd astudiaeth ddiweddar o Ffrangeg swydd Beauce, Quebec, a wladychwyd gan ymfudwyr o dde-orllewin Ffrainc yn ystod y ddeunawfed ganrif nifer o nodweddion ieithyddol yn nhafodiaith Ffrangeg Beauce, y gellir eu cysylltu'n uniongyrchol â de-orllewin Ffrainc.[7]

Yn ogystal â darganfod cydberthynas rhwng ffiniau ieithyddol a gwleidyddol yn yr Almaen, sylweddolwyd bod patrymu'r isoglosau yn cyfateb yn ogystal i amrywio ym mhatrwm arferion cymdeithasol, offer a phensaernïaeth yn y gwahanol esgobaethau. Yn yr Unol Daleithiau dangoswyd bod cydberthynas rhwng dosbarthiad enwau lleoedd a ffiniau tafodieithol.[8] Yn Ffrainc rhannai mapiau dadansoddi Jochnowitz y wlad yn ddwy brif ranbarth dafodieithol, sef gogledd a de (gw. Ffigur 12). Y mae cydberthynas rhwng y bwndel o isoglosau a nodir ar y map a ffiniau eraill megis newid mewn arferion amaethu, pensaernïaeth ac arferion cyfreithiol. Nid honni a wneir bod perthynas o reidrwydd rhwng y gwahanol nodweddion hyn a'i gilydd; fe'u crybwyllir yma yn hytrach am eu bod ymhlith y nodweddion hynny sydd yn rhoi i bob ardal gymeriad unigryw. Y mae iaith yn un nodwedd arall sydd, yn ychwanegol at y rhain, yn cyfrannu at y teimlad o fod yn perthyn i gymuned arbennig. Teg disgwyl, felly, i ffiniau ieithyddol arddangos cydberthynas â nodweddion diwylliannol eraill.

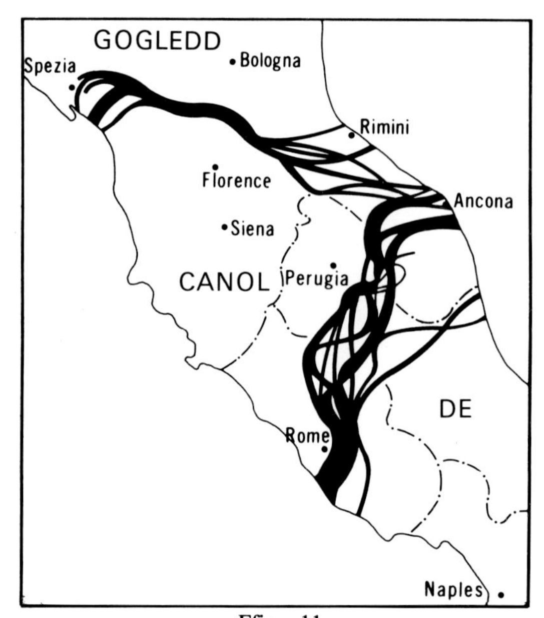

Ffigur 11.
Rhai o ffiniau tafodieithol yr Eidal.

Ffigur 12.
Bwndel o isoglosau sy'n rhannu Ffrainc yn ddwy brif ranbarth dafodieithol.
Map dadansoddi gwybodaeth.

Y NEOLINGUISTICA

Un o'r canlyniadau a ddaeth yn sgîl astudio patrymu isoglosau oedd diddordeb yn y ffordd y bydd ffurfiau ieithyddol yn lledu ar draws gwlad. Gall mapiau ieithyddol awgrymu llwybr tebygol ymlediad rhyw newid ieithyddol; gall fod o gymorth hefyd ar gyfer dyddio dwy ffurf gyfredol gan fod datblygiadau gwahanol i'w canfod mewn ardaloedd ffocol o'u cyferbynnu ag ardaloedd ymylol. Yn yr Eidal tyfodd ysgol ieithyddol a elwir y *Neolinguistica* o gwmpas y syniadau hyn. Honnai'r *Neolinguistica* fod syniadau'r *Junggrammatiker* am iaith ac am newid ieithyddol yn orsyml ac yn fecanyddol. Crynhoir safbwynt athronyddol y *Neolinguistica* isod:

> Y mae person yn creu iaith mewn ystyr ysbrydol yn ogystal â mewn dull ffisegol a hynny trwy gymorth ei ewyllys, ei ddychymyg, ei syniadau a'i deimladau. Y mae pob gweithgarwch ieithyddol yn ganlyniad proses ysbrydol a ffisegol.
>
> Ni all gwyddor ffisioleg ar ei phen ei hun egluro dim oll mewn ieithyddiaeth. Gall yn unig baratoi'r amodau ar gyfer creu rhyw nodwedd ieithyddol neu'i gilydd. Gweithgarwch ysbrydol dyn sydd yn creu pob nodwedd ieithyddol.
>
> Nid oes y fath beth â 'llafar y gymuned'; 'llafar yr unigolyn' yn unig sydd yn bod. Yr unigolyn sydd yn ysgogi pob newid ieithyddol.
>
> Derbynnir rhyw newid ieithyddol sydd wedi ei ysgogi gan unigolyn yn haws gan y gymuned pan fo'r unigolyn hwnnw'n berson o bwys (o ran ei safle gymdeithasol, o ran dawn neu allu etc.).
>
> Ni ellir ystyried yr un dim mewn iaith yn anghywir. Y mae pob peth sydd yn *bod* yn gywir am ei fod yn bod.
>
> Yn y bôn cyfleu teimlad esthetig a wna iaith. Gellir canfod newid ffasiwn yn myd iaith yn ogystal â mewn agweddau eraill ar fywyd sydd yn adlewyrchu teimlad esthetig (y celfyddydau, dillad etc.).
>
> Metafforau barddonol sydd yn gyfrifol am newid ystyr mewn geiriau. Y mae'n bwysig astudio newid ystyr felly os am ddeall y dychymyg dynol.
>
> Digwydd newid mewn cyfluniad ieithyddol yn sgîl cymysgu diwylliannol.
>
> Adlewyrchir mewn iaith wahanol ddatblygiadau sydd yn aml yn groes i'w gilydd; os am eu deall rhaid craffu ar iaith o wahanol gyfeiriadau. Rhaid yn y lle cyntaf ystyried bod datblygiad pob iaith yn cael ei reoli i raddau helaeth gan ffactorau daearyddol a hanesyddol. (Er enghraifft, ni ellir iawn astudio hanes y Ffrangeg heb ystyried hanes Ffrainc — dylanwad Cristnogaeth, dylanwad yr Almaen a'r Eidal, dylanwad ffiwdaliaeth, dylanwad y Llys, dylanwad yr *Académie*, y Chwyldro etc.).

Yr oedd y *Neolinguistica* yn ddyledus i syniadaeth ieithyddion megis W. von Humboldt (1767–1835)[9], Hugo Schuchardt a Karl Vossler (1872–1949)[10] ac i syniadau'r athronydd o Eidalwr, Benedetto Croce (1866–1952); priodolent fri arbennig i waith y tafodieithegwyr, yn enwedig i waith Jules Gilliéron. I Gilliéron y priodolir y frawddeg, 'y mae i bob gair ei hanes ei hun'; yr oedd yn syniad a apeliai at y *Neolinguistica* ynghyd â'r dyb ychwanegol fod iddo ei ranbarth ei hun yn ogystal.

Esgorodd gweithgarwch y *Neolinguistica* ar gyfres o egwyddorion neu o ganllawiau, llai haearnaidd na deddfau seinegol y *Junggrammatiker* y gellir eu defnyddio i gymhwyso canlyniadau sydd yn deillio o astudio tafodiaith at astudiaethau deiacronig. Pwrpas yr egwyddorion oedd galluogi'r ieithydd i benderfynu pa un o ddwy ffurf ieithyddol yw'r hynaf ar sail maint a lleoliad yr ardaloedd y nodwyd y ffurfiau ieithyddol ynddynt. Dyma'r egwyddorion sy'n berthnasol o safbwynt ieithyddol–ddaearyddol:

1. Pan ddigwydd dwy ffurf ieithyddol, y naill mewn ardal bellennig a'r llall mewn ardal haws cyrchu ati, yna y ffurf a ddigwydd yn yr ardal bellennig yw'r ffurf hynaf.
2. Pan ddigwydd dwy ffurf ieithyddol, y naill mewn ardal ffiniol o ran daearyddiaeth a'r llall mewn ardal ganolog, yna y ffurf a ddigwydd yn yr ardal ffiniol yw'r ffurf hynaf.
3. Pan yw dosbarthiad daearyddol y naill ffurf ieithyddol yn ehangach na dosbarthiad daearyddol y llall, yna y ffurf sydd ehangaf ei dosbarthiad yw'r ffurf hynaf.

Y mae hi'n weddol amlwg bod (1) uchod yn cyfeirio at yr hyn a alwyd gennym eisoes yn ardal geidwadol; cyfeiria (2) a (3) at ffurf ieithyddol ag iddi ddosbarthiad ar draws ardal eang ond bod ffurf newydd bellach yn lledu o ryw ganolfan o fewn yr ardal honno.

Erbyn hyn ychydig o ieithyddion a fyddai'n barod i arddel syniadau'r *Neolinguistica* yn eu crynswth, nac ychwaith yr egwyddorion a ddatblygwyd ganddynt ar gyfer astudio'r wedd ddeiacronig ar iaith. Y prif reswm am hyn yw bod cymaint o eithriadau i'r egwyddorion a oedd yn ganolog i'w hathroniaeth. Er enghraifft, yn nhafodieithoedd gogledd–ddwyrain Yr Alban digwydd [f] mewn safle ddechreuol mewn geiriau megis *what* a *which*; [hw] a geir yng ngweddill Yr Alban ac yn Lloegr. Gwyddys bod ffurfiau [f] yn ffurfiau mwy diweddar na ffurfiau [hw], ffaith sydd yn gwrth-ddweud yn hollol egwyddor 1 uchod.

Un waddol bwysig a ddeilliodd o waith y *Neolinguistica*, sut bynnag, oedd iddo ysgogi ymchwil yn ddiweddarach ar y nodwedd ieithyddol a elwir yn ddamcaniaeth iswanaf (*substratum theory*) sef pan fo trigolion gwlad arbennig yn ymwrthod â'u mamiaith ac yn mabwysiadu iaith arall, yna yn ôl y ddamcaniaeth newidir yr iaith newydd dan ddylanwad yr hen iaith sy'n cynrychioli'r ffurfiau iswanaf. Er enghraifft yn y Ffrangeg rhaid fyddai cydnabod iswanaf Geltaidd (gan mai iaith Geltaidd a siaredid yng Ngâl adeg cyflwyno'r Ffrangeg), arwanaf (*superstratum*) Ellmynaidd (olion cyrchoedd yr Almaenwyr) a benthyceiriau o ieithoedd cyfagos megis y Saesneg, yr Almaeneg, yr Eidaleg etc.

ASTUDIO'R IAITH LAFAR YNG NGHYMRU

Tila yr ymddengys ymdrechion adran dafodieithol Urdd Graddedigion Prifysgol Cymru o'u cymharu â'r astudiaethau Ewropeaidd a grybwyllwyd eisoes. Nod yr arolwg a gynlluniwyd gan yr Urdd oedd:[11]

> . . . to collect the fullest possible information as to the spoken language of Wales in all its varieties, whether of pronunciation, vocabulary, grammar or idiom.

Dosbarthwyd holiaduron gan yr Urdd a oedd i'w dychwelyd at yr Athro Anwyl, Coleg Prifysgol Cymru, Aberystwyth erbyn 1 Ebrill 1897. Tri ar ddeg o holiaduron a ddaeth i law yn brydlon a'r rheini'n cynnwys gwybodaeth am

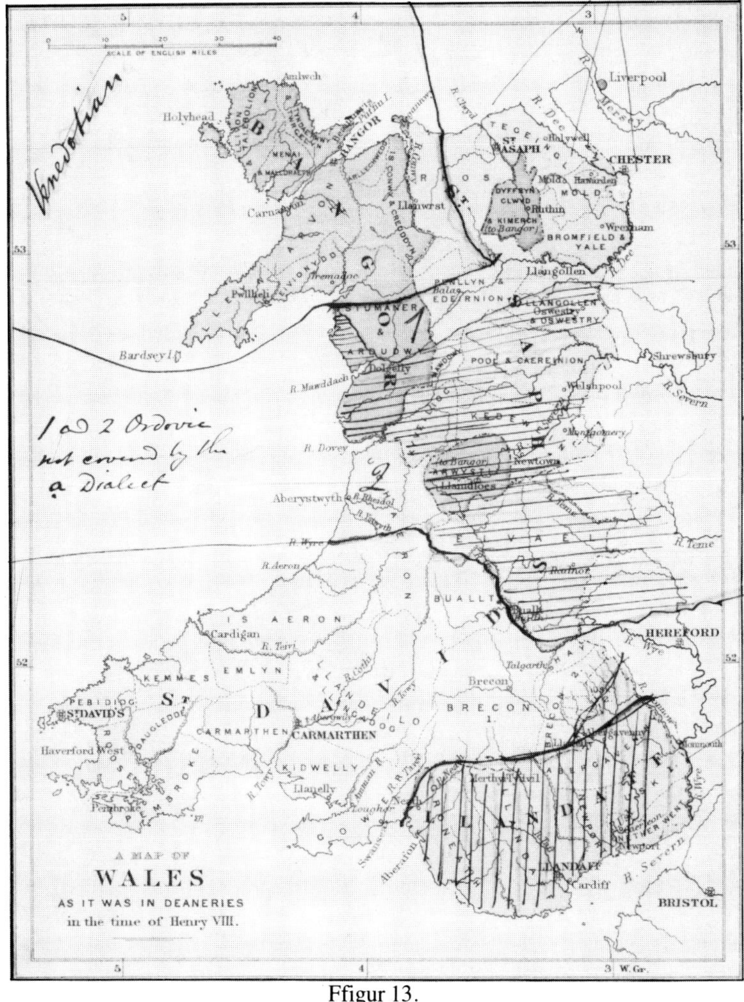

Ffigur 13.
Map Ieithyddol John Rhŷs.

orllewin, gogledd a gogledd-ddwyrain Penfro, Sir Gaerfyrddin, Sir Frycheiniog, Sir Ddinbych, Abertawe, Cwm Rhondda, Caernarfon, Llanwenog, Meline a Nanhyfer a Llandeilo.[12] Ymateb y Prifathro John Rhŷs i'r holiadur oedd map bychan amrwd yn honni olrhain ffiniau prif dafodieithoedd y Gymraeg ynghyd â rhai sylwadau ynglŷn â sut y dylid gweithredu yn y dyfodol.[13] Ffrwyth sylwadaeth John Rhŷs ei hun yw'r map hwn (gw. Ffigur 13).

Hawlia'r holiadur wybodaeth dan bedwar pennawd:

1. Describe the main features of the dialect of your district, defining, as accurately as possible, its geographical area.
2. Give as far as possible, in the dialects with which you are conversant, the names of (a) animals, (b) implements, etc., (c) natural phenomena.
3. What changes, if any, have, within your knowledge, taken place in the dialect of your district? What reasons do you suggest for these changes?
4. Kindly state here any further points concerning which enquiry should be made.

(gw. Ffigur 14)

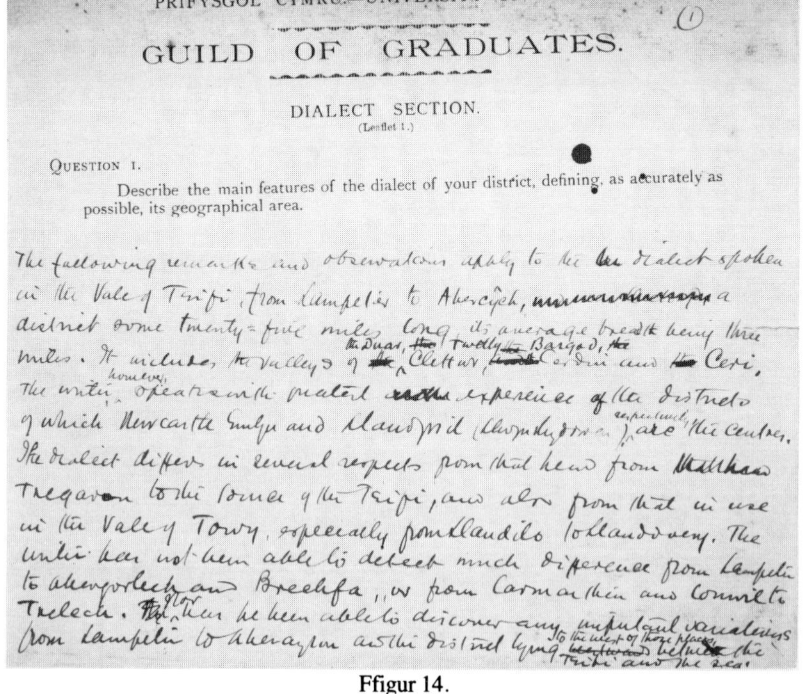

PRIFYSGOL CYMRU.—UNIVERSITY OF WALES.

(1)

GUILD OF GRADUATES.

DIALECT SECTION.

(Leaflet 1.)

QUESTION I.

Describe the main features of the dialect of your district, defining, as accurately as possible, its geographical area.

The following remarks and observations apply to the dialect spoken in the Vale of Teifi, from Lampeter to Abercych, a district some twenty-five miles long, its average breadth being three miles. It includes the valleys of the Duar, Twelly, Bargod, Clettwr, Cerdin and Ceri. The writer, however, speaks with greatest experience of the districts of which Newcastle Emlyn and Llandyssul ([illegible]) respectively are the centres. The dialect differs in several respects from that heard from Tregaron to the source of the Teifi, and also from that in use in the Vale of Towy, especially from Llandilo to Llandovery. The writer has not been able to detect much difference from Lampeter to Abergorlech and Brechfa, or from Carmarthen and Conwil to Trelech. Nor has he been able to discover any important variations from Lampeter to Aberayron and the district lying to the west of those places between the Teifi and the sea.

Ffigur 14.
Rhan o'r holiadur a gwblhawyd gan Eilir Evans.

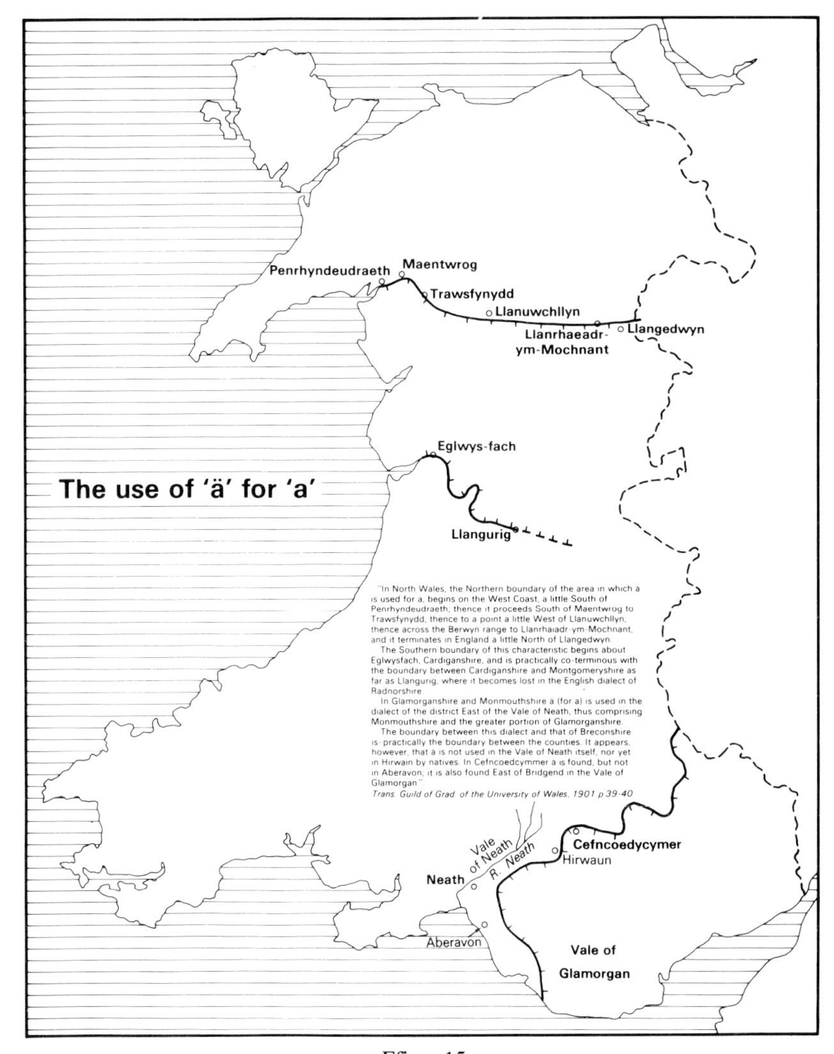

Ffigur 15.
Ffiniau'r llafariad flaen hanner-agored.

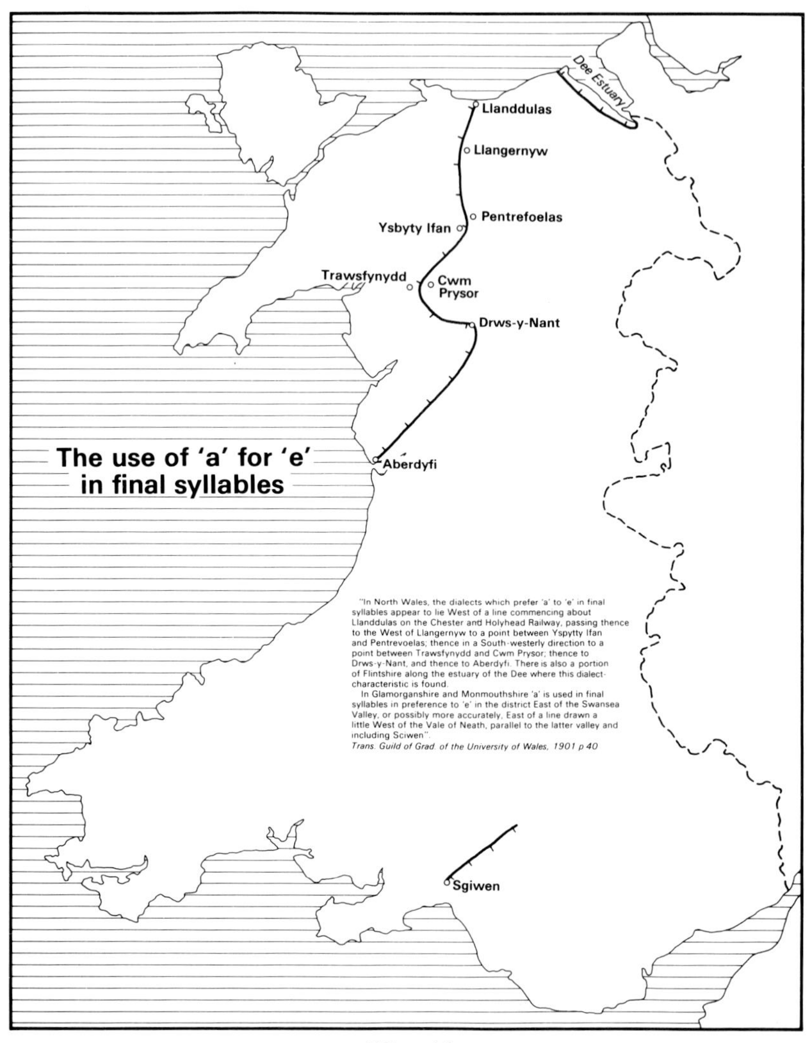

Ffigur 16.
Amrywio [a] ac [e] yn y sillaf olaf.

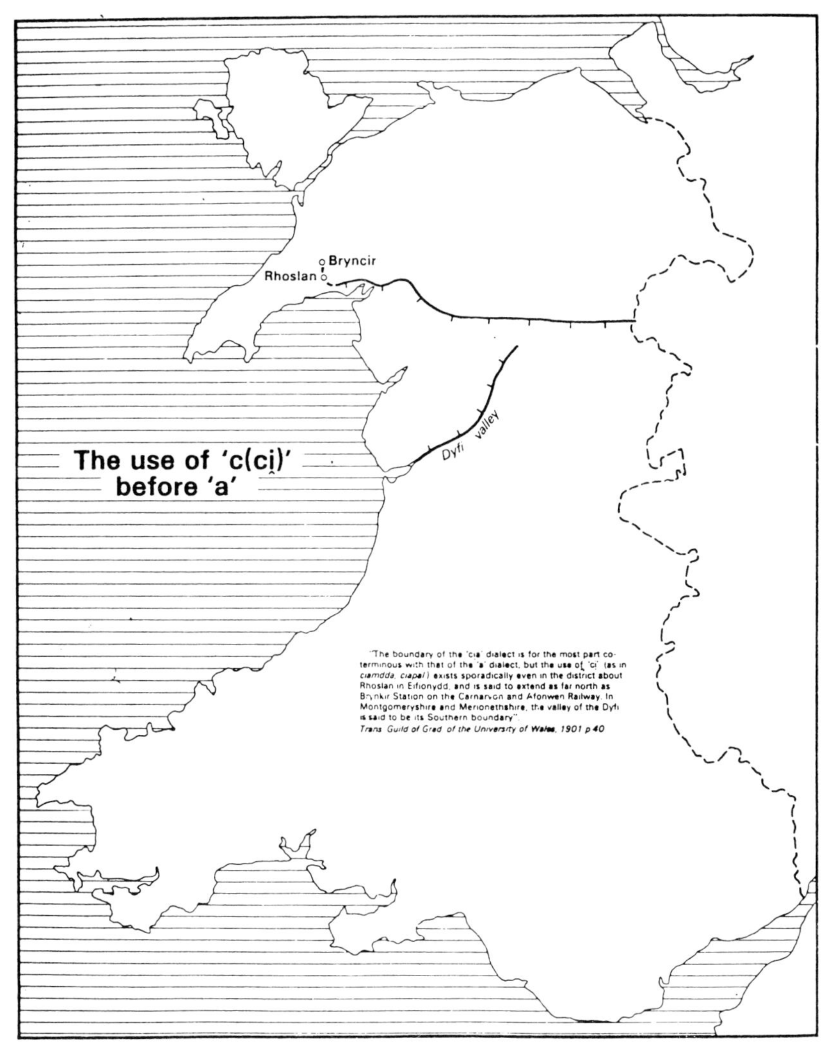

Ffigur 17.
Taflodoli [k] o flaen [a].

Rhaid cydymdeimlo ag Anwyl yn ei ymdrechion i roi trefn ar yr amrywiol ddeunydd a ddaeth i law fel ymateb i'r holiadur hwn. Ni chyhoeddwyd hyd yma yr holl ddefnyddiau a gynhwysir ynddynt nac ychwaith y nodiadau a ychwanegodd Anwyl ei hun at y defnyddiau a anfonwyd ato gan ohebwyr. Cynnwys adroddiad cyhoeddedig cyntaf adran dafodieithol Urdd y Graddedigion a gyhoeddwyd yn 1901, ddefnyddiau nad ydynt yn deillio o'r holiaduron, megis y sylwadau ar rai ffiniau ieithyddol. Gwelir y rheini ar fap am y tro cyntaf yn y gwaith hwn (gw. Ffigurau 15, 16, 17).

Casglu defnyddiau llafar er mwyn hybu astudiaeth ddeiacronig o'r Gymraeg yw'r agwedd drwodd; ys dywed Anwyl:[14]

> One aim of Welsh dialect research is to discover in dialect use old Welsh words or roots which have now become disused in the literary language, and which may be of service in elucidating the obsolete and difficult words of old Welsh literature, especially in the poetry.
>
> Another aim which this form of investigation sets before it is that of searching for dialect words which may possibly be pre-Brythonic, being survivals of those used by the earlier population . . .
>
> The student of the dialect of Wales should also . . . pay special attention to the points of contact between the dialects of Wales and the sister tongues of Cornwall and Brittany. There are in the dialects of South Wales especially . . . several features which suggest that the Brythonic of South Wales was an out-crop from the South Western dialect of Old British, from which Cornish and Breton also sprang . . .
>
> The English words found in Welsh dialects have a special interest of their own, and should be treated separately in connection with the history of the relations between England and Wales at various periods.

Dehongli hen destunau, gweithredu fel llawforwyn i astudiaethau ieithyddol deiacronig oedd amcan astudio'r iaith lafar. Arddel syniadau'r ieithyddion deiacronig a chydnabod cyfraniad y tafodieithegwyr cyfandirol ar yr un pryd; dyna'r duedd a amlygir yn adroddiadau Anwyl o weithgareddau adran dafodieithol Urdd y Graddedigion. Dibynnid i raddau helaeth iawn ar ewyllys da amaturiaid diwylliedig i gasglu'r wybodaeth. Yr wyddor gyffredin a ddefnyddid wrth adysgrifio,[15]

> . . . except that where e (in dipthongs) and y (alone or in dipthongs) have the sound of Welsh u, u is used to represent the sound.

Dadleuai John Rhŷs[16] a'r Parch. A. W. Wade-Evans ei bod yn hanfodol nodi dosbarthiad daearyddol manwl pob ffurf a gofnodid; nid digon oedd nodi Sir Gaerfyrddin neu Sir Benfro yn unig gyferbyn â rhestr o ffurfiau. Fel Edward Anwyl, syniai John Rhŷs yntau am astudiaeth dafodieithol fel llawforwyn i astudiaethau deiacronig:[18]

> Just a word as to the interest attaching to the study of dialects: I will only touch on one or two points which cannot fail to attract the attention of scholars. Take for instance the antiquity of some of these words, such as

that of *ffroga,* which reminds one at once of the English *frog*; but it is not borrowed from that monosyllable, as it comes from an older form of it when it was a dissyllable *frogga.* Dr Sweet gives that as the Anglo-Saxon which has been curtailed into *frog.* but the Fishguard vocable preserves it at full length in Welsh. In my own dialect that of North Keredigion, the word is *broga,* which is evidence that it came there from an English dialect in which the pronunciation was *vrogga* . . .

It would be interesting bye and bye to ascertain in what portions of the Principality the word *ffroga* and *broga* are used at the present day . . . Mr Wade-Evans has beside *ffroga* the word *raca* (in my dialect *rhaca*); and I fancy the true history of *drefa* and *berfa* is similar, for they come probably from early forms of the English *rake, thrave* and *barrow* respectively.

This will serve to illustrate one kind of interest attaching to the dialects, where English has contributed to our Welsh vocabulary; but there are others, and one of them is the retention of *w* where the original was *o* or *w* — (*u*) and where book Welsh has *y* as in *Cymraeg,* in the Fishguard dialect *Cwmrag* that is, I take it, Cwmrâg. Book Welsh has *y* in positions like this as well for original *i* or *e*, as, for instance, in Dyfed for early *Demet-ae.* In other terms the dialect keeps up, like Irish, a distinction which book Welsh does not. Mr Wade-Evans gives seven or eight cases for *w,* and it would be well to have more, in fact, all the words which are in point. This would enable one to discover how far this was the rule, and some individual words occur to me as interesting here such as *mynydd*: is that *mwni* or *mini* at Fishguard? I believe that I have heard both in the county; and then how is *i fyny* pronounced there, if it is used at all, and not superseded by *lan*?

Holi am wybodaeth ynglŷn â dosbarthiad daearyddol geiriau arbennig ynghyd â'u hystyr a'r dull o gynanu a wnai'r ail holiadur a ddosbarthwyd dan nawdd Urdd y Graddedigion (gw. Ffigur 18). Gellir canfod arwyddion o'r newid pwyslais hwn yn gynnar yng ngweithgarwch tafodieithol yr Urdd. Yn 'Material for a Preliminary Report of the Dialect Section of the Guild of Graduates', sy'n dal i fod mewn llawysgrif, dywed Anwyl:[19]

While vowel sounds may furnish material for minute enquiry for the phonetician, little of general interest can be derived from them. Mere speculation profits little and till the Welsh vowel sounds themselves and not their equivalents can be accurately gauged and tested by proper instruments they can but remain the happy hunting ground of the theorist. Not so the vocabulary and idiom of dialects . . .

It would be a service we consider to collect all the Welsh words actually spoken together with their accustomed meaning, as by that means many strong, useful and valuable Welsh words might be resucitated and preserved. Dialects might also be compared with those of the Laws, the Red Book, the Bruts and the Bible.

Y mae peth tystiolaeth fod Anwyl wedi dechrau llunio geiriadur o'r fath[20] ond ni chymeradwyai pawb y pwyslais ar astudio geirfa. Mewn llythyr at yr Athro

Urdd Graddedigion Prifysgol Cymru.

YR ADRAN DAFODIEITHOL.

TAFLENI ER HYRWYDDO YMCHWILIAD I DAFODIEITHOEDD CYMRU

YSGRIFENYDD YR ADRAN DAFODIEITHOL PROF. E. ANWYL, M.A., UNIVERSITY COLLEGE OF WALES, ABERYSTWYTH

GAIR	ARDAL	SAIN	YSTYR NEU YSTYRON
Abar			
Abi			
Abo			
Abwyd			
Acseisio			

Ffigur 18.
Tudalen o'r holiadur a ddefnyddiodd Arolwg Urdd y Graddedigion i astudio geirfa'r tafodieithoedd.

Anwyl yn 1910 dywed O. H. Fynes-Clinton (1869–1941) wrth amgau rhestr o eiriau i'w cyhoeddi yn Nhrafodion Urdd y Graddedigion:[21]

I am not sure that a dialect can be well represented by a mere list of words.

Y mae'n ddiddorol gweld bod yr ymchwiliwyr hyn ar dro'r ganrif yng Nghymru yn dod at rai casgliadau ac yn cwrdd â phroblemau digon tebyg i eiddo'r arloeswyr ym maes astudiaethau ieithyddol-ddaearyddol ar y cyfandir. Y mae'n werth dyfynnu ymhellach o adroddiad Anwyl i ddangos hyn:[22]

> The Welsh dialects have but recently become the subject of systematic and scientific enquiry, and, consequently owing to the scantiness of reliable information, it is impossible to do more than sketch the bare outlines of the subject . . .
>
> It might be roughly stated that every county in Wales has its dialect, nay more, has several, and that every town has its own. Still, territorial and dialect boundaries do not in all, nor in many cases, coincide. It will be noticed that no exact line of demarcation can be observed between different dialects bordering upon each other. That there is a distinct difference between the dialects of two given districts will be obvious even to the most superficial observer, but to describe their exact boundaries is another matter . . . The chief characteristics of the North Walian's utterance, as given by a ordinary observer would be that he pronounced his *u* and said *o*,for *fo, ef, efe*. The South Walian's characteristics likewise would be that he pronounced *u* as *i* and said uniformly *ë* for ef and e. But no such sweeping distinction can be made. The *u* is pronounced as *i* as far north as Machynlleth and Towyn, Meirioneth while the pronoun *o* may be heard at Aberystwyth and even in mid Cardiganshire, a clear indication of the overlapping of dialects. It is known to those who have travelled much in Wales that there are districts, whose dialects may only be described as an indiscriminate use of their neighbours. Again, dialects must be studied in groups. That is to say they form orders, having a certain affinity for one another. Another interesting point is the singular way certain North and South Wales dialects correspond to each other in some particulars. E.g. in Carnarvonshire and in Anglesey we have final o, au, eu, af etc. pronounced *a*. So likewise in Glamorganshire. In Denbighshire and Meirionethshire and Montgomeryshire this termination is usually *e*, which we also find in Carmarthenshire, Pembrokeshire and Cardiganshire. This may be a mere coincidence, but it may also present a subject for further enquiry. Another interesting point with reference to dialect study is the discovery of islands of dialects. One such is found in the neighbourhood of Ruthin in Denbighshire. The rhythm, accent etc. of that dialect corresponds to that of Carnarvonshire, and it is a significant fact that that particular locality in the time of Henry VIII belonged to the diocese of Bangor . . .

Ni sylweddolwyd gobeithion John Rhŷs o gynhyrchu map ieithyddol a oedd yn ffrwyth sylwadaeth fanwl o nodweddion y tafodieithoedd gan arolwg Urdd y

Graddedigion. Dadleuodd yr Athro T. Gwynn Jones yn 1934 am astudiaeth fanwl o'r tafodieithoedd:[23]

> y peth y bydd raid ei wneuthur . . . yw cael *parthlen ieithyddol o'r wlad, yn dangos terfynau'r prif dafodieithoedd, a'r adieithoedd yn nhiriogaethau'r rheiny hefyd, yna eu hastudio'n rheolaidd,* fel y dealler y gwahaniaethau rhwng y prif dafodieithoedd â'i gilydd, a'r modd y gwahaniaetho'r adieithoedd oddi mewn i diriogaethau'r rheiny.

Dadleuai John Rhŷs fod yr wyddor gyffredin yn anaddas ar gyfer adysgrifio llafar[24] ac yn ei ddisgrifiad o iaith lafar dyffryn Gwynant yn Sir Gaernarfon[25] defnyddia'r seinegydd o Sais, Henry Sweet (1845–1912),[26] wyddor seinegol arbennig, gwyddor a ddyfeisiwyd ganddo ac a alwyd ganddo yn wyddor Romig, wrth adysgrifio'r iaith lafar (gw. Ffigur 19). Yn ogystal â disgrifio nodweddion seiniau adysgrifia Sweet ddarnau o lafar yn yr wyddor Romig[27] gan gynnwys trosiad yn yr iaith safonol (gw. Ffigur 20), ynghyd â chyfieithiad gair am air i'r Saesneg. Adysgrifir rhai o'r storïau llafar a nodwyd ganddo yn Nyffryn Gwynant yng ngwyddor *Visible Speech* (gw. Ffigur 21).[28] Pwysigrwydd arall a berthyn i'r astudiaeth hon o eiddo Henry Sweet yw nad oes iddi na gogwydd na chymhelliad deiacronig.

Yr oedd Henry Sweet wedi cyhoeddi ei *Handbook of Phonetics* yn 1877 a'r gwaith hwn ynghyd â *Grundzüge der Lautphysiologie* (Elfennau Seineg) Eduard Sievers (1850–1932)[29] a gyhoeddwyd yn 1876 a osododd y seiliau ar gyfer astudiaethau seinegol gwyddonol, a rhoi deimensiwn ychwanegol i'r gwyddorau ieithyddol.

Ymddiddorai Hugo Schuchardt yntau yn y Gymraeg a'i thafodieithoedd. Yr oedd rhaglen ymchwil ieithyddol yr Almaenwr hwn yn fwy uchelgeisiol, ond odid, na'r un ysgolhaig arall yn ei gyfnod. Dull Schuchardt o gasglu gwybodaeth ar y llu pynciau a'i diddorai oedd sefydlu rhwydwaith o ohebwyr i'w gyflenwi â'r wybodaeth a ddymunai. Newyddiadurwyr, cenhadon, teithwyr, diplomyddion a staff y prifysgolion oedd ei ohebwyr gan amlaf, ond dibynnai'n drwm ar ffynonellau ysgrifenedig yn ogystal. Yr oedd Schuchardt wedi sefydlu rhyw lun ar rwydwaith i'w gyflenwi â gwybodaeth ieithyddol am y Gymraeg erbyn 1871. Manteisiodd ar ei ymweliad â Chymru rhwng mis Awst a mis Hydref 1875 i gryfhau a datblygu'r rhwydwaith ieithyddol hon. Yr oedd John Rhŷs, D. Silvan Evans (1818–1903) John Peter (Ioan Pedr), John Evans, Caellenor, Caernarfon (perchen *Yr Herald Cymraeg*) a W. J. Hughes (1833–79) o'r Rhyl ymhlith y gohebwyr ieithyddol. Erbyn 1892 yr oedd y rhwydwaith ieithyddol yn datgymalu'n gyflym, ond ceisiodd Schuchardt ei hadfywio mor ddiweddar â 1900. Ofer fu'r ymgais honno.

Ddechrau'r ganrif hon cynlluniodd y Parch. A. W. Wade-Evans arolwg ieithyddol yn Sir Benfro, gan seilio'i holiadur ar lyfryn gan y Parch. John Griffith ond methwyd â gweithredu ar y cynlluniau.[30] Olrheiniwyd ffiniau rhai nodweddion ieithyddol gan Thomas Darlington. Daeth casglu a chyhoeddi geirfâu tafodieithol yn boblogaidd ac ymddangosodd *Gwerin-Eiriau Sir Gaernarfon* gan John Jones (Myrddin Fardd) yn 1907, *A Glossary of the Demetian Dialect of North Pembrokeshire* gan Walter Meredith Morris yn 1910, *The Welsh Vocabulary of the Bangor District* gan O. H. Fynes-Clinton yn 1913. Y mae geirfâu eraill yn dal i fod mewn llawysgrif ac y mae llu wedi eu cyhoeddi mewn amryw gylchgronau. Rhaid oedd aros tan 1925 am astudiaeth wyddonol arall, yn ôl safonau'r cyfnod, o seiniau'r iaith sef *Studies in Cyfeiliog Welsh: A Contribution to Welsh Dialectology* gan yr ieithydd o Norwy, Alf Sommerfelt. Erbyn hyn cyflwynwyd nifer o astudiaethau yn disgrifio seineg, ffonoleg a gramadeg ardaloedd unigol ar gyfer graddau uwch Prifysgol Cymru.

Y mae llawer o'r monograffau a gyflwynwyd ar gyfer graddau uwch yn astudio nodweddion ieithyddol ardaloedd a chymunedau yn ne Cymru, ac yn yr hen Sir Forgannwg yn bennaf. Y maent yn ffynhonnell werthfawr a hollol anhepgor o wybodaeth ynglŷn â seineg, ffonoleg, morffoleg, cystrawen a geirfa iaith lafar y de diwydiannol. Casglwyd a dadansoddwydd gwybodaeth ieithyddol gyffelyb, yn ogystal, o hen siroedd Brycheiniog a Mynwy, o ddwyrain a gogledd Sir Gaerfyrddin, o Geredigion a Phenfro ac o ardaloedd yng ngogledd Cymru.[32] Y mae astudiaethau ar Gymraeg Patagonia ar y gweill.[33] Cynnwys yr arolwg o'r de-ddwyrain y gyfres fwyaf gwerthfawr a mwyaf uchelgeisiol o astudiaethau a gwblhawyd hyd yma ar Gymraeg llafar ardaloedd unigol. Canolbwyntiwyd ar iaith y garfan hynaf o'r boblogaeth sefydlog mewn ardaloedd megis Hirwaun, Merthyr Tudful, Rhigos, Tafarnau Bach. Ar sail yr astudiaethau hyn o ardaloedd unigol gallodd y Dr Ceinwen H. Thomas[34] a gyfarwyddodd lawer o'r ymchwilwyr unigol yn yr Uned Ymchwil Ieithyddol Gymraeg, arddangos patrymu deinamig nodweddion ffonolegol yn nhafodieithoedd de-ddwyrain Cymru. Astudiaeth o ffonoleg ac o ffonoleg y de-ddwyrain yw eiddo'r Dr Thomas; bychan a wyddys am batrymu deinamig nodweddion eraill megis morffoleg a chystrawen a goslef ar draws ardaloedd ehangach.

Eiddo Edward Lhuyd oedd yr ymgais gyntaf i astudio dosbarthiad daearyddol ffurfiau yn y Gymraeg. Yn ei *Parochial Queries*[35] a ddosbarthwyd i bob plwyf yng Nghymru (gw. Ffigur 22) holodd:

> What Words, Phrases or Varyation of Dialect in the Welsh, seem peculiar to any part of the country? What names of men and women uncommon? And wherein doth the English of the Vulgar in Pembrokeshire and Gowerland differ from the Western Counties of England?

Siomedig fu'r ymateb i'r ymholiad hwn.

Mr Alan R. Thomas biau'r ymgais ddiweddaraf a'r ymgais fwyaf uchelgeisiol i gofnodi dosbarthiad daearyddol ffurfiau geiregol. Y mae ei *Linguistic Geography of Wales* yn nhraddodiad yr atlasau Ewropeaidd ac Americanaidd a grybwyllwyd eisoes. Casglodd Mr Thomas ei ddeunydd trwy

THE following is a description of the sounds and forms of Welsh as spoken in the valley of Gwynant in Carnarvonshire, based on personal observations.

SOUNDS.

Description.

The following ar the elementary vowels and the diphthongs, with the Romic notation I employ:

(a)	bara (*bred*); mab (*filius*)	bara; maab.
(y)	sut (*how*); ty (*house*)	syt; tyy.
(ä)	yma (*here*); *y* (the letter)	äma; ää.
(i)	dim (*not*); ci (*dog*)	dim; kii.
(e)	pen (*hed*); hen (*old*)	pen; heen.
(u)	cwrw (*beer*); cwn (*dogs*)	kuru; kuun.
(o)	pont (*bridg*); do (*yes*)	pont; doo.
(ay)	dau (*two*); cae (*feeld*)	day; kaay.
(ai)	gair (*word*)	gair.
(au)	mawr (*great*); naw (*nine*)	maur; naau.
(yu)	duw (*god*)	dyu.
(əy)	deuddeg (*twelv*)	dəyðag.
(əi)	eira (*snow*)	əira.
(äu)	clywed (*hear*)	kḷäuad.
(eu)	ewch (*go ye!*); tew (*thick*)	eux; teeu.
(uy)	blwyddyn (*year*); mwy (*mor*)	bluyðyn; muuy.
(oy)	coeden (*tree*); coed (*trees*)	koydan; kooyd.
(oi)	troi (*turn*)	tṛoi.
(ou)	dowch (*cum ye!*)	doux.

Ffigur 19.
Nodir gwyddor Henry Sweet o fewn cromfachau. Nodir gwyddor Visible Speech ar y chwith.

The consonants ar :

ϱ	(h)	hanes (*history*)	hanas.
cɩ	(x)	chwech (*six*)	xweex.
ɱ	(j)	iaith (*language*)	jaiþ.
ʊɩº	(rh)	rhaff (*rope*)	rhaaf.
ɯɩ	(r)	ei ran (*his share*)	-i ran.
ɯɩɒ	(r*w*)	gwraig (*wife*)	gr*w*aig.
ɯᵘ\	(ḷ)	llall (*other*)	ḷaḷ.
ɯ	(l)	ei law (*his hand*)	-i lau.
ɯɒ	(l*w*)	gwlad (*cuntry*)	gl*w*aad.
ᴗ	(þ)	cath (*cat*)	kaaþ.
ᴡ	(ɤ)	meddwl (*think*)	meɤul.
ƨ	(ʃ)	siarad (*speak*)	ʃarad.
ɛ	(ʒ)	engine	inʒan.
s	(s)	Sais (*Englishman*)	sais.
ɜº	(wh)	ei watch hi (*her wach*)	-i whatshi.
ɜ	(w)	wedi (*after*)	wedi.
>	(f)	corff (*body*)	korf.
ɜ	(v)	afon (*river*)	avon.
ˍıº	(qh)	fy nghefn (*my back*)	qhevn.
ˍı	(q)	dringo (*climb*)	driqo.
˥º	(nh)	fy nhad (*my father*)	nhaad.
˥	(n)	nain (*grandmother*)	nain.
˥ɒ	(n*w*)	gwnio (*sew*)	gn*w*io.
rº	(mh)	fy mhen (*my hed*)	mhen.
ꜰ	(m)	mam (*mother*)	mam.
ɑ	(k)	cacen (*cake*)	kakan.
ɵ	(g)	y gog (*the cuckoo*)	-ä goog.
ʊ⊦	(t)	tad (*father*)	taad.
ɷ⊦	(d)	ei dad (*his father*)	-i daad.
ᴅ	(p)	pen (*hed*)	pen.
ʚ	(b)	ei ben (*his hed*)	-i ben.

A. syt fair naaþhi həiðju? fair ·ðaa jaun; mynd jaunar warþag. beeðaryxi bräny həiðju? bränis uuyþorai hespjon, -a duuy vyux. -ädu inaän meðul amä fair nesa, -akän meðul gwerþyryu lotsyyginii, os kaa-i briisgo ·ðaa am danynhu. -ma honoän byr vyan äto. paa ·ðyyðoor miis maahi, dəydux? railar bämþag. koḷsoxi naruna vasaxiwedi duadanhu həiðju. -dooð dim posib: -ooniin rhyy bräsyrhevor gwair, -a hiþa-wedi gnəyd durnod moor braav, -axin ina dipino waiþ. sytooð ·mooxän gwerþy həiðju? xädig jauno ovynooð arnynhu. vaintä puuysädynhu ruan ari tṛaayd? -ryu roota färḷiqnee roota dima, wəiþja boob syt. welis yynän kaayl groota ·þair färliq həiðju.

B. sut *ffair* wnaeth hi heddyw? *ffair* dda iawn; myned iawn ar wartheg. (pa) *b*eth ddarfu i chwi *b*rynu heddyw? *b*rynais wyth o rai hespion, a dwy fuwch. (yr) ydwyf ina yn meddwl am y *ffair* nesaf, ac yn meddwl gwerthu ryw *lot* sydd genyf, os caf fi b*ris* go dda am danynt hwy. (y) mae hono yn *b*ur fuan eto. pa ddydd o'r mis mae hi, dywedwch? yr ail-ar-*b*ymtheg. collasoch chwi yn 'arw na fuasech wedi dyfod a hwy heddyw. nid oedd ddim b*ossible*: oeddwn i yn rhy *b*rysur hefo 'r gwair, a hithau wedi gwneyd diwrnod mor *braf*, a chan innau *d*ipin o waith. sut oedd moch yn gwerthu heddyw? ychydig iawn o 'ofyn oedd arnynt hwy. (pa) *f*aint y pwys ydynt hwy ynawr ar eu traed? ryw *'roat* a *ffyrling* neu *'roat* a dimai, weithiau *b*ob sut. welais un yn cael *groat* a thair *ffyrling* heddyw.

Ffigur 20.
A. Stori lafar wedi ei hadysgrifio yng ngwyddor Romig Henry Sweet.
B. Yr un stori wedi ei hadysgrifio yn orgraff gyffredin y cyfnod.

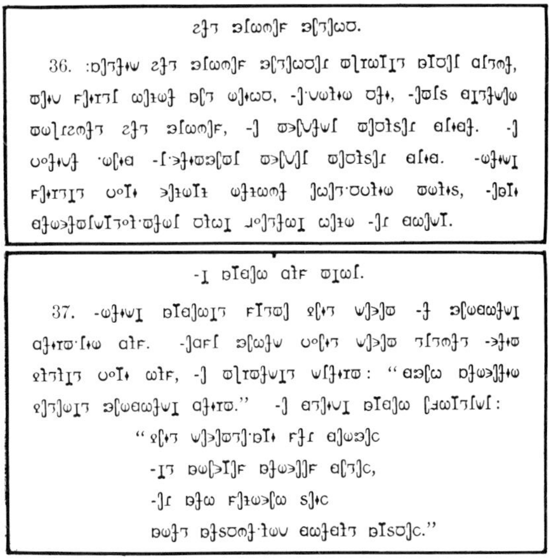

Ffigur 21.
Dwy stori lafar o ddyffryn Gwynant wedi ei hadysgrifio yng ngwyddor *Visible Speech.*

ddosbarthu holiadur drwy'r post i 180 o ganolfannau (gw. Ffigur 23) ar hyd a lled Cymru, ac y mae'r gwaith gorffenedig yn dadansoddi 135,000 o ymatebion i holiadur yn cynnwys 750 o gwestiynau. Dosbarthwyd ffurfiau geiregol ar bynciau megis y tywydd, y corff, y fferm ac offer amaethu, llysiau, planhigion a choed, adar a chreaduriaid maes a buarth. Cynhwysir, yn ogystal, rai cwestiynau yn hawlio gwybodaeth ynglŷn â chynanu a ffurfiau gramadegol (cenedl enwau, adferfau, arddodiaid a rhagenwau). Nid yw dosbarthiad y canolfannau holi yn hollol foddhaol; er enghraifft, esgeuluswyd bron yn llwyr yr ardal rhwng afon Hafren ac afon Wysg.

Adran ddiddorol yn *The Linguistic Geography of Wales* yw honno sy'n nodi rhanbarthau tafodieithol y Gymraeg. Didolir chwech o brif ranbarthau ac un ar bymtheg o is-ranbarthau tafodieithol ac y mae cydberthynas amlwg rhwng ffiniau'r rhanbarthau tafodieithol a ffiniau unedau gweinyddol yr Oesoedd Canol (gw. Ffigurau 24, 25, 26, 27).

Sylfaen weinyddol hanesyddol sydd i'r ffiniau tafodieithol ar fap John Rhŷs (gw. Ffigur 10) a cheir damcaniaeth ddigon tebyg i eiddo Rhŷs yng ngweithiau'r Parch. John Griffith[36] a'r Parch. A. W. Wade-Evans[37], ill dau yn weithgar ym maes astudiaethau tafodieithol ar ddechrau'r ganrif. Credai Wade-Evans mai ar hyd ffiniau'r *gwledydd* y dylid chwilio am ffiniau prif dafodieithoedd y Gymraeg; maentumiai mai ar hyd ffiniau'r *cantrefi* a'r *cymydau* y ceid hyd i ffiniau'r is dafodieithoedd ac ar hyd ffiniau'r *plwyfi* y darganfyddid ffiniau'r mân dafodieithoedd. Anodd dirnad pam yr oedd Wade-Evans yn honni cydberthynas rhwng ffiniau unedau gweinyddol yn perthyn i'r

Oesoedd Canol a ffiniau'r prif dafodieithoedd a'r is dafodieithoedd, ond yn awgrymu perthynas rhwng ffiniau uned sydd yn perthyn i'r cyfnod modern a ffiniau'r mân dafodieithoedd. Rhaid cofio, sut bynnag, mai'r un yn aml iawn yw ffiniau'r plwyfi a ffiniau maenorau a gwestfâu yr Oesoedd Canol.

Ganrifoedd cyn hyd yn oed freuddwydio am Gymru fel uned wleidyddol, bodolai'r *wlad* fel uned mewn llywodraeth yng Nghymru, a'r wlad yn y cyfnod y sonnir amdani oedd yr ardal dan awdurdod un tywysog. Yr oedd i bob gwlad, felly, ei theulu brenhinol ei hunan a ffiniau pendant y gellir eu holrain yn ôl weithiau dros bymtheg canrif. Y gwledydd yng Nghymru ddechrau'r Oesoedd Canol oedd Gwynedd uwch Conwy, Gwynedd is Conwy, Powys Fadog, Powys Wenwynwyn, Ceredigion, Rhwng Gwy a Hafren, Dyfed, Ystrad Tywi, Morgannwg a Brycheiniog (gw. Ffigur 18). O fewn ei wlad meddai'r tywysog ar rai breintiau arbennig ac yn ei lys cynhaliai *deulu* yn cynnwys swyddogion megis *distain* neu brif stiward y llys, *hebogydd* sef y gŵr a ofalai am hebogiaid y brenin a'r *offeiriad teulu* sef caplan llys y tywysog.

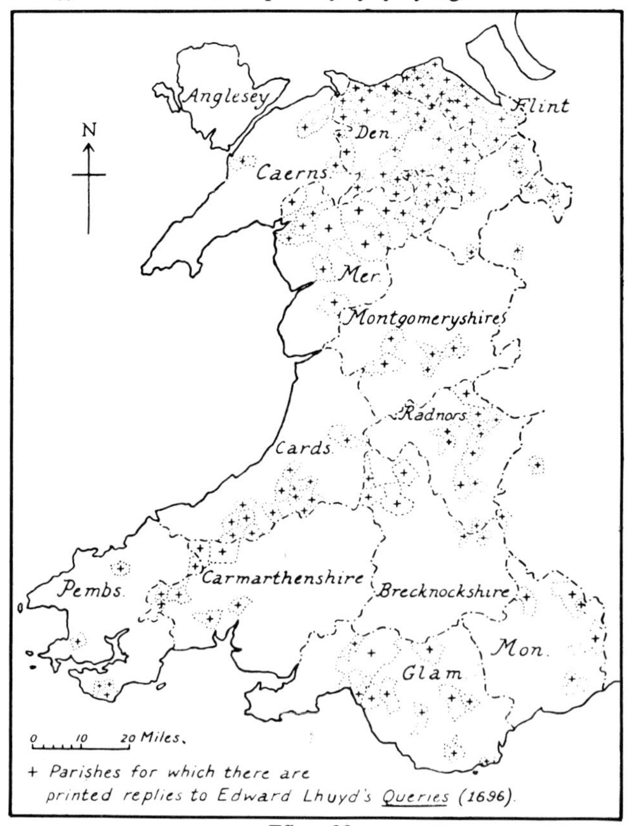

Ffigur 22.
Plwyfi y gwyddys iddynt ddychwelyd holiadur Edward Lhuyd.

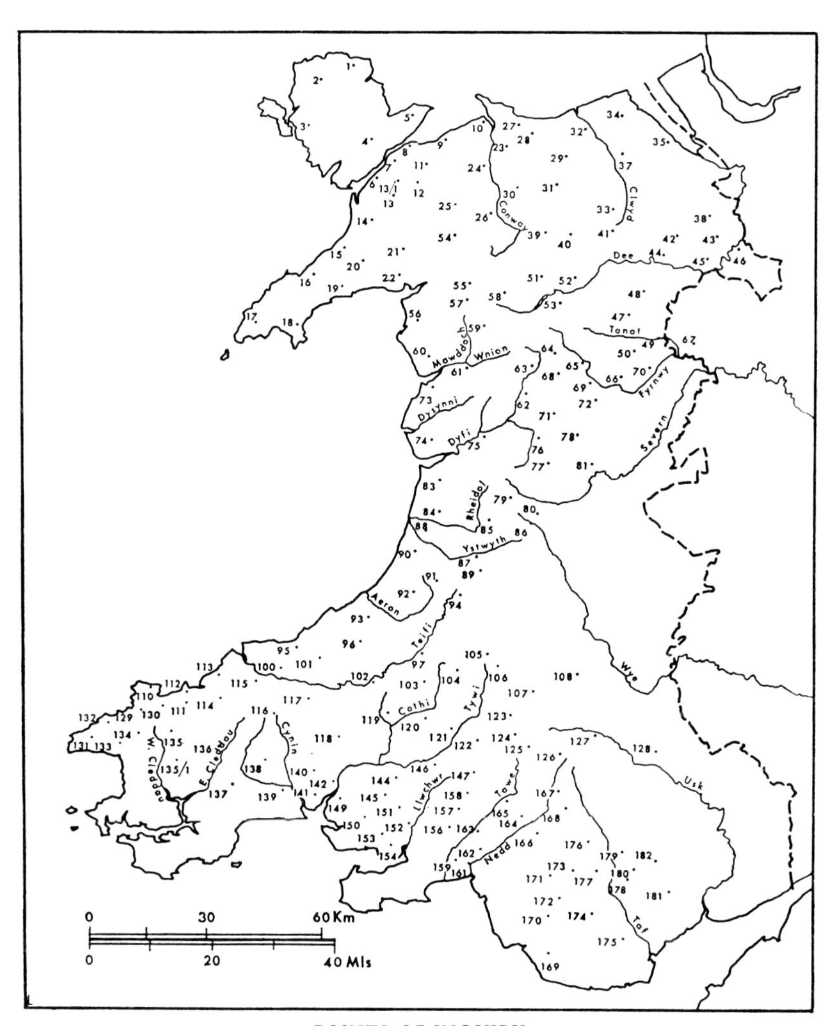

POINTS OF INQUIRY

Ffigur 23.
Y canolfannau holi ar gyfer *The Linguistic Geography of Wales*.

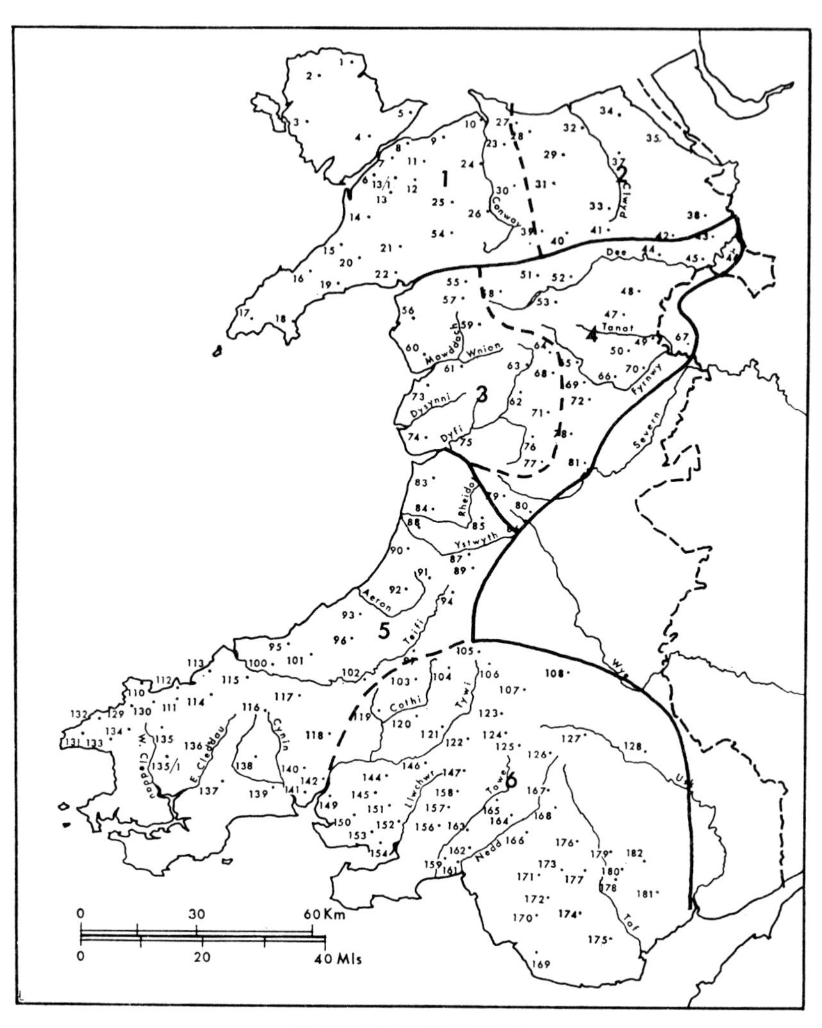

MAJOR SPEECH-AREAS

1 North-west 2 North-east 3 West midlands 4 East midlands 5 South-west 6 South-east

Ffigur 24.
Y prif ranbarthau tafodieithol a ddidolwyd gan *The Linguistic Geography of Wales*.

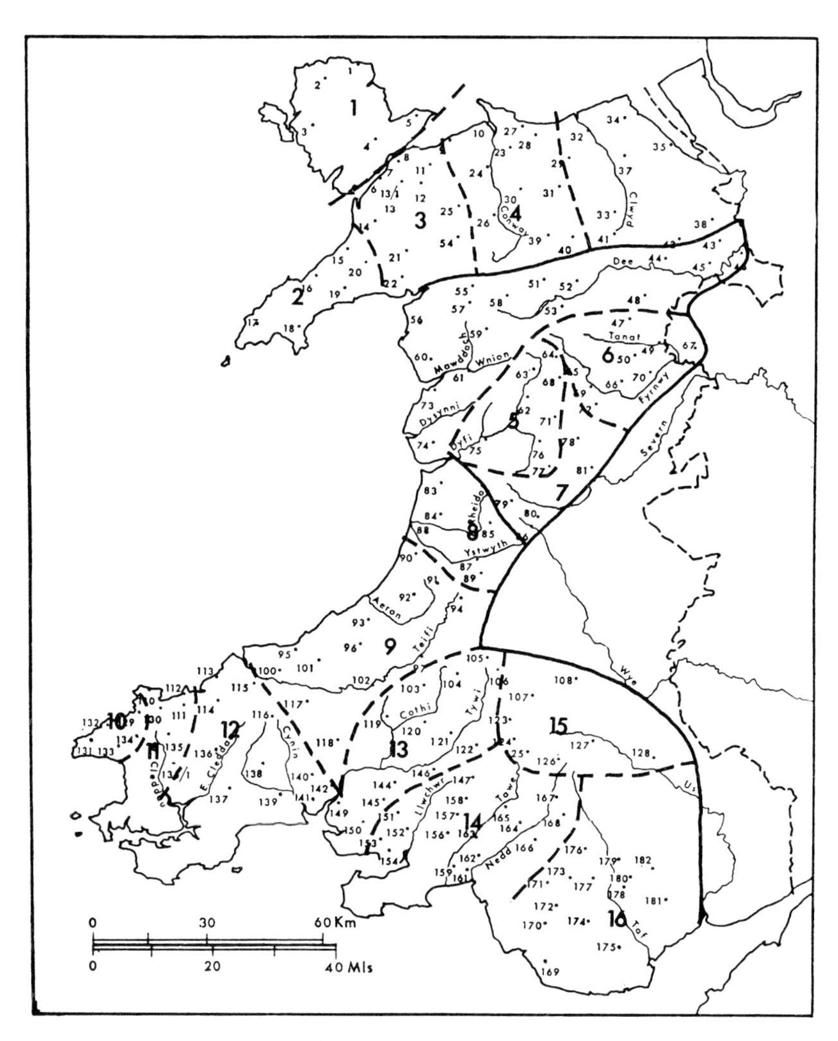

MINOR SPEECH-AREAS

1 Anglesey 2 Lleyn 3 North-west mainland 4 Conway–Clwyd 5 Dyfi
6 Tanat–Fyrnwy 7 South-east midlands 8 Lower midlands 9 Teifi valley
10, 11, 12 Pembrokeshire 13 Tywi valley 14 Llwchwr–Nedd 15 Tywi–Usk highland
16 East Glamorgan

Ffigur 25.
Yr is ranbarthau tafodieithol a ddidolwyd gan *The Linguistic Geography of Wales*.

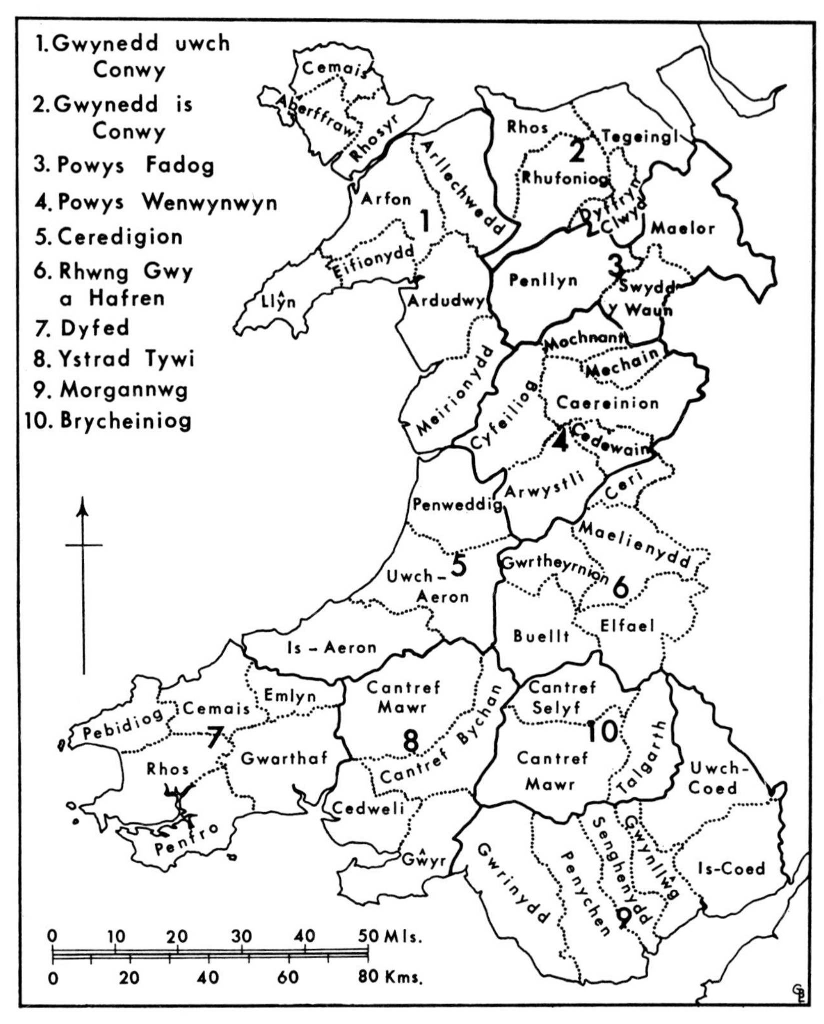

MEDIEVAL ADMINISTRATIVE BOUNDARIES
(after Rees, 1951: plate 28; Lloyd, 1911; Richards, 1969)
——— *gwledydd* .... *cantrefi*

Ffigur 26.
Gwledydd a Chantrefi'r Oesoedd Canol.

Ffigur 27.
Cymydau a Chantrefi'r Oesoedd Canol.

Er hwyluso llywodraethu rhennid pob gwlad yn nifer o *gantrefi*. Yng nghainc gyntaf y Mabinogi ceir sôn am Bwyll Pendefig Dyfed yn llywodraethu dros saith gantref Dyfed, a chynnwys cantref yn fras iawn oedd cant o drefi neu o ffermydd gweddol fawr.

Rhennid pob cantref yn *gymydau* ac yr oedd o leiaf ddau gwmwd yn perthyn i bob cantref (gw. Ffigur 28). Ym mhob cwmwd yr oedd gan y brenin adeilad llys a oedd yn ganolfan ar gyfer llywodraeth leol. Ddwywaith y flwyddyn âi'r tywysog o amgylch y cymydau i arolygu gwaith y swyddogion lleol. Yr oedd pob cantref a chwmwd yn uned economaidd, gymdeithasol ac, i raddau helaeth, gweinyddol a oedd yn gwbl annibynnol y naill ar y llall.

Dros gyfnod cylchdaith y tywysog o amgylch y cymydau *gwŷr rhydd* y cwmwd oedd yn gyfrifol am gyfran o'r bwyd a'r diod. Yr enw ar gyfraniad y gwŷr rhydd at fwyd a diod cylchdaith y brenin oedd *gwestfa*. Y westfa aeaf a dalwyd mewn un ardal yn ne Cymru oedd mêl ar gyfer gwneud diod, blawd, bustach, haidd, bwyd ar gyfer holl feirch, cŵn a hebogiaid y tywysog. Yn raddol peidiodd y tywysog â mynd ar gylchdaith a datblygodd yr arfer o wneud cyfraniad ariannol yn hytrach na chyfraniad o fwyd a diod. Dyma ddechrau system o drethu'r ardaloedd a sicrhau cyfraniadau lleol tuag at gynnal gweinyddiaeth ganolog. Pan ddiddymwyd y cyfraniad bwyd a diod disgwylid i bob gwestfa dalu 53*s*. 4*d*. bedair gwaith y flwyddyn. Ar gyfer talu treth y westfa trefnid y gwŷr rhydd o fewn y cwmwd yn unedau tiriogaethol llai a'r enw ar yr uned drethiannol hon oedd y *faenor* (gw. Ffigur 28). Yng ngogledd Cymru fe'i gelwid yn *faenol* ac yng Ngheredigion mabwysiadwyd enw'r dreth ar gyfer yr uned diriogaethol, sef *y westfa*. Enghraifft o rym traddodiad cymdeithasol yw bod y faenor neu'r westfa yn unedau hysbys a gweithredol ddechrau'r bymthegfed ganrif. Erbyn y cyfnod modern disodlwyd y westfa neu'r faenor fel yr uned leiaf mewn llywodraeth leol gan y *plwyf* ac mewn llawer iawn o ardaloedd yr un yw ffin y plwyf a ffin y faenor neu'r westfa.

Awgrymir mewn astudiaeth a gwblhawyd o iaith lafar y maenorau oddi mewn i gwmwd Carnwyllion yn yr hen Sir Gaerfyrddin (gw. Ffigur 20) bod cydberthynas rhwng y ffiniau ieithyddol a'r mân unedau gweinyddol, sef maenorau'r cwmwd.[38] Cyfyngwyd yr astudiaeth i Garnwyllion yn unig, ac ni bu, hyd yma, gyfle i estyn yr ymchwil y tu hwnt i ffiniau'r cwmwd hwnnw. Yr oedd defnyddiau seinegol, ffonolegol a morffolegol yn sail i'r gymhariaeth. Dechreuodd astudiaeth ddiweddar arall olrhain un nodwedd ieithyddol sef amrywio [a] ac [ɛ] yn y sillaf olaf ddiacen mewn ffurfiau megis [kasag]/[kasɛg] 'caseg', [kadar]/[kadɛr] 'cadair' yn Nyffryn Clwyd. Y mae'n ffin a gafodd sylw amrwd eisoes (gw. Ffigur 6) ond dangosodd Beth Thomas[39] na ellid yn foddhaol egluro amrywio'r un nodwedd hon trwy gyfeirio'n unig at hen ffiniau gweinyddol a'i bod yn ymddangos bod yn rhaid ystyried, yn ogystal, ffactorau megis oed, rhyw a chefndir cymdeithasol y siaradwyr cyn gallu rhoi cyfrif amdano.

Ni fyddai unrhyw dafodieithegydd yn barod i arddel y syniad mai unedau hollol annibynnol yw'r rhanbarthau tafodieithol. Sut bynnag ymhlith y toreth data trawsnewid sydd yn ffurfio gymaint o ddeunydd crai'r tafodieithegydd ymhob astudiaeth ddaearyddol, medd rhai nodweddion ar ddosbarthiad daearyddol hollol bendant. Problem y tafodieithegydd yw ceisio pennu gwerth cymharol i nodweddion o'r fath. Sut y mae'r tafodieithegydd i gloriannu gwerth gwahanol nodweddion, gwerth gwahanol isoglosau ar gyfer pennu ffin ieithyddol? Ceisiodd Alan Thomas ddyfeisio dulliau cyfrifiadurol i wneud yr union beth hwn, ac y mae'r canlyniadau a ddaeth i glawr yn cadarnhau y farn fwy goddrychol ynglŷn â'r rhanbarthu tafodieithol a nododd yn ei astudiaeth gynharach o ddosbarthiad daearyddol geiriau.[40]

Casglu nodweddion ieithyddol, cofnodi dosbarthiad daearyddol ffurfiau geiregol yn bennaf, oedd unig nod Alan Thomas; ond yn eu *Sprach- und Sachatlas* yr oedd Jaberg, Jud a Scheuermeier yn casglu ac yn cofnodi defnyddiau ethnograffig ac yn cymharu'r defnyddiau hyn â nodweddion ieithyddol. Yr oeddent yn ymwybodol gysylltu astudiaethau ieithyddol â hanes diwylliant. Yn 1943 a 1956 cyhoeddodd Scheuermeier[41] ddwy astudiaeth a gynhwysai fanylion am weithgareddau, arferion a chrefftau a'u cysylltu â'r defnyddiau a oedd eisoes ar glawr yn yr *Sprach- und Sachatlas*.

Ychydig o waith a wnaed yng Nghymru hyd yma ar gydberthynas ffiniau diwylliannol ond y mae'n ddiddorol cymharu map o ddosbarthiad daearyddol

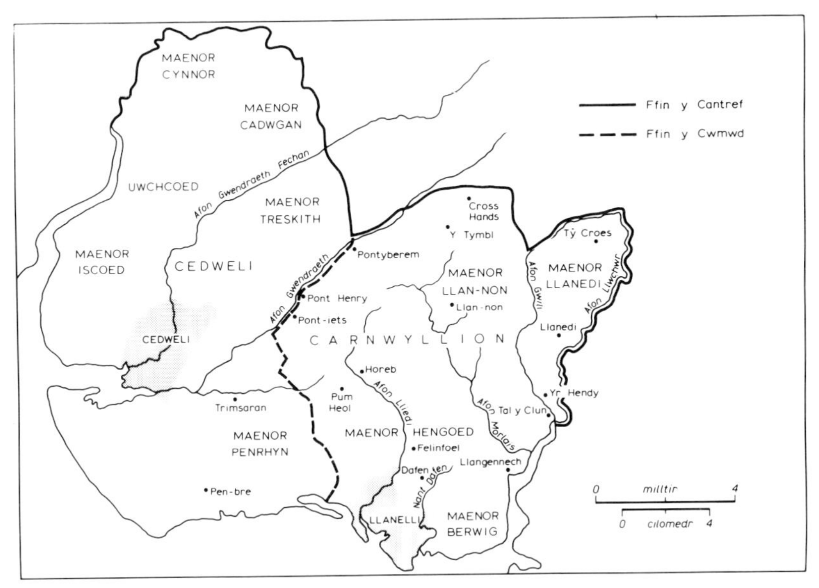

Ffigur 28.
Maenorau Cymydau Cydweli a Charnwyllion yng Ngwlad Ystrad Tywi.

prif ffermdai'r Oesoedd Canol â'r prif ranbarthau tafodieithol a gofnodir yn *The Linguistic Geography of Wales* (gw. Ffigurau 24 a 29). Ymddengys y gallai astudiaeth o ddosbarthiad enwau lleoedd[42] ac o faes gweithgarwch y seintiau cynnar[43] fod yn ddau drywydd ffrwythlon o'r safbwynt hwn.

TUEDDIADAU DIWEDDAR

Y mae mapiau o fath Ffigurau 30 a 31 sydd yn nodi dosbarthiad daearyddol ffurfiau ieithyddol yn enghreifftio'n deg y math o wybodaeth a gynhwysir gan amlaf mewn atlasau ieithyddol, mewn astudiaethau ieithyddol-ddaearyddol ac yn y monograffau. Y mae *The Linguistic Geography of Wales* yn cofnodi cefndir y personau y casglwyd y wybodaeth oddi wrthynt:[44]

> Informants are older generation speakers whose families are, in almost all cases, indigenous to the immediate vicinity of the point of inquiry; in general, too, they have not spent prolonged periods away from their native area, and have had little formal education . . . The investigation . . . achieved its aim of identifying the territorial limits of Welsh lexicon which is representative of the rural 'terminology' of oldest-generation Welsh speakers.

Y mae'r disgrifiad hwn yn awgrymog gan fod yr ymchwilydd yn amlwg ymwybodol fod ffactorau cymdeithasegol megis oed, sefyllfa a breintiau addysg yn effeithio ar iaith ac ar amrywio daearyddol. Y mae John Rhŷs ac Anwyl yntau yn tynnu sylw at yr un peth:[45]

> Distinct changes are to be observed . . . in living dialects as spoken by the rising generation. This is very noticeable in Mid and South Cardiganshire where the literary *au* or *ai* is supplanting the spoken ou or oi. The same in our opinion is taking place in Denbighshire. Old people from those parts always pronounce the final e with unfailing distinctness, while in the younger generation, there appears a greater tendency towards the Carnarvonshire and Anglesey *a*, if not towards the English blurred sound.

Ymylol yw'r sylw a rydd arolwg Urdd y Graddedigion, a phob arolwg ieithyddol arall a grybwyllwyd hyd yma, i amrywio ieithyddol sydd yn ganlyniad astudio rhyw nodwedd gymdeithasol; hynny yw nid oes bwriad dadansoddi'n fanwl ofalus y berthynas rhwng ffactorau cymdeithasegol ac amrywio ieithyddol. Nid yw'r astudiaethau hyn ychwaith yn honni o gwbl gofnodi nodweddion llafar y gymuned gyfan yn ôl patrwm cymdeithasegol cydnabyddedig.

Erbyn hyn yr ogwydd gymdeithasegol ar astudiaethau ieithyddol sydd yn llanw bryd llawer o ieithyddion mewn cais i ychwanegu at fanylder eu disgrifiadau ieithyddol; hynny yw, astudir ganddynt y berthynas sydd rhwng yr iaith lafar a chyfansoddiad y gymuned sydd yn defnyddio'r iaith honno. Er enghraifft yn ei astudiaeth, 'Social influences on the choice of a linguistic variant' (1958) archwiliodd John L. Fischer amrywiad yng nghynaniad yr olddodiad Saesneg *-ing* ymhlith pedwar ar hugain o blant yn New England.

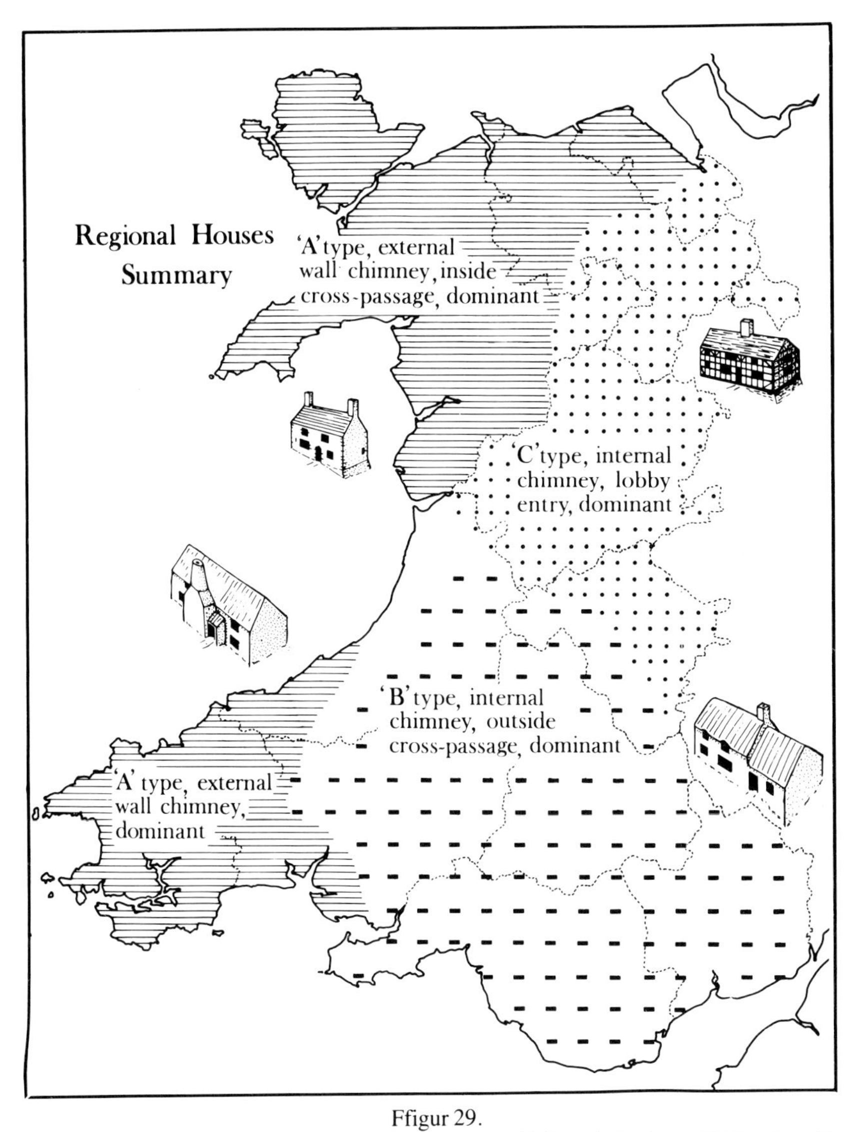

Ffigur 29.
Dosbarthiad daearyddol nodweddion pensaernïol prif ffermdai'r Oesoedd Canol yn ôl Peter Smith, *Houses of the Welsh Countryside*, (HMSO, 1976).

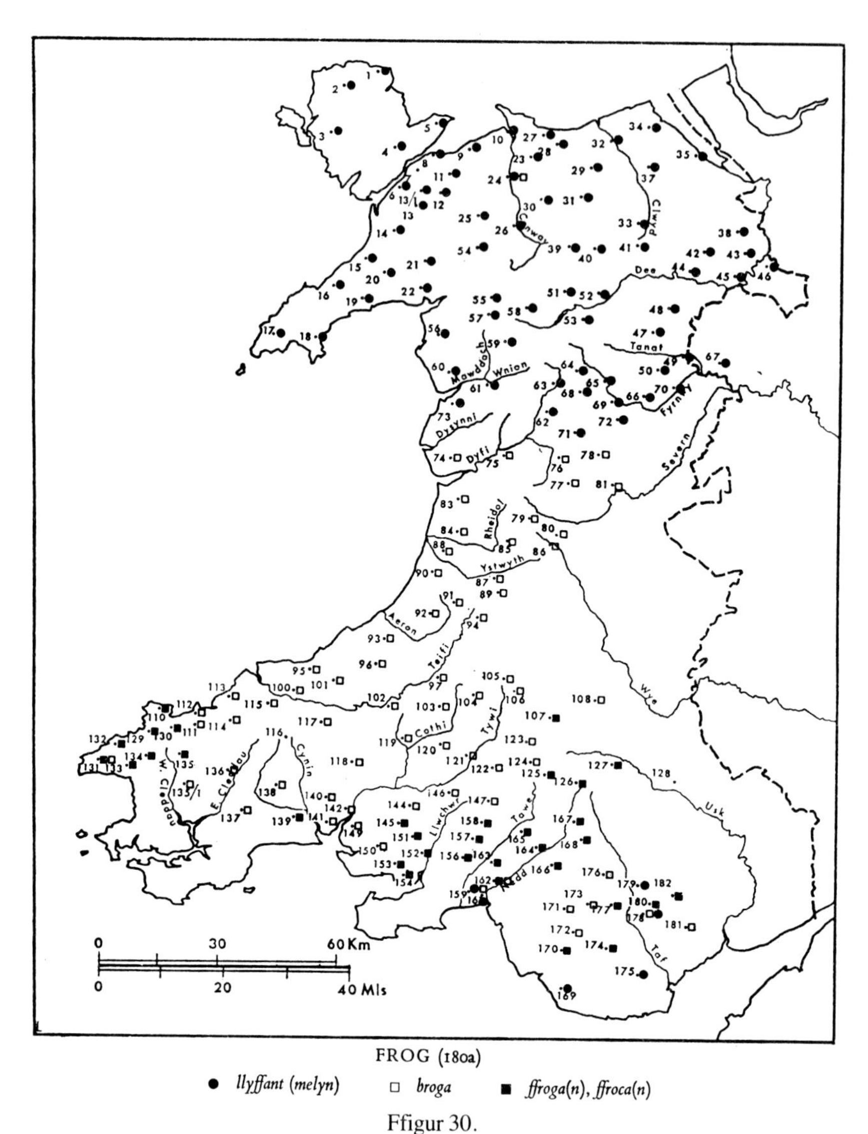

Ffigur 30.
Dyma rai o'r ffurfiau yr oedd gan John Rhŷs ddiddordeb ynddynt (gw. t.89) ac y mae'r dosbarthiad a nodir ar y map yn adlewyrchu rhai o'r prif is-ranbarthau tafodieithol a nodwyd yn ffigurau 24 a 25.

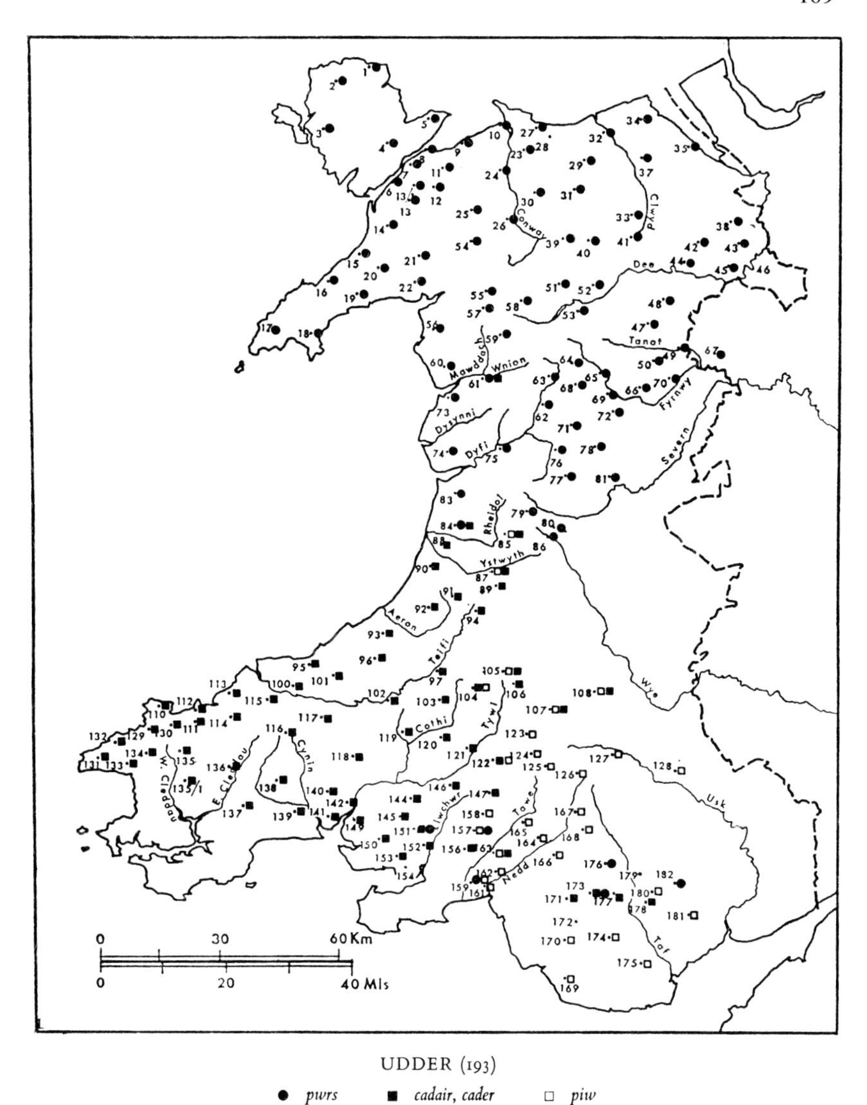

Ffigur 31.
Awgryma'r map fod *piw* a *cader* yn ffurfiau cyfystyr h.y. yn dynodi'r rhan honno o gorff y fuwch y tynnir llaeth ohoni. Ond nid cyfystyr mo *piw* a *cader* o anghenraid yn Nyffryn Llwchwr, er enghraifft.[46]

Seiliwyd yr astudiaeth ar yr amrywiadau [ɪŋ] [ɪn] a darganfod cydberthynas rhwng yr amrywiadau ieithyddol a nifer o nodweddion eraill megis:

rhyw — yn gyffredinol defnyddiai bechgyn ffurfiau [ɪn] yn amlach na merched;

personoliaeth — er enghraifft defnyddiai bechgyn 'da' ffurfiau [ɪn] yn llai aml na bechgyn 'cyffredin';

safle gymdeithasol economaidd — defnyddid ffurfiau [ɪn] yn amlach gan blant o deuluoedd a oedd yn isel ar y raddfa gymdeithasol;

ffurfioldeb — y defnydd o ffurfiau [ɪn] yn cynyddu dan amodau llai ffurfiol.

Pwysigrwydd astudiaeth Fischer oedd iddo ddangos bod yr amrywio ieithyddol y dewisodd ei astudio yn cael ei reoli gan ffactorau cymdeithasegol; dylai disgrifiad o iaith neu o dafodiaith, felly, geisio rhoi cyfrif am y gydberthynas rhwng amrywio ieithyddol a nodweddion cymdeithasegol.

Ddwy flynedd cyn cyhoeddi ffrwyth ymchwil Fischer yr oedd y cymdeithasegydd Glenna Ruth Pickford wedi beirniadu'n llym fethodoleg y tafodieithegwyr mewn erthygl a gyhoeddwyd dan y teitl 'American Linguistic Geography: A Sociological Apprisal'. Sylfaen y feirniadaeth oedd bod tafodieithegwyr wedi anwybyddu i raddau helaeth ddulliau a oedd yn hynod berthnasol iddynt, dulliau a ddatblygwyd gan gymdeithasegwyr, wrth gynllunio arolwg ieithyddol.

Amheuai Pickford a oedd y wybodaeth a gynhwysid yn yr astudiaethau tafodieithol yn hollol ddibynadwy, hynny yw, amheuai a oedd ffrwyth yr ymchwil yn rhoi darlun cynrychioliadol a diduedd o arferion llafar y gymuned dan sylw. Cyn y gall y canlyniadau fod yn gynrychioliadol rhaid i'r sampl o'r boblogaeth a astudir gynnwys yr un canran ym mhob un o'r gwahanol gategorïau a neilltuir ar gyfer yr astudiaeth ag sydd yn bresennol yn y gymuned gyfan. Er enghraifft, os bwriedir astudio cymuned Gymraeg ei hiaith sydd yn cynnwys 300 o ferched a 225 o wŷr, byddai sampl yn cynnwys 30 merch a 23 dyn yn gynrychioliadol o safbwynt rhyw (ond nid o safbwynt oed, statws cymdeithasol, cefndir addysgol etc. o anghenraid); byddai sampl yn cynnwys 40 merch a 13 gŵr yn gogwyddo o blaid merched ac o ganlyniad yn sampl anghytbwys.

Gan ei bod yn anymarferol astudio nodweddion llafar pob aelod o'r gymuned, rhaid bodloni ar astudio cyfran neu sampl o'r gymuned yn unig. Crybwyllwn ddau brif ddull o samplo — samplo yn ôl barn yr ymchwilydd (*judgement sample*) yn ôl y dull hwn dewisir y siaradwyr gan yr ymchwilydd a'u rhannu i gategorïau a bennwyd ymlaen llaw. Yr ail ddull yw hapddewis (*random sample*) sydd yn sicrhau bod gan bob aelod o'r gymuned gyfle i gael ei ddewis. Rhennir y gymuned yn nifer o garfanau sydd yn berthnasol i bwnc yr ymchwil a hapddewis cyfran o bob carfan. Os am sampl gwir gynrychioliadol argymhellir rhyw ddull ar hapddewis.

Yr oedd a wnelo ail feirniadaeth Pickford â methodoleg yr ymchwil, llunio'r holiadur, cynnal cyfweliad etc. Dyma feysydd yr oedd gan gymdeithasegwyr brofiad helaeth ohonynt ond ychydig, hyd yn ddiweddar, yr ymelwodd astudiaethau tafodieithol ar y profiad hwn. Beirniadu astudiaethau tafodieithol yn yr America a wnaeth Pickford yn benodol, ond y mae'r sylwadau yn berthnasol yn ogystal i'r astudiaethau Ewropeaidd a grybwyllwyd yn y bennod hon.

Nid dweud yr ydys o gwbl bod astudiaethau nad ydynt yn dilyn gogwydd gymdeithasegol yn ddiwerth neu'n anghywir, ond yn hytrach nodi bod gorwelion eraill, llwybr a chyfle pellach yn ymagor ar gyfer astudiaethau tafodieithol. Yn hytrach na bod yn atodiad ymylol mewn astudiaeth ieithyddol–ddaearyddol, prifiodd astudio'r gydberthynas rhwng amrywio ieithyddol a nodweddion cymdeithasegol yn astudiaeth o'r iawn ryw, astudiaeth yn hawlio llwyfan iddi hi ei hun.

Hyd yma ychydig a gyhoeddwyd ar y Gymraeg o safbwynt ieithyddol–gymdeithasegol ond craffodd Robert Owen Jones ar rai amrywiadau ffonolegol a morffoffonolegol o safbwynt felly yn ei astudiaeth 'Cydberthynas Amrywiadau Iaith a Nodweddion Cymdeithasol yn y Gaiman Chubut — Sylwadau Rhagarweiniol'.[47]

Yn sgîl y feirniadaeth a ddeilliodd o du'r cymdeithasegwyr y trodd rhai tafodieithegwyr at astudio tafodieithoedd cymdeithasol a dinesig. Yn wahanol i'r rhelyw o dafodieithegwyr nid anwybyddwyd y canolfannau trefol gan dafodieithegwyr y Gymraeg; un rheswm dros hyn oedd mai yno yr oedd y Gymraeg yn encilio gyflymaf, ac yr oedd cofnodi rhai o nodweddion ei thafodieithoedd yn fater o frys. Ymylol yw'r sylw a rydd y monograffau a gynhyrchwyd hyd yn hyn i nodweddion ieithyddol–gymdeithasegol.

Dylanwadwyd yn drwm ar faes astudio cydberthynas nodweddion ieithyddol a nodweddion cymdeithasegol gan William Labov, Peter Trudgill a Lesley Milroy. Yn ei astudiaeth o Martha's Vineyard (1961) — ynys ar arfordir New England — ac Efrog Newydd (1966) y mae Labov yn astudio cyfeiriad newid ieithyddol; hynny yw, y mae'n canolbwyntio ei sylw ar fan cyfarfod dau echelin Ferdinand de Saussure. Ei brif ddiddordeb yw astudio newid ieithyddol yn y gymuned, archwilio'i batrwm cymdeithasol a nodi pa grwpiau cymdeithasol sydd yn bennaf gyfrifol am gyflwyno a lledu newid ieithyddol. Er enghraifft, yn yr astudiaeth ar Martha's Vineyard hoeliodd Labov ei sylw ar amrywiadau'r deuseiniaid, megis amrywio [əu] ac [au] mewn ffurfiau megis *house, mouse, loud*. Cynaniad [əu] oedd yn nodweddiadol o'r ynys, ac isel oedd y statws cymdeithasol a oedd yn gysylltiedig ag ef, o'i gymharu â'r [au] a ddefnyddid ar y tir mawr ac a gynrychiolai statws cymdeithasol uwch. Cynaniad [au] oedd y diweddaraf ar yr ynys o safbwynt hanesyddol. Darganfu Labov mai pobl ieuanc a oedd yn awyddus i'w huniaethu eu hunain â'r ynys a'i gwerthoedd traddodiadol, pobl a wrthodai werthoedd y tir mawr a'r ymwelwyr cyfoethog hynny a ddoi dros fisoedd yr haf a bygwth yr hen ffordd draddodiadol o fyw, oedd prif ddefnyddwyr y ffurfiau yn [əu].

Dangosodd yr astudiaeth hon nad hen bobl yn unig o anghenraid sydd yn defnyddio ffurfiau ceidwadol, ac nad ydyw nodweddion ceidwadol o anghenraid yn diflannu dan bwysau'r ffurfiau safonol. Dangosodd ymhellach mai eglurhad annigonol fyddai tynnu isoglos ar fap er mwyn gwahanu'r ynys oddi wrth y tir mawr. Darlunnir yn hytrach siaradwyr yn defnyddio adnoddau'r dafodiaith er mwyn eu huniaethu eu hunain â gwerthoedd diwylliannol a chymdeithasol yr ynys, a hynny er gwaethaf y gyfundrefn addysgol oherwydd yr oedd rhai a freintiwyd ag addysg golegol ymhlith prif ddefnyddwyr ffurfiau ceidwadol Martha's Vineyard.

Nid trwy gyfrwng holiadur ffurfiol y casglodd Labov ei ddeunydd ond yn hytrach trwy ddadansoddi sgwrs ynghyd ag enghreifftiau o ddarllen darnau o ryddiaith a rhestri o eiriau. Petai wedi defnyddio holiadur ffurfiol y mae'n ddigon posibl y byddai wedi cael canlyniadau gwahanol. Yn sicr, heb astudio arferion llafar nifer helaeth o siaradwyr, ni fuasai wedi llwyddo i nodi cysondeb na chyfeiriad y newid ieithyddol; ni fuasai ychwaith wedi gallu dadansoddi'r cymhelliad cymdeithasol y tu ôl i'r newid. Hanfodol ar gyfer gwerthfawrogi trafodaeth Labov yw'r ymdriniaeth a geir ganddo o'r newid a fu yn economi'r ynys, y newid o fod yn ddibynnol ar bysgota i fod yn ddibynnol ar dwristiaeth; ei ymdriniaeth â chefndir ethnig y teuluoedd brodorol; yr amrywiaeth yn statws y gwahanol garfanau yn y gymdeithas; ymagweddu'r trigolion at eu cymdeithas eu hunain ac at ymwelwyr haf.

Mewn astudiaethau diweddarach datblygodd Labov ei fethodoleg a gallodd ddatgelu ffeithiau ynglŷn â chyfluniad ieithyddol–gymdeithasegol dinasoedd, ffeithiau a gadarnhawyd gan astudiaethau eraill. Yn ei gyfrol *Sociolinguistic Patterns* (1972b) noda Labov pa ganlyniadau a ddaeth i glawr a chynnig ganllawiau ar gyfer gweithredu.

Ar gyfer yr astudiaeth ym Martha's Vineyard dewiswyd y siaradwyr gan yr ymchwilydd, ond ar gyfer ei astudiaeth *The Social Stratification of English in New York City* (1964) astudiaeth o batrymu ieithyddol y Lower East Side yn Efrog Newydd, dewiswyd 340 o siaradwyr trwy hapddewis a chael o ganlyniad sampl cynrychioliadol o'r maes dan sylw. Casglwyd, yn ogystal, enghreifftiau o wahanol arddulliau llafar, er enghraifft llafar gofalus, llafar cyffredin, arddull ddarllen etc.

Y newidyn ieithyddol–gymdeithasegol (*sociolinguistic variable* chwedl Labov) yw'r hyn y dylid craffu arno wrth ddadansoddi corff o ddeunydd fel hyn. Elfen ieithyddol, elfen ffonolegol fel rheol, yw'r newidyn ieithyddol–gymdeithasegol sydd yn cyd-amrywio ag elfennau ieithyddol eraill, yn ogystal â nifer o newidynnau annibynnol megis dosbarth cymdeithasol, oed, rhyw, grŵp ethnig neu gyd-destun, Er enghraifft gwyddys bod /r/ yn newidyn pwysig yn Efrog Newydd mewn ffurfiau megis *car* a *cah*. Ni allai'r ymchwilydd fyth ragdybio pa ffurf a ddewisid gan siaradwr unigol, ond gallai ddangos y byddai'r siaradwr hwnnw yn debycach ar gyfartaledd o ddefnyddio'r naill newidyn yn hytrach na'r llall mewn sefyllfa arbennig pe bai o oed arbennig, yn perthyn i ddosbarth cymdeithasol arbennig, o ryw arbennig. Y mae methodoleg Labov, felly, yn cynnig dull o astudio cydberthynas nodweddion ieithyddol a nodweddion cymdeithasegol.

Yn 1974 cyhoeddwyd astudiaeth wedi'i seilio ar y fframwaith a ddatblygwyd gan Labov sef *The Social Differentiation of English in Norwich* gan Peter Trudgill; fe'i dilynwyd yn 1976 gan astudiaeth Stanley Ellis, 'Regional, Social and Economic influences on speech: Leeds University Studies', a *Sociolinguistic Patterns in British English* (1978), cyfres o bapurau o olygwyd gan Peter Trudgill.

Dibynna dulliau megis y rheini a weithredwyd gan Labov yn Efrog Newydd ar allu'r ymchwilydd i adnabod yr hyn sydd, ym marn y siaradwyr, yn safonol. Y mae dull o ddadansoddi sy'n cysylltu amrywio ieithyddol â safle mewn cymdeithas yn rhagdybio, yn ogystal, bod y gymdeithas yn ymwybodol o ffurfiau safonol sy'n sylfaen ar gyfer cyfundrefnu ieithyddol-gymdeithasegol.

Dangosodd astudiaethau diweddar o lafar pobl dduon ac o lafar dinesig fod ffurfiau ansafonol yn cael eu defnyddio gan siaradwyr i gryfhau eu hymdeimlad o berthyn i gymuned neu i gymdeithas arbennig, yn hytrach nag er mwyn dynodi statws. Er bod hyn yn egluro pam y mae ffurfiau ansafonol yn dal eu tir, nid yw'n cynnig ateb i'r cwestiwn sut y mae ffurfiau ansafonol yn eu cynnal eu hunain dros gyfnod hir. Nid yw'r peirianwaith sy'n cynnal ffurfiau ansafonol yn amlwg.

Ystyriwyd y cwestiwn hwn gan Lesley Milroy yn ei hastudiaeth o lafar ansafonol dinesig Belfast. Nod yr ymchwil oedd disgrifio patrymu ieithyddol o fewn un dosbarth cymdeithasol yng nghanol Belfast. Seiliwyd yr astudiaeth ar lafar 46 o unigolion, gwryw a benyw o'r oed 18–25, 40–55.

Dibynnai un o'r prif ddulliau dadansoddi ar gysyniad rhwydwaith gymdeithasol yr unigolyn, h.y. natur ei gysylltiadau cymdeithasol anffurfiol â'r rheini o'i amgylch. Casglwyd y deunydd ar gyfer y gwaith trwy ddewis siaradwyr, nid ar hapddewis ond yn hytrach trwy gysylltiad anffurfiol — yr oedd yr ymchwilydd bob amser yn ffrind i ffrind ac felly yn rhan o'r rhwydwaith gymdeithasol yr oedd hi am ei hastudio. Y mae canlyniadau Milroy yn awgrymu bod y rhwydwaith gymdeithasol yn ffactor o bwys wrth ddisgrifio arferion ieithyddol y gymuned a bod gan y rhwydwaith y gallu i gynnal a chadw newidynnau ieithyddol.

Yn ôl y cysyniad a ddatblygwyd gan Milroy gellir synio am bob person fel seren a'i phigau yn cyffwrdd â phobl eraill y mae mewn cysylltiad â hwynt (gw. Ffigur 32). Ffurfia'r bobl yma gylch cynradd y rhwydwaith. Er bod cylch trydyddol etc. yn bosibl fe ymddengys mai'r cylch cynradd a'r ail gylch sydd bwysicaf.

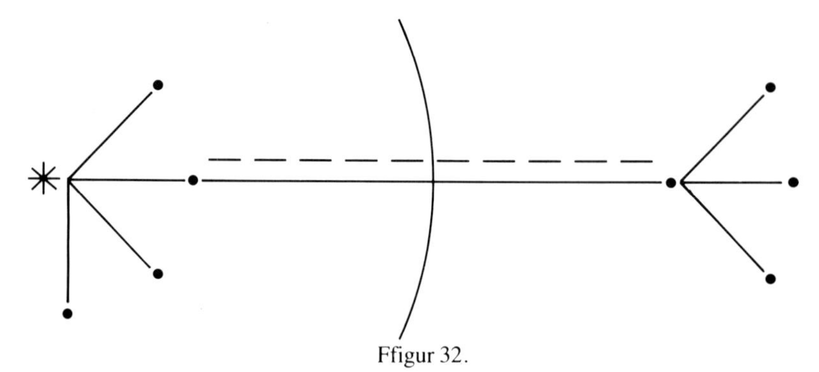

Ffigur 32.

Y mae amcan sylfaenol Milroy yn wahanol i eiddo Labov: y mae pwyslais Labov ar *newid* ac *amrywio* ffurfiau ieithyddol; y mae pwyslais Milroy ar *sefydlogrwydd* a *datblygiad* ffurfiau ieithyddol, ymddiddora yn y modd y mae ffurf yn datblygu ac yn sefydlogi.

NODIADAU

1. Ceir cyfieithiad Saesneg o ragair y gyfrol hon yn Lehmann, W. P. (1967), tt. 198–209.
2. Gw. Sebeok, T. A. (1976), Vol. II, 454–58.
3. Gw. Thorne, D. A. (1975) a Thorne (1977) am ddisgrifiad o nodwedd debyg mewn ardaloedd eraill.
4. Gw. Pederson, L. A. (1971); Pedersen, L. A. and McDavid, R. I. (1972).
5. Gw. Kurath, H. (1972), t. 90.
6. Ibid., tt. 65–74.
7. Gw. Morgan (1975).
8. Gw. Green, E. and Green, R. (1971).
9. Gw. Sebeok, T. A. (1976), Vol. I. 102–20.
10. Ibid., Vol. II, 333–42.
11. 'Report of the Dialect Section of the Guild of Graduates' (1901), *Transactions of the Guild of Graduates,* 33–4.
12. Gw. Anwyl, E. (dim dyddiad).
13. Gw. Rhŷs, J. (1897).
14. Gw. Anwyl, E. (dim dyddiad).
15. 'Report of the Dialect Section of the Guild of Graduates' (1901), *Transactions of the Guild of Graduates,* 33.
16. Rhŷs, J. (1897).
17. Wade-Evans, A. W. (1905).
18. Rhŷs, J. (1903).
19. Anwyl, E. (dim dyddiad).
20. Llawysgrif Llyfrgell Genedlaethol Cymru, 2475A.
21. Fynes-Clinton, O. H. (1910).
22. Anwyl, E. (dim dyddiad).
23. Jones, T. G. (1934).

24. Rhŷs, J. (1897).
25. Sweet, H. (1882–4).
26. Gw. Sebeok, T. A. (1976), Vol. I, 512–32.
27. 'This system which I call Romic (because based on the original Roman values of the letters)', Sweet, H. (1877), t. 102.
28. Gwyddor ar gyfer adysgrifo llafar a ddyfeisiwyd gan A. Melville Bell. Cais yr wyddor roi cyfrif am bob symudiad a wna'r organau llafar wrth gynanu sain arbennig.
29. Gw. Sebeok, T. A. (1976), Vol. II, 1–52.
30. Gw. Wade-Evans, A. W. (1905).
31. Darlington, T. (1900–1).
32. Gw. Davies, A. E. (1973), (1975–80).
33. Gan Mr R. O. Jones o Adran y Gymraeg, Coleg y Brifysgol, Abertawe, a gw. Thomas, C. H. (1975/6), t. 347.
34. Thomas, C. H. (1975/76).
35. Morris, R. H. (1911), t. xii.
36. Griffith, J. (1902).
37. Wade-Evans, A. W. (1903).
38. Thorne, D. A. (1976).
39. Thomas, B. (1981).
40. Thomas, A. R. (1980 a).
41. Scheuermeier, P. (1943), (1956).
42. Richards, M. (1960).
43. Bowen, E. G. (1950–1); Thorne, D. A. (1976), tt. 21–3.
44. Thomas, A. R. (1973).
45. Anwyl, E. (dim dyddiad).
46. Thorne, D. A. (1974).
47. Jones, R. O. (1976).

5
FFRAMWAITH AR GYFER DISGRIFIO'R IAITH GYMRAEG

Syniadaeth Ferdinand de Saussure a osododd y sylfeini ar gyfer astudiaethau ieithyddol yn yr ugeinfed ganrif. Ei gyfraniad mawr oedd pwysleisio mai uned sy'n meddu ar gyfluniad yw iaith. O'i flaen ef nid oedd neb wedi archwilio o ddifri y berthynas rhwng gwahanol elfennau iaith a'i gilydd. Er cyfnod de Saussure archwilio cyfluniad fu prif nod astudiaethau ieithyddol, hynny yw, daethpwyd i gydnabod mai gweithgarwch patrymog â'r naill elfen yn dibynnu ar y llall yw iaith, yn hytrach na chasgliad o elfennau hollol annibynnol ar ei gilydd.

Ni fwriedir, yma, fanylu ar ledaeniad syniadaeth de Saussure nac ar ddatblygiad y gwahanol ysgolion ieithyddol a dyfodd yn uniongyrchol ac yn anuniongyrchol yng Ngenefa, Copenhagen, Praha a Phrydain, yn sgîl cyhoeddi'r *Cours de linguistique générale.* Amcan yr adran, yn hytrach, yw cyflwyno fframwaith gyffredinol a fydd yn nodi y math o wybodaeth y dylid ei gynnwys mewn astudiaeth o iaith naturiol megis y Gymraeg, ac egluro'r berthynas rhwng gwahanol adrannau'r astudiaeth a'i gilydd. Sut bynnag, wedi sôn am hanes astudiaethau ieithyddol yn Ewrob rhaid craffu'n gyflym ar ddatblygiad y pwnc yn yr Amerig rhwng 1930 a 1960 am fod ieithyddiaeth wedi datblygu yn gyflymach yno nag yn yr un man arall.

Er i sylfaenwyr astudiaethau ieithyddol yn yr Unol Daleithiau gael eu hyfforddi yn nulliau'r *Junggrammatiker* ni bu yn y wlad honno fawr ddiddordeb na brwdfrydedd ynglŷn â'r astudiaethau Indo-Ewropeaidd a gipiodd fryd ysgolheigion ieithyddol Ewrob, a throes ymchwil ieithyddol i gyfeiriad cwbl wahanol. Wrth law yno yr oedd ieithoedd Indiaid America, ieithoedd a fodolai mewn gwedd lafar yn unig ac nad oedd modd, felly, graffu ar ddogfennau ysgrifenedig ynddynt er mwyn astudio'u hanes. Yn America daethpwyd i ystyried mai priod waith yr ieithydd oedd disgrifio holl ffurfiau iaith a'i chyfluniad arbennig, drwy astudio gweithgarwch llafar cyfoes defnyddwyr yr iaith honno. Yr anthropolegwyr a roes y cyfeiriad hwn i astudiaethau ieithyddol — yn arbennig Franz Boas a bwysleisiai'r angen i weithio yn y maes ymhlith y siaradwyr, er mwyn sicrhau disgrifiad manwl gywir o'u gweithgarwch ieithyddol. Yn 1911 cyhoeddwyd cyfrol gyntaf ei lyfr *Handbook of American Indian Languages* a deng mlynedd yn ddiweddarach cyhoeddwyd *Language* gan Edward Sapir, cyfrol arall ac iddi ogwydd anthropolegol. Er bod gwaith yr arloeswyr hyn yn hynod o ddiddorol, yr oedd, at ei gilydd, braidd yn ddigynllun ac anhrefnus. Nid oedd, hyd yma, ganllawiau ar gyfer astudio ieithoedd dieithr a phellennig megis ieithoedd yr Indiaid. Yn 1933 ceisiodd Leonard Bloomfield yn ei gyfrol *Language* osod canllawiau pendant ar gyfer astudio pob iaith. Dylai'r ieithydd, maentumiai Bloomfield, astudio deunydd canfyddadwy a hynny mewn dull gwrthrychol a threfnus. Yn wahanol i de Saussure, felly, ni roddai Bloomfield bwyslais ar *la langue,* sef yr iaith fel y mae'n bod yng nghof y rheini sy'n ei defnyddio. Prif ddiddordeb Bloomfield oedd trefn unedau ieithyddol; anwybyddai ystyr gan nad oedd, meddai, gyfluniad i ystyr.

Mawr fu dylanwad Bloomfield ac esgorodd ei weithgarwch a'i frwdfrydedd ar ddisgrifiadau lu o ieithoedd a oedd yn bod mewn gwedd lafar yn unig. Y cam cyntaf wrth gofnodi gweithgarwch ieithyddol oedd dod o hyd i siaradwyr brodorol a chasglu defnyddiau llafar oddi wrthynt. Yr ail gam oedd dadansoddi'r corpws a gasglwyd, drwy astudio cyfluniad ffonolegol a chystrawennol yr iaith, gan ddiffinio a disgrifio unedau yn ôl y swyddogaeth a amlygid ar eu cyfer yn y corpws. Cododd llu o broblemau wrth ysgrifennu'r gramadegau hyn na allwyd mo'u datrys drwy gymhwyso'r technegau dadansoddi a ddatblygwyd gan Bloomfield. Aethpwyd ati felly i geisio perffeithio'r fethodoleg, a daeth llawer o ieithyddion yn y cyfnod hwn i gredu mai nod astudiaethau ieithyddol oedd perffeithio dulliau darganfod — y canllawiau hynny a alluogai'r ieithydd i 'ddarganfod' unedau gweithredol iaith a oedd yn bod mewn gwedd lafar yn unig. Er i waith gwerthfawr gael ei gyflawni o safbwynt methodoleg ieithyddol, yr oedd astudiaethau ieithyddol fel pwnc mewn perygl o raddol fygu mewn cwter gwsg o gecraeth ynglŷn â manion dadansoddi ieithyddol nad oedd o ddiddordeb, nac ychwaith yn ystyrlon, ond i ychydig.

Chwythwyd anadl einioes i'r pwnc yn 1957 pan ymddangosodd *Syntactic Structures* gan Noam Chomsky o Athrofa Dechnoleg Massachusetts. Awgrymodd Chomsky fod dull Bloomfield yn llawer rhy uchelgeisiol ar y naill law ond yn llawer rhy gyfyng ar y llall. Yr oedd yn rhy uchelgeisiol am ei fod yn honni y gellid llunio canllawiau a fai'n addas i lunio disgrifiad ieithyddol perffaith drwy sylwi ar gorpws o ddeunydd. Yr oedd yn rhy gyfyng am ei fod yn rhoi'r pwyslais ar ddisgrifio olyniadau a oedd eisoes wedi eu llefaru.

Dylai gramadeg, medd Chomsky, gynnwys mwy na chatalog o olyniadau sydd eisoes wedi eu llefaru. Rhaid iddo, yn ogystal, roi cyfrif am yr olyniadau hynny y gellid eu llefaru yn y dyfodol. Medd pawb sy'n gwybod iaith ar 'ramadeg' o'r iaith honno fel rhan gynhenid o'i gyfansoddiad — ystôr o wybodaeth sy'n ei alluogi i gynhyrchu a deall nifer annherfynol o olyniadau newydd yn yr iaith honno. Dylai gramadeg anelu at ddisgrifio'r system fewnol, oblygedig hon. Y mae a wnelo gramadeg yn bennaf, nid â'r sylwedd a gynhyrchir gan y siaradwr (*performance* chwedl Chomsky), ond yn hytrach â gwybodaeth (*competence*) y siaradwr o'r iaith, yr egwyddorion goblygedig sy'n galluogi person sy'n gwybod iaith i adnabod a chynhyrchu olyniadau derbyniol neu ramadegol a gwrthod olyniadau annerbyniol neu anramadegol. Dyma ddychwelyd o ran syniadaeth sylfaenol at *la langue* Ferdinand de Saussure.

Gramadeg disgrifiadol yw gramadeg sy'n disgrifio olyniadau sydd wedi eu cynhyrchu eisoes. Gramadeg cenhedlol yw gramadeg sy'n cynnwys cyfres o ddatganiadau neu reolau yn cofnodi pa olyniadau sy'n bosibl mewn iaith a pha olyniadau sy'n amhosibl. Synia Chomsky am ramadeg fel peiriant nithio sy'n abl i genhedlu holl olyniadau gramadegol iaith arbennig a hepgor yr olyniadau anramadegol. Rhaid i ramadeg o'r fath fod yn fanwl, rhaid i'r rheolau gael eu llunio'n ofalus ac yn y fath fodd ag a alluogai berson nad yw'n deall yr iaith i ddidoli'r brawddegau cywir eu ffurfiant oddi wrth frawddegau anghywir eu ffurfiant.

Yn sgîl damcaniaethu Chomsky datblygwyd gwahanol fathau o ramadegau cenhedlol ond gelwir y math arbennig o ramadeg a ddatblygwyd ac a argymhellir gan Chomsky ei hun yn ramadeg trawsffurfiol. Gweithiau wedi eu seilio ar egwyddorion trawsffurfiol Chomsky ond wedi eu cymhwyso ar gyfer y Gymraeg yw *The Welsh Language: Studies in its Syntax and Semantics* gan Morris Jones ac Alan R. Thomas, a *The Syntax of Welsh* gan y Dr Gwen Awbrey. Ceir gan Alan Thomas, yn ogystal, arolwg gyffredinol sydd yn cynnwys enghreifftiau o'r Gymraeg o arwyddocâd damcaniaethau Chomsky i astudiaethau tafodieithol yn ei bapur 'Generative Phonology in Dialectology'.

Yn ein trafodaeth mewn adrannau blaenorol yr ydys wedi crybwyll astudiaethau sy'n ymwneud â seineg iaith ac â'i ffonoleg, ei morffoleg a'i chystrawen. Gweddau gwahanol, ond gweddau perthynol, serch hynny, ar astudio iaith a gynrychiolir gan y termau hyn. I'w alluogi i wneud datganiadau grymus-wyddonol ynglŷn â'r iaith, neu ynglŷn â rhyw amrywiad arni, y mae'n ei hastudio, rhaid i'r ieithydd ganolbwyntio ar wahanol nodweddion yn eu tro. Gelwir y dadansoddi rhannol yma ar iaith yn lefelau dadansoddi, ac y mae seineg a gramadeg yn wahanol lefelau dadansoddi. Y mae pob un lefel mewn cyfluniad ieithyddol yn cyfrannu tuag at wneud datganiad yn ystyrlon. Yr Athro J. R. Firth (1890–1960)[1] a ddatblygodd y ddamcaniaeth ynglŷn â chydberthynas lefelau dadansoddi, ac wrth gynnig fframwaith ar gyfer disgrifio iaith rhaid craffu, yn eu tro, ar y gwahanol lefelau hyn a neilltuir ar gyfer astudio iaith.

Nid yr iaith, wrth gwrs, sydd wedi ymrannu'n lefelau neu'n haenau gwahanol fel hyn. Nid yw person sy'n siarad iaith o anghenraid yn ymwybodol o'r rhaniadau o gwbl; yr ieithydd yn hytrach sy'n gwneud y rhaniadau er mwyn hwyluso ei waith dadansoddi a disgrifio.

Cynigir un rhaniad posibl ar y gwyddorau ieithyddol gan yr amlinell isod, a chynigir yma un fframwaith bosibl ar gyfer disgrifio iaith neu'n hytrach yr haenau hynny o iaith a hawlir yn faes gweithgarwch i'r ieithydd. Cais yw'r amlinell[2] i arddangos y berthynas rhwng y gwahanol lefelau dadansoddi a'i gilydd. Fe'i seiliwyd ar waith yr Athro M. A. K. Halliday sydd yntau'n ddyledus i syniadaeth J. R. Firth.

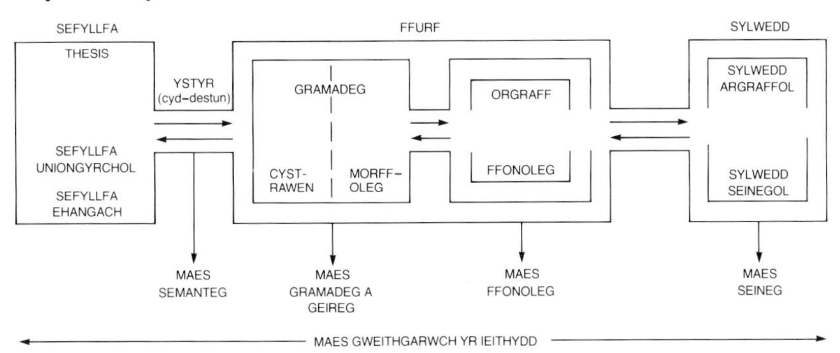

Ffigur 1

ASTUDIO SYLWEDD

Rhaid gwahaniaethu rhwng y cyfrwng llafar a'r cyfrwng ysgrifenedig, rhwng y sylwedd seinegol, sef y seiniau sy'n ddefnydd crai'r wedd lafar ar iaith a'r sylwedd argraffol, sef symbolau argraffol ysgrifenedig. Sylwedd yw'r defnydd crai sy'n bwnc astudio'r ieithydd.

ASTUDIO FFURF

Wrth astudio ffurf astudir y modd y cyfundrefnir y sylwedd i'w droi'n ddigwyddiadau ystyrlon. Er enghraifft y mae'r rhestr llythrennau *y, s, r, c,* yn cynnwys rhai o'r llythrennau a ddefnyddir ar gyfer ysgrifennu'r Gymraeg. Yn yr olyniad *crys* y mae'r llythrennau hyn wedi eu had-drefnu'n batrwm ystyrlon. Medd *y, s, r, c* ar sylwedd; medd *crys* ar sylwedd a ffurf. Y mae ffurf mewn iaith yn cynnwys nifer o astudiaethau, fel yr awgrymir gan Ffigur 1.

ASTUDIO SEINEG

Nid gwyddor newydd yw astudio seiniau iaith. Bu'r pwnc o ddiddordeb i'r Cymry o leiaf er pan ddechreuwyd ymhél â Cherdd Dafod, ond ddechrau'r bedwaredd ganrif ar bymtheg rhoddwyd hwb ymlaen i'r wyddor hon pan ddaeth gwaith yr hen ysgol Indiaidd o ieithyddion yn hysbys i ysgolheigion iaith yn Ewrob. Ddiwedd y bedwaredd ganrif ar bymtheg cafodd astudiaethau seinegol hwb pellach yn sgîl astudiaethau ar ffisioleg a chlybodeg a pheirianyddiaeth seinegol — megis 'llafar gweledig' Alexander Melville Bell (1819–1905) a roddai werth gweladwy ar gyfer pob un cam wrth gynanu. Yn yr un cyfnod, yn ogystal, rhoddwyd cryn sylw i ddyfeisio dulliau a fai'n addas ar gyfer adysgrifio iaith, sef gwneud cofnod ysgrifenedig parhaol o weithredoedd llafar. Yr oedd yr wyddor gyffredin yn amlwg anaddas ar gyfer y gwaith a cheisiodd y seinegydd o Sais, Henry Sweet (1845–1912), ymhlith eraill, lunio gwyddor addas. Yn 1899 ymddangosodd yr Wyddor Seinegol Gydwladol lle y cynrychiolir un sain gan un arwydd neu symbol. Y mae'r wyddor hon yn dal i gael ei defnyddio gan dafodieithegwyr pan fyddant am adysgrifio llafar. Ar gyfer yr Wyddor Gydwladol benthyciwyd rhai arwyddion o'r Wyddor Rufeinig:

[b] fel yn *b*rawd
[d] fel yn *d*o
[t] fel yn *t*o.

(Rhoir arwyddion sy'n dynodi seiniau o fewn bachau petryal).

Ystumiwyd ychydig ar lythrennau'r wyddor ar gyfer cyfleu seiniau eraill:

ffurfiwyd [ɒ] fel yn p*o*t trwy droi ɑ wyneb i waered;
ffurfiwyd [ŋ] fel yn se*ng*i trwy gyplu *n* ag *g*.

Atgyfodwyd hen arwyddion yn perthyn i orgraff canrifoedd yn ôl ar gyfer cyfleu rhai seiniau:

[ʃ] fel yn *si*arad

Benthyciwyd rhai arwyddion o'r Wyddor Roegaidd:

[θ] fel yn ca*th*

Creadigaethau newydd yw arwyddion eraill:

[ɬ] fel yn *Ll*an*ll*wni.

Weithiau defnyddir nodau arbennig (a elwir yn nodau deiacritig) os am ychwanegu at fanylrwydd disgrifiad o sain arbennig. Er enghraifft, dynoda : fod y sain sy'n rhagflaenu yn hir,

[u:] fel yn gŵr.

Yn y nodiadau hyn defnyddir yr Wyddor Gydwladol pan fo hynny'n angenrheidiol ar gyfer eglurder.

Cynnwys yr Wyddor Gydwladol felly gyfres o arwyddion sy'n abl, hyd y gwyddys ar hyn o bryd, i ddynodi seiniau pob iaith. Os am ddisgrifiad manwl a diamwys o seiniau iaith rhaid wrth ddull cymwys o adysgrifio — yn enwedig os yw'r iaith dan sylw, fel mwyafrif ieithoedd y byd, yn bod mewn gwedd lafar yn unig.

Mantais arall sy'n deillio o'r Wyddor Gydwladol yw y gellir, o'i defnyddio, arddangos yn hawdd yr amrywiaeth a ddigwydd yng nghynaniad ffurfiau megis *Sul, mul, cul* yng Nghymru.

		Bilabial	Labiodental	Dental, Alveolar, or Post-alveolar	Retroflex	Palato-alveolar	Palatal	Velar	Uvular	Labial-Palatal	Labial-Velar	Pharyngeal	Glottal
CONSONANTS (pulmonic air-stream mechanism)	Nasal	m	ɱ	n	ɳ		ɲ	ŋ	ɴ				
	Plosive	p b		t d	ʈ ɖ		c ɟ	k g	q ɢ		k͡p g͡b		ʔ
	(Median) Fricative	ɸ β	f v	θ ð s z	ʂ ʐ	ʃ ʒ	ç ʝ	x ɣ	χ ʁ		ʍ	ħ ʕ	h ɦ
	(Median) Approximant		ʋ	ɹ	ɻ		j	ɰ		ɥ	w		
	Lateral Fricative			ɬ ɮ									
	Lateral (Approximant)			l	ɭ		ʎ						
	Trill			r					ʀ				
	Tap or Flap			ɾ	ɽ				ʀ				
(non-pulmonic air-stream)	Ejective	p'		t'				k'					
	Implosive	ɓ		ɗ				ɠ					
	(Median) Click	ʘ		ʇ ʗ									
	Lateral Click			ʖ									

DIACRITICS

- ̥ Voiceless n̥ d̥
- ̬ Voiced s̬ t̬
- ʰ Aspirated tʰ
- ̤ Breathy-voiced b̤ a̤
- ̪ Dental t̪
- ̫ Labialized t̫
- ʲ Palatalized tʲ
- ̴ Velarized or Pharyngealized ɫ, ł
- ̩ Syllabic n̩ l̩
- ͡ or ͜ Simultaneous s͡f (but see also under the heading Affricates)
- ˔ or ̝ Raised e˔, e̝, e̝ w̝
- ˕ or ̞ Lowered e˕, e̞, e̞ β̞
- ̟ Advanced u+, u̟
- - or ̠ Retracted i̠, i-, t̠
- ̈ Centralized ë
- ̃ Nasalized ã
- ˞, ˞, ʁ r-coloured a˞
- ː Long aː
- ˑ Half-long aˑ
- ̆ Non-syllabic ŭ
- ˒ More rounded ɔ˒
- ˓ Less rounded y˓

OTHER SYMBOLS

- ɕ, ʑ Alveolo-palatal fricatives
- ʆ, ʓ Palatalized ʃ, ʒ
- ɼ Alveolar fricative trill
- ɺ Alveolar lateral flap
- ɧ Simultaneous ʃ and x
- ʃˢ Variety of ʃ resembling s, etc.
- ɪ = ɩ
- ʊ = ɷ
- ɜ = Variety of ə
- ɚ = r-coloured ə

VOWELS

Unrounded (Front – Back):

- Close: i ɨ ɯ; ɩ
- Half-close: e ɘ ɤ
- Half-open: ɛ ʌ; æ ɐ
- Open: a ɑ

Rounded (Front – Back):

- Close: y ʉ u; ʏ ɷ
- Half-close: ø ɵ o
- Half-open: œ ɔ
- Open: ɶ ɒ

STRESS, TONE (PITCH)

ˈ stress, placed at beginning of stressed syllable: ˌ secondary stress: ¯ high level pitch, high tone: _ low level: ˊ high rising: ˏ low rising: ˋ high falling: ˎ low falling: ˆ rise-fall: ˇ fall-rise.

AFFRICATES can be written as digraphs, as ligatures, or with slur marks; thus ts, tʃ, dʒ: ʦ ʧ ʤ: t͡s t͡ʃ d͡ʒ. c, ɟ may occasionally be used for tʃ, dʒ.

Yr Wyddor Gydwladol (International Phonetic Alphabet)

Ond nid unig nod Seineg yw cynhyrchu cyfres o arwyddion addas ar gyfer adysgrifio llafar. Y prif amcan yn hytrach yw dadansoddi unedau sylfaenol llafar, y gellir wedyn eu disgrifio a'u hadysgrifio mewn dull hwylus. Gwyddor sy'n astudio holl nodweddion y seiniau y gall y llwybr llafar dynol eu cynhyrchu yw Seineg. Y mae'r ddisgyblaeth yn cwmpasu astudiaeth o'r organau llafar sef yr organau a ddefnyddir i gynhyrchu seiniau llafar (Seineg *gynanol* yw'r enw ar y wedd hon ar y pwnc), astudiaeth o'r seindonnau a gynhyrchir wrth drosglwyddo seiniau drwy'r awyr o'r naill berson i'r llall (Seineg *glybodig* yw'r enw ar y wedd hon ar y pwnc), astudiaeth o sut y mae person yn derbyn seiniau drwy'r glust (Seineg *glywadwy* y gelwir y wedd hon ar y pwnc). Hyfforddir y seinegydd i adnabod y seiniau gwahanol a ddigwydd yn *parole* ieithoedd ac i'w cynhyrchu. Rhaid iddo hyfforddi ei glust i nodi amrywiadau bychain yn ansawdd sain, a rhaid iddo anelu at reolaeth lwyr ar ei organau llafar fel y gall gynhyrchu'r amrywiol seiniau hyn. Er mwyn ennill y rheolaeth yma ar ei organau llafar y mae'n dysgu am gyfansoddiad y frest, y llwnc a'r pen. Er mwyn gwybod am nodweddion ffisegol sain ac i'w alluogi i ddehongli'r osgiladlun a'r seinlunydd rhaid i'r seinegydd wrth gefndir mewn ffiseg yn ogystal.

Er mwyn ei alluogi i ddisgrifio'n fanwl nodweddion cynanol ei ddeunydd crai, sef seiniau llafar, bydd y seinegydd yn craffu ar symudiadau'r organau llafar a ddefnyddir wrth gynanu'r seiniau hynny.

Y PEIRIANWAITH CYNANU

Ar gyfer llefaru bydd y bod dynol yn defnyddio rhai o organau'r corff i gynhyrchu seiniau. Gelwir yr organau hyn yn ORGANAU LLAFAR. Nid cynhyrchu llafarseiniau, sut bynnag, yw prif swyddogaeth yr organau llafar ond y mae dyn wedi dysgu eu defnyddio mewn swyddogaeth eilradd ar gyfer cynanu. Yr organau llafar yw yr Ysgyfaint, yr Afalfreuant, y Sefnig neu'r Llwnc, Ceudod y Geg, Ceudod y Trwyn, y Tafod, y Dannedd a'r Gwefusau (gw. Ffigur 2, Yr Organau Llafar). Swyddogaeth gynradd yr organau hyn oedd sugno, blasu, ffroenu, llyncu ac anadlu ond cam yn esblygiad dyn oedd iddo eu mabwysiadu ar gyfer cyfathrebu.

Prif ffynhonnell yr ynni a ddefnyddir wrth lefaru yw'r ysgyfaint, a'r Llwybr Llafar yw'r enw ar y rhan honno o'r corff sydd yn ymestyn o'r ysgyfaint hyd at y geg. Yn rhai o ieithoedd Affrica ceir seiniau a elwir yn gliciadau a gynenir heb gymorth anadl ysgyfeiniol. Yn y Gymraeg ceir dwy sain ymylol, sef dwy sain sydd heb fod yn rhan o system seinegol yr iaith, dwy sain glic, a arferir i dwt twtio anghymeradwyaeth ac i annog ceffyl neu werthfawrogi merch ddeniadol a gynenir heb gymorth yr ysgyfaint. Cynenir yr holl seiniau sy'n rhan o system seinegol y Gymraeg ar ddylif anadl ysgyfeiniol.

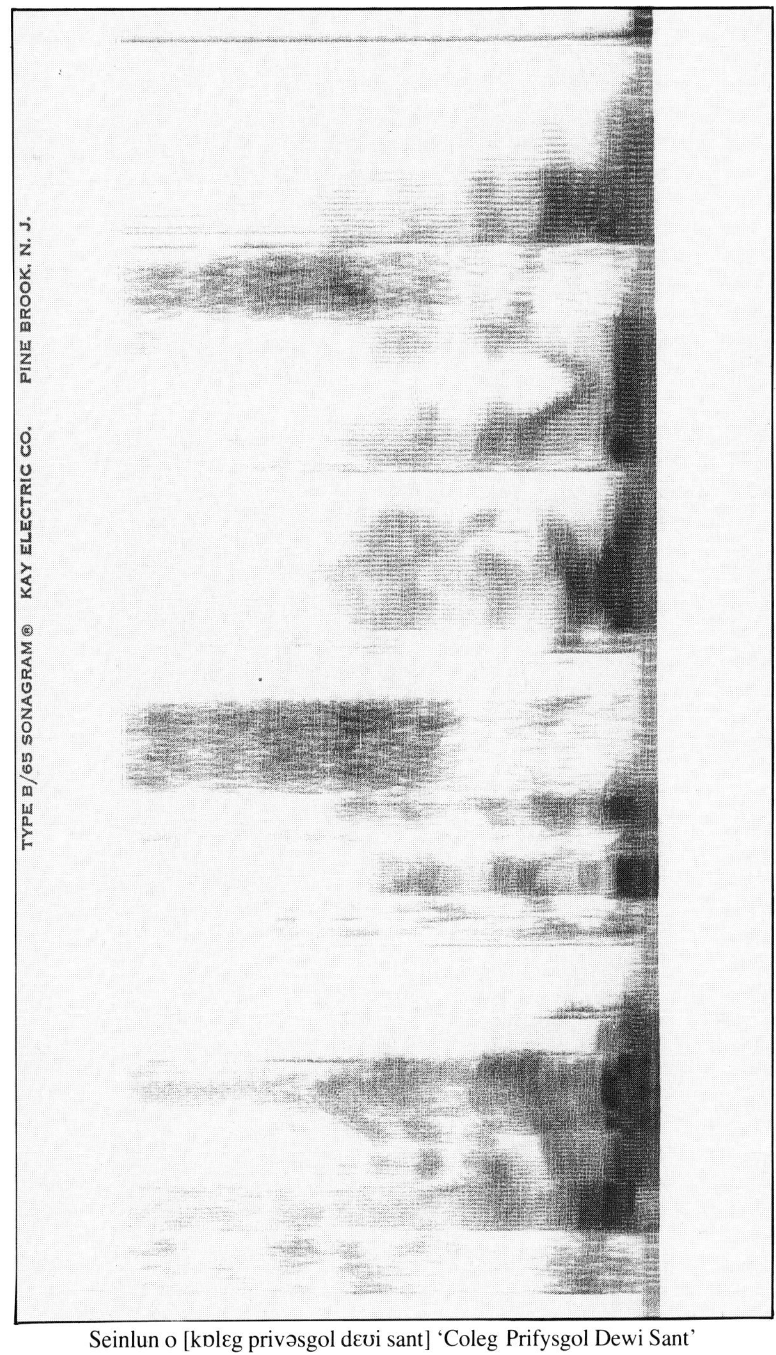

Seinlun o [kɒlɛg privəsgol dɛʊi sant] ‘Coleg Prifysgol Dewi Sant’

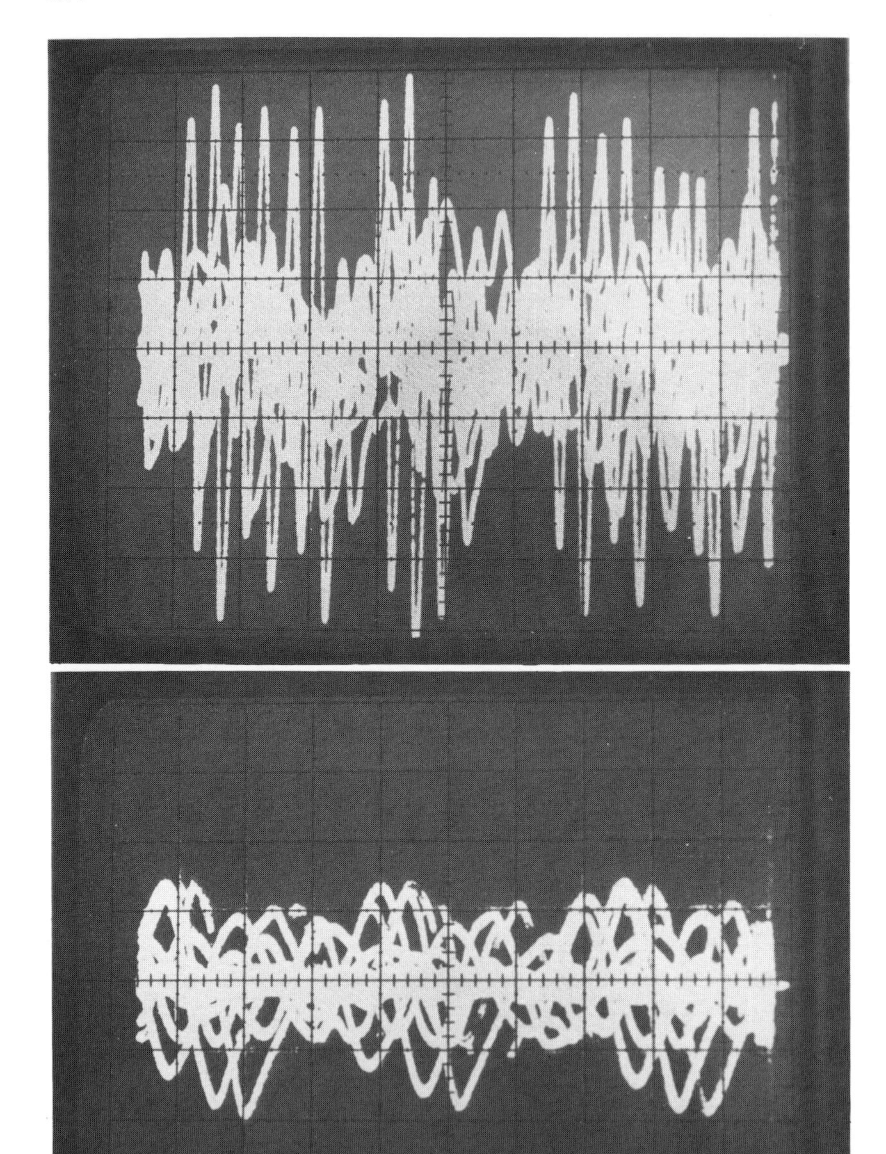

Patrymu'r llafariaid [e] ac [o] ar yr osgiladlun.
Y patrwm uchel cribog yw eiddo [e]
Y patrwm tonnog yw eiddo [o]

YR ORGANAU LLAFAR

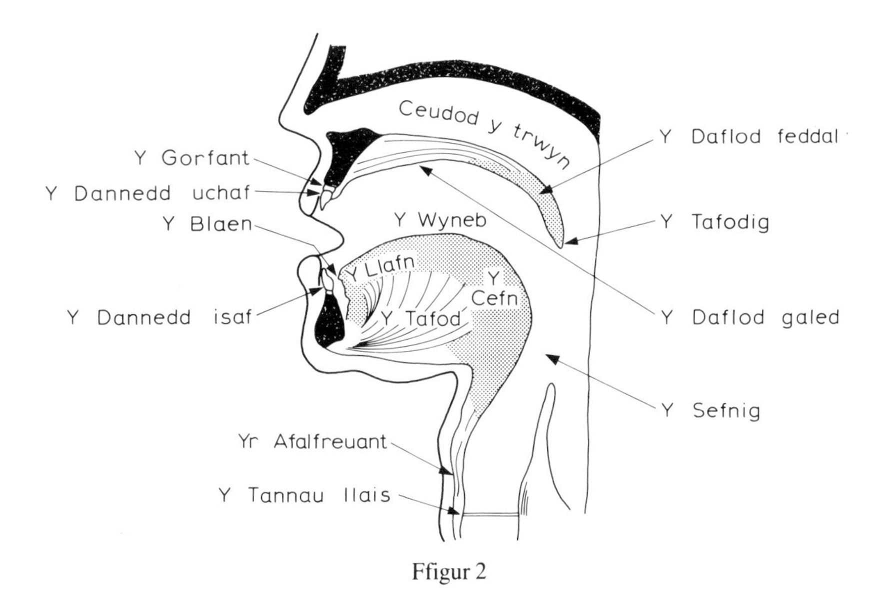

Ffigur 2

Wrth i'r dylif anadl ysgyfeiniol lifo ar hyd Llwybr yr Anadl, sef y rhan honno o'r corff dynol a ddefnyddir wrth anadlu, i'r breuant, llifa drwy'r afalfreuant sy'n cynnwys y tannau llais.

Y TANNAU LLAIS

Y mae'r Tannau Llais yn debyg i ddwy wefus yn ymestyn ar draws y breuant ac y maent yn dra phwysig wrth gynhyrchu sain. Y Glotis yw'r enw ar y gofod rhwng y tannau llais. Bydd y tannau llais yn gweithredu yn y dulliau isod:

a. Gellir cadw'r tannau llais ar led, sef yn llydan agored. Dyna'u safle wrth anadlu. Os cynhyrchir seiniau â'r tannau ar led, seiniau dilais fyddant, hynny yw, ni fydd y tannau llais yn dirgrynu wrth eu cynanu. Er enghraifft [p, t, k, s, ɬ].

b. Gellir dal y tannau llais ynghyd yn ysgafn fel bo'r anadl yn cael ei gyngwasgu dan y caead ac yn gorfod ymwthio rhyngddynt gan beri i ymylon y tannau ddirgrynu. Dyma'u safle ar gyfer cynhyrchu llais a chynanu seiniau lleisiol megis [ɑ, b, g, z]. Y mae nifer y dirgryniadau'n amrywio. Os dirgrynant yn amlach nag un waith ar bymtheg yr eiliad cynhyrchir llais. Y mae'n bosibl rheoli, i ryw raddau, gyflymder dirgryniad y tannau. Pan fyddant yn dirgrynu'n gyflym cynhyrchir sain leisiol ar gywair uchel, ond po arafaf y dirgrynu, isaf i gyd yw cywair y sain a chynhyrchir llais cryglyd.

c. Gellir cau'r glotis yn dynn fel bo dylif yr anadl yn cael ei atal yn gyfan gwbl. Cyngwesgir yr anadl o dan yr atalfa a phan ollyngir yr anadl bydd yn dianc yn rymus. Y sain a gynhyrchir yn y modd hwn yw'r Atalsain Lotal [ʔ]. Y mae seinegwyr yn hoff o honni nad yw'r Atalsain Lotal na lleisiol na dilais. Sut bynnag, gan nad yw'r tannau llais yn dirgrynu wrth ei chynanu y mae o ran ei heffaith glybodig yn ddilais.

ch. Gellir dod â'r tannau llais ynghyd am ran fawr o'u hyd gan adael gofod rhyngddynt yng nghefn y gwddf, rhwng y mwythanau arytenoid. Dyma'u safle ar gyfer sibrwd ar lwyfan.

d. Gellir peri i'r tannau llais fraidd gyffwrdd gan adael agen rhyngddynt yn unig. Y mae corff yr anadl yn llifo'n ddirwystr rhyngddynt gan greu dirgryndod ysgafn, wrth i ymylon yr anadl gyffwrdd â'r tannau. Dyma'u safle wrth sibrwd yn gyffredin.

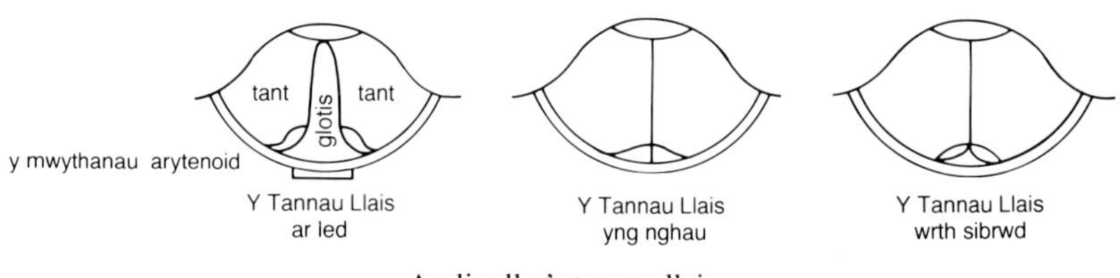

Amlinell o'r tannau llais
Ffigur 3

Petai'r organau llafar uwchlaw'r afalfreuant yn ddisymud, un sŵn digyfnewid, megis ager yn dianc o bibell, a gynhyrchid. Ond gan eu bod yn symudol gellir ffurfio celloedd datsain yn y geg, y trwyn ac yn rhan uchaf y sefnig, gan amrywio maint a ffurf y ceudodau. Yn sgîl hynny gellir newid ansawdd y llafarsain. Gellir lledu a chrebachu ceudod y sefnig ac y mae symudiadau'r tafod yn ogystal yn effeithio ar ei ffurf.

Y DAFLOD FEDDAL

Wedi iddo lifo drwy'r sefnig, rheolir dylif yr anadl bellach gan y Daflod Feddal. Gall dylif yr anadl o'r ysgyfaint naill ai fynd trwy geudod y trwyn neu trwy geudod y geg neu trwy'r ddau ohonynt.

a. Gellir gostwng y daflod feddal. Os yw'r daflod feddal i lawr a'r geg ar agor, yna dianc yr anadl trwy geudod y geg a cheudod y trwyn.

b. Os bydd caead yn y geg a'r daflod feddal i lawr bydd yr anadl yn llifo trwy geudod y trwyn yn unig.

c. Os bydd y daflod feddal i fyny a'r geg ar agor bydd yr anadl yn llifo trwy geudod y geg yn unig.

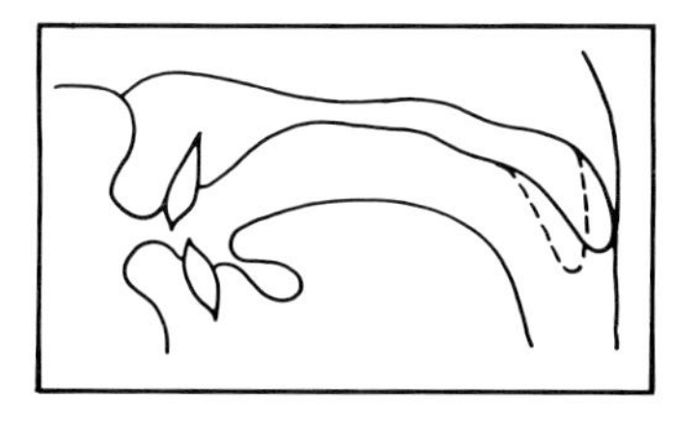

Y daflod feddal wedi ei chodi a'i gostwng

Amlinell i arddangos safle'r daflod feddal

Ffigur 4

Y GEG

Gellir rhannu'r Geg yn naturiol. Ac eithrio'r dannedd, y daflod galed ac ymyl bellaf y sefnig, y mae'r holl organau eraill yn y geg yn symudol — y gwefusau, y tafod, y daflod feddal, y tafodig a'r ên isaf. Ar gyfer disgrifio seiniau, rhennir y rhan o'r geg sydd uwchlaw'r tafod yn bedwar rhan: y gorfant neu grib y dannedd y gellir ei deimlo y tu ôl i'r dannedd blaen uchaf; y daflod galed, sef y bwa caled y tu ôl i'r gorfant; y daflod feddal, sef yr organ sydd yn rheoli dylif yr anadl o'r ysgyfaint; y tafodig, sef pen eithaf y daflod feddal. Cyfeirir at y rhaniadau fel deintiol, gorfannol, taflodol (y daflod galed), felar (y daflod feddal), tafodigol.

Y TAFOD

At bwrpas disgrifio seiniau rhennir y tafod yn bedair rhan:

a. *Y Cefn,* sef y rhan sydd yn gorwedd dan y daflod feddal pan fo'r tafod yn llonydd.

b. *Y Wyneb,* sef y rhan sydd yn gorwedd dan y daflod galed pan fo'r tafod yn llonydd.

c. *Y Llafn,* sef y rhan sy'n gorwedd dan y gorfant pan fo'r tafod yn llonydd.

ch. *Y Blaen,* sef y rhan bellaf ymlaen o'r llafn.

Sonnir weithiau yn ogystal am ganol y tafod.

Y GWEFUSAU

Gellir cau'r gwefusau'n dynn, er enghraifft wrth gynanu [p, m] neu gall y dannedd blaen uchaf wasgu yn erbyn y wefus isaf, er enghraifft wrth gynanu [f] neu gall y gwefusau amrywio o ran eu ffurf fel y dangosir isod:

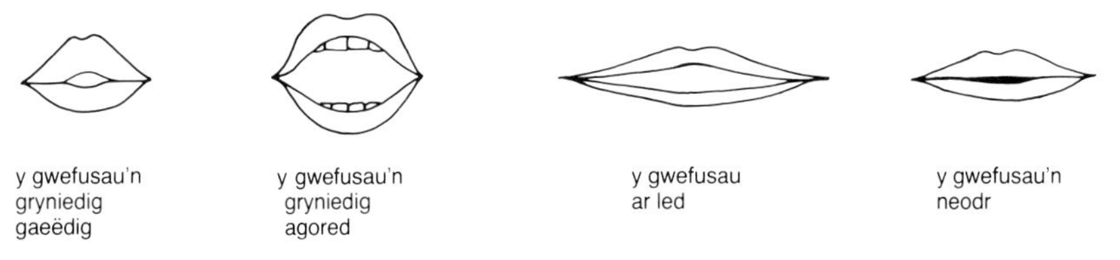

y gwefusau'n gryniedig gaeëdig

y gwefusau'n gryniedig agored

y gwefusau ar led

y gwefusau'n neodr

Ffigur 5

Gelwir yr organau symudol yn y geg, yr organau uwchlaw'r glotis, yn Gynanwyr a'r cynanwyr a fydd yn pennu ffurf y celloedd yn y llwybr llafar. Gelwir yr organau sefydlog, ansymudol yn y geg, sy'n gorwedd gan mwyaf uwchlaw'r cynanwyr ac y bydd y cynanwyr yn cyffwrdd â hwynt neu'n dynesu atynt, yn Fannau Cynanu.

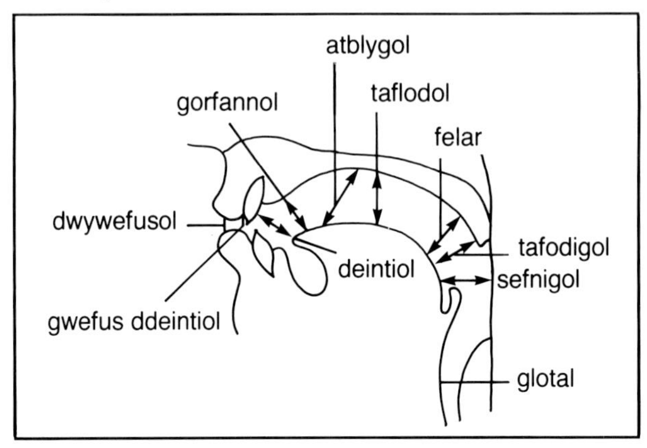

Amlinell i arddangos y prif fannau cynanu

Ffigur 6

Nid yw'r anadl yn dechrau llifo ohono'i hun; ysgogir yr anadl i symud gan Gychwynnydd. Y prif gychwynnydd yw'r ysgyfaint sy'n rhoi cychwyn i'r dylif anadl ysgyfeiniol, ond gall y breuant a chefn y tafod yn ogystal weithredu fel cychwynwyr, hynny yw, gall y breuant drwy symud ei gyhyrau ysgogi'r anadl yn llwybr yr anadl; a gellir codi cefn y tafod i ffurfio caead yn erbyn y daflod feddal ac wrth symud y tafod yn ôl (gan ei gadw yn erbyn y daflod feddal) neu ymlaen, ysgogir yr anadl yng ngheudod y geg gan gefn y tafod.

DOSBARTHU'R CYTSEINIAID

Wrth ddosbarthu'r cytseiniaid seilir y disgrifiad yn bennaf ar fan cynanu'r sain: rhaid cadw pump o ystyriaethau mewn golwg:

1. **Cyfeiriad dylif yr anadl.** Gall yr anadl fod yn fewn–lifeiriol neu'n all–lifeiriol. Ychydig o arwyddocâd ieithyddol sydd i'r dylif anadl mewn–lifeiriol yn ieithoedd y Gorllewin.
2. **Cyflwr y tannau llais.** Y mae'r tannau llais wedi eu lleoli yn yr afalfreuant ac y maent yn debyg i ddwy wefus yn ymestyn ar draws y breuant. Gall y tannau llais naill ai ddirgrynu neu beidio â dirgrynu. Fel y dywedwyd eisoes, os dirgrynant yn amlach nag un waith ar bymtheg yr eiliad cynhyrchir llais. Nid llais a diffyg llais yw'r unig wahaniaeth rhwng seiniau dilais a seiniau lleisiol; y mae gwahaniaeth, yn ogystal, yn y grym anadlog a ddefnyddir wrth eu cynanu. Yn wir, diddymir y cyferbyniad

rhwng llais a dilais dan rai amgylchiadau; yn y Gymraeg, er enghraifft, pan fo ffrwydrolen yn dilyn [s] fel yn [sbɒŋkɛn] [əsgriv], ac yn dilyn ffrithiolen ddilais fel yn [gwaɬd][ʊfd] [draχd], y mae maint yr egni a ddefnyddir ar gyfer cynanu yn nodwedd o bwys. Y rhan amlaf defnyddir llai o egni wrth gynanu cytseiniaid lleisiol nag wrth gynanu cytseiniaid dilais; hynny yw, y mae pwysedd yr anadl ysgyfeiniol yn gryfach wrth gynanu seiniau dilais nag wrth gynanu seiniau lleisiol. O ganlyniad disgrifir sain megis [s] yn ddilais ac yn *fortis* a [z] yn lleisiol ac yn *lenis;* y mae [ɬ, f, χ] hwythau'n ddilais ac yn *fortis.*

3. **Safle'r daflod feddal.** Y daflod feddal sy'n rheoli dylif yr anadl o'r sefnig. Gellir naill ai godi'r daflod feddal a chyfeirio dylif yr anadl trwy geudod y geg yn unig, gan gynhyrchu seiniau geneuol, neu gellir gostwng y daflod feddal a chyfeirio dylif yr anadl trwy geudod y trwyn yn unig, gan gynhyrchu seiniau trwynol. Gellir, yn ogystal, drwynoleiddio rhai seiniau trwy ostwng y daflod feddal ac agor y geg a chyfeirio'r rhan fwyaf o'r anadl trwy'r geg, ond cyfran trwy'r trwyn.
4. **Y dull o gynanu:** gellir —
   i. atal yr anadl yn y geg trwy ddod â'r cynanwr i gyffwrdd â'r man cynanu a chodi'r daflod feddal; symudir y rhwystr yn gyflym gan adael i'r anadl ffrwydro allan. Ffrwydrolion y gelwir seiniau a gynhyrchir yn y modd hwn, er enghraifft [p, b, t, d, k, g].
   ii. atal yr anadl yn y geg a symud y rhwystr yn araf fel y bo ffrithiad yn digwydd wrth i'r anadl ymwthio trwy'r sianel gul sy'n ymagor o'r tu cefn i'r rhwystr. Affritholion y gelwir seiniau a gynhyrchir yn y modd hwn, er enghraifft [tʃ, dʒ].
   Perthyn y Ffrwydrolion a'r Affritholion i ddosbarth o seiniau a elwir yn Atalseiniau, sef seiniau yr atelir dylif yr anadl yn y geg wrth eu cynanu tra'n codi'r daflod feddal i atal yr anadl rhag dianc trwy geudod y trwyn.
   iii.a. atal yr anadl yn y geg gan flaen y tafod yn erbyn y gorfant am gyfnod byr iawn. Cytsain gnithiedig y gelwir sain a gynhyrchir yn y modd hwn, er enghraifft [ɾ]; y mae'r cynanwr yn taro un waith yn erbyn y man cynanu wrth gynhyrchu'r sain hon.
   b. atal yr anadl yn y geg a'i gyfeirio tua'r ochr. Cytsain ochrol y gelwir sain a gynhyrchir yn y modd hwn, er enghraifft [l, ɬ].
   c. atal yr anadl yn y geg nifer o weithiau trwy ddirgrynu'r tafod neu'r tafodig. Cytsain grych y gelwir sain a gynhyrchir yn y modd hwn, er enghraifft [r, ʀ]. Y maent yn seiniau trawol. Gelwir y Trawolion yn Atalseiniau Ysbeidiol am fod y tafod yn cyffwrdd â'r man cynanu'n gyflym nifer o weithiau, ac yn atal yr anadl am eiliedyn bob tro. Bydd rhai seinegwyr yn rhoi pwys ar yr atal hwn ar yr anadl, eraill yn rhoi pwys ar y ffaith fod hyn yn digwydd nifer o

weithiau'n gyflym ac yn rhoi'r argraff o sain barhaol yn hollol wahanol, er enghraifft, i'r ffrwydrolion.

iv. gwasgu'r anadl trwy gyfyngiad cul yn y geg, sef rhwng y cynanwr a'r man cynanu.

a. os yw'r cyfyngiad mor gul ag i beri ffrithiad lleol hyglyw, sef ffrithiad a gynhyrchir pan yw cynanwr yn dynesu at y man cynanu wrth i'r anadl ymwthio drwodd, gelwir y seiniau'n ffritholion, er enghraifft [f, v, s, z, χ].

b. os yw'r cyfyngiad yn lletach, hynny yw yn ddigon llydan i'r anadl lifo drwodd heb ffrithiad lleol hyglyw, gelwir y seiniau yn seiniau parhaol di–ffrithiad, er enghraifft [ɹ].

v. cyfeirio dylif yr anadl trwy geudod y trwyn trwy ostwng y daflod feddal a ffurfio caead yn y geg. Trwynolion y gelwir seiniau a gynhyrchir yn y dull hwn, er enghraifft [m, n, ŋ].

5. **Y man cynanu;** dosbarthiad yw hwn yn ôl y man lle y bydd y cynanwr yn cyffwrdd â'r man cynanu neu'n dynesu ato, lle y rhwystrir neu yr atelir dylif yr anadl.

i. *Dwywefusol.* Cynaniad gan y ddwy wefus yn cyffwrdd â'i gilydd er enghraifft [p, b, m].

ii. *Gwefus-ddeintiol.* Cynaniad gan y wefus isaf yn cyffwrdd â'r dannedd uchaf, er enghraifft [f, v, ɱ].

iii. *Deintiol.* Cynaniad gan flaen y tafod yn erbyn y dannedd uchaf, er enghraifft [θ, ð].

iv. *Gorfannol.* Cynaniad gan flaen y tafod yn erbyn y gorfant, er enghraifft [t, d, n, l, ɬ, r, s, z].

v. *Ol-orfannol.* Cynaniad gan flaen y tafod yn erbyn cefn y gorfant, er enghraifft [ɹ].

vi. *Atblygol.* Cynaniad gan flaen y tafod yn erbyn y daflod galed, er enghraifft [ʈ ɖ].

vii. *Taflod-orfannol.* Cynaniad gan lafn y tafod yn erbyn y gorfant gan godi corff y tafod tua'r daflod galed, er enghraifft [ʃ, ʒ, tʃ,ʤ]. Gan fod dwy ran y tafod yn gweithredu'n gyfartal wrth gynanu'r seiniau hyn fe'u gelwir yn gynaniadau dwbl.

viii. *Gorfan-daflodol.* Cynaniad gan wyneb y tafod yn erbyn y daflod galed gan godi'r llafn tuag at y gorfant, er enghraifft [ɕ, ʑ]. Gan fod dwy ran y tafod yn gweithredu'n gyfartal wrth gynanu'r seiniau hyn fe'u gelwir yn gynaniadau dwbl.

ix. *Taflodol.* Cynaniad gan wyneb y tafod yn erbyn y daflod galed, er enghraifft [c, j, ɲ]. Y mae blaen y tafod yn erbyn wyneb cefn y dannedd blaen isaf.

x. *Felar.* Cynaniad gan gefn y tafod yn erbyn canol a blaen y daflod feddal, er enghraifft [k, g, ŋ].

Y mae blaen y tafod yn erbyn wyneb cefn y dannedd blaen isaf.

xi. *Tafodigol.* Cynaniad gan y tafodig yn dirgrynu yn yr hafn a wneir gan gefn y tafod, er enghraifft [χ].

xii. *Sefnigol.* Cynaniad gan gefn y tafod yn erbyn ymyl cefn y sefnig, er enghraifft [ʕ, ħ].

xiii. *Glotal.* Cynaniad yn y glotis, sef y gofod rhwng y tannau llais, er enghraifft [ʔ, h].

Wrth gynanu cytsain megis [ɫ] dywyll a glywir yng ngogledd Cymru'n bennaf mewn ffurfiau megis *Sul, cul, mul* ceir, yn ogystal â'r cyffyrddiad gorfannol, godi cefn y tafod i ddynesu at y daflod feddal. Ystyrir cyffyrddiad yn gynaniad cynradd a dynesiad yn gynaniad eilradd. Arwyddocâd hyn yw bod sain yn cael ei dosbarthu yn ôl y cynaniad cynradd ac nid yn ôl y cynaniad eilradd.

Y LLAFARIAID

Wrth gynanu cytseiniaid, gellir teimlo'r hyn sy'n digwydd gan fod yr organau llafar yn cyffwrdd â'i gilydd neu'n dynesu at ei gilydd i gyngwasgu'r dylif anadl ysgyfeiniol. Er enghraifft, wrth gynanu'r [t] fel yn *ti* gellir teimlo blaen y tafod yn ffurfio caead yn erbyn y gorfant ar gyfer cynanu'r ffrwydrolen, a gellir teimlo'r tafod yn symud oddi ar y gorfant gan adael i'r anadl ffrwydro allan. Ni cheir syniad mor glir, sut bynnag, am symudiadau'r organau wrth gynanu llafariaid. Y rheswm am hyn yw na fydd y cynanwr, sef y tafod, wrth gynhyrchu llafariaid yn cyffwrdd â'r un o'r mannau cynanu eraill, nac yn cyfyngu ychwaith ar ddylif yr anadl ysgyfeiniol fel sy'n nodwedd ar gynaniad rhai cytseiniaid. Bydd y tafod, yn hytrach, yn grwm wrth gynhyrchu'r rhan fwyaf o'r llafariaid, yr anadl yn llifo'n ddirwystr ar hyd ei ganol ac ymylon y tafod yn cyffwrdd â wyneb mewnol y cilddannedd. Wrth ddisgrifio seiniau llafarog felly rhaid ystyried symudiadau'r organau hynny a fo'n rheoli ffurf y ceudod geneuol ac ansawdd y llafariaid sef:

1. *Y daflod feddal.* Codir y daflod feddal ac agorir y geg ar gyfer cynanu llafariaid geneuol, gan beri i'r anadl lifo trwy geudod y geg yn unig. Gostyngir y daflod feddal ac agorir y geg ar gyfer cynanu llafariaid trwynoledig gan beri i gorff yr anadl lifo trwy geudod y geg a rhan ohono drwy geudod y trwyn. Ond rhwystrir yr anadl yn y geg a gostyngir y daflod feddal ar gyfer cynanu sain drwynol.
2. *Y gwefusau.* Gellir naill ai ledu neu grynio'r gwefusau.
3. *Y tafod.* Rhaid ystyried uchder y tafod yn y geg a'r rhan o'r tafod sydd uchaf.

Symudiadau'r gwefusau yn unig y gellir eu gwylio a'u disgrifio mewn termau gweledol — gellir disgrifio maint neu radd y crynio a'r lledu. Rhaid seilio disgrifiad o lafariaid yn bennaf, felly, ar ansoddau clywadwy ynghyd â

Safle'r tafod wrth gynanu rhai o seiniau cytseiniol y Gymraeg. Cymerir fel norm ansawdd y sain pan ddylanwedir arni gan lafariad flaen gaeëdig

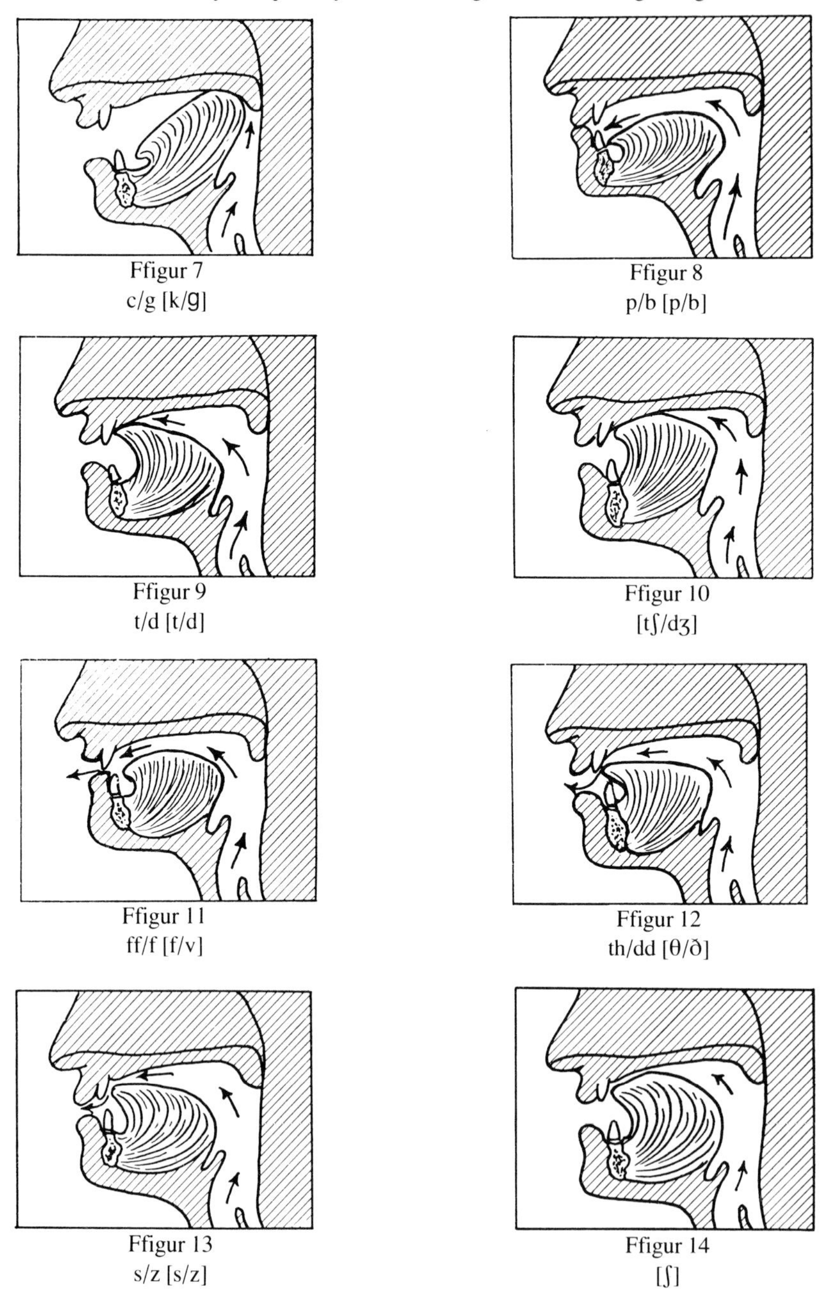

Ffigur 7
c/g [k/g]

Ffigur 8
p/b [p/b]

Ffigur 9
t/d [t/d]

Ffigur 10
[tʃ/dʒ]

Ffigur 11
ff/f [f/v]

Ffigur 12
th/dd [θ/ð]

Ffigur 13
s/z [s/z]

Ffigur 14
[ʃ]

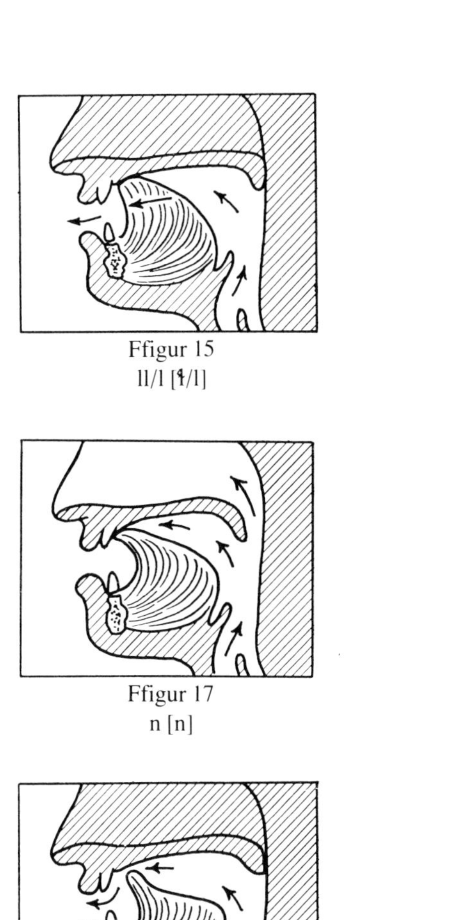

Ffigur 15
ll/l [ɬ/l]

Ffigur 16
m [m]

Ffigur 17
n [n]

Ffigur 18
ng [ŋ]

Ffigur 19
r [r]

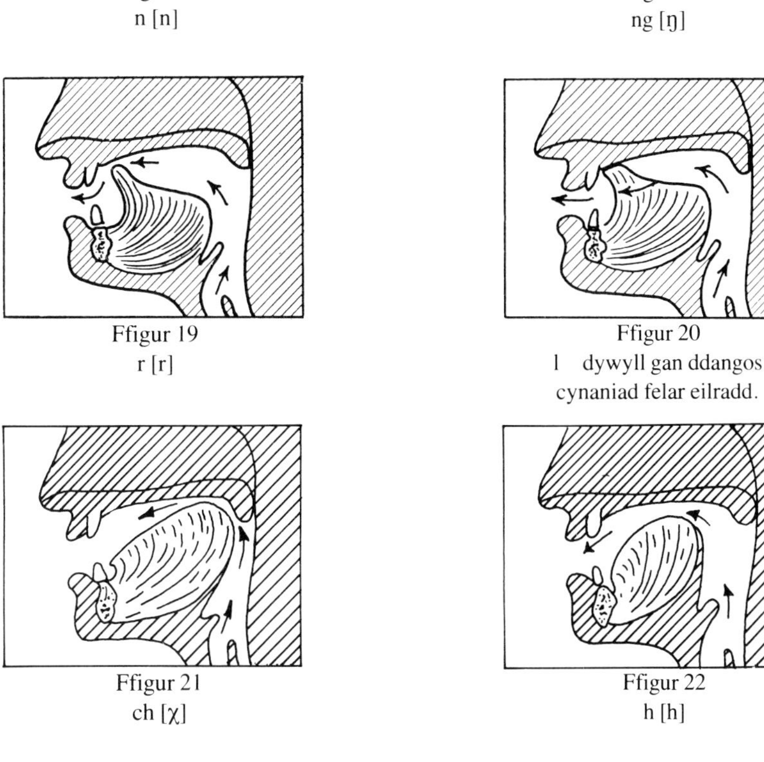

Ffigur 20
l dywyll gan ddangos
cynaniad felar eilradd.

Ffigur 21
ch [χ]

Ffigur 22
h [h]

gwybodaeth gynanol ynglŷn â safle'r gwefusau. Rhaid wrth gyfundrefn o seiniau yn cynrychioli ansoddau llafarog arbennig, ansoddau digyfnewid y gellir cyfeirio atynt wrth ddisgrifio seiniau llafarog, er mwyn gallu dweud bod sain lafarog arbennig yn debycach o ran ei hansawdd glywadwy i'r sain hon nag i'r sain arall. System neu gyfundrefn felly a ddyfeisiwyd gan Daniel Jones (1881–1967) ac a elwir yn Gyfundrefn Llafariaid Safonol Daniel Jones.

Y Llafariaid Safonol Cynradd

Sylfaen ffisiolegol sydd i'r system hon. Seiliwyd y gyfundrefn ar ansawdd glywadwy dwy lafariad, sef llafariad wedi ei chynanu â blaen y tafod wedi ei godi mor agos at y daflod ac mor bell ymlaen ag y bo modd heb gynhyrchu ffrithiad; dynodir y llafariad safonol hon â'r arwydd [i]. Yn ail, llafariad wedi ei chynhyrchu â'r tafod mor isel ac mor bell yn ôl ag sydd bosibl yn y geg ond cefn y tafod wedi ei godi ychydig; dynodir y llafariad safonol hon â'r arwydd [ɑ]. Yna rhannwyd y pellter clywadwy rhwng [i] ac [ɑ] yn bedair rhan ofodol gyfartal. Mabwysiadwyd yr arwyddion [e, ɛ, a] i ddynodi'r ansoddau clywadwy sy'n gysylltiedig â'r rhaniadau hyn rhwng y ddau begwn. Wedyn, gan ddefnyddio cefn y tafod fel sail y tro hwn, rhannwyd y gofod clywadwy rhwng cefn y tafod a'r daflod feddal a chael yr ansoddau clywadwy cyfatebol [ɔ, o, u]. Sefydlwyd, yn y dull hwn, wyth llafariad safonol gynradd a'u dynodi â'r rhifau a'r arwyddion canlynol: 1.[i]; 2.[e]; 3.[ɛ]; 4.[a]; 5.[ɑ]; 6.[ɔ]; 7.[o]; 8.[u].

Cynenir [i, e, ɛ, a, ɑ] â'r gwefusau ar led, ond crynir y gwefusau, i amrywiol raddau, ar gyfer cynanu [ɔ, o, u].

Y Llafariaid Safonol Eilradd

Gellir ffurfio ail gyfres o lafariaid trwy newid safle'r gwefusau, hynny yw, eu crynio wrth gynanu'r llafariaid blaen [i] etc. a'u lledu wrth gynanu'r llafariaid ôl [u, o, ɔ]. Dynodir yr ail gyfres hon gan y rhifau a'r arwyddion canlynol: 9.[y]; 10.[ø]; 11.[œ]; 12.[Œ]; 13.[ɒ]; 14.[ʌ]; 15.[ɤ]; 16.[ɯ]. Sefydlwyd, yn ogystal, ddwy lafariad safonol â chanol y tafod uchaf wrth eu cynanu sef 17. (anghryniedig) [ï]; 18. (cryniedig) [ü].

Nid yw'r llafariaid safonol hyn yn perthyn i unrhyw iaith arbennig er bod rhai ohonynt yn digwydd mewn amryw ieithoedd. Y maent i'w cael ar record fel y gellir bob amser gyfeirio at safon ddigyfnewid. Ni ellir dysgu gwerth ansawdd llafariad safonol o ddisgrifiadau ysgrifenedig; rhaid eu dysgu gan athro sy'n eu gwybod. Disgrifir ansawdd lafarog trwy ddweud, er enghraifft, fod y sain yn debyg o ran ei hansawdd i lafariad safonol rhif 1 neu i lafariad safonol rhif 7 etc. Defnyddir nodau deiacritig er mwyn ychwanegu at fanylder y disgrifiad, er enghraifft, dynoda ˓ o dan y symbol, er enghraifft [e̜], ansawdd fwy agored a . o dan y symbol, er enghraifft [ẹ], ansawdd fwy caeëdig, hynny yw y mae'r tafod yn uwch neu'n is na'r norm safonol wrth eu cynanu.

Cais yr amlinell isod arddangos y berthynas rhwng ansawdd y deunaw llafariad safonol a'i gilydd. Y mae'r amlinell ei hun yn seiliedig ar safle'r tafod wrth gynanu'r llafariaid safonol ac fe'i ffurfiwyd drwy nodi'r man uchaf y bydd y tafod yn codi iddo wrth gynanu pob un o'r wyth llafariad safonol gynradd.

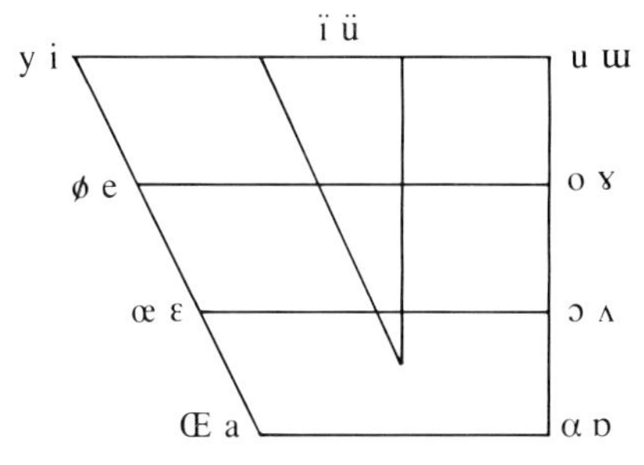

Ffigur 23

Rhaid i ddisgrifiad o lafariad, yn ogystal, nodi a yw'r llafariaid yn eneuol neu'n drwynoledig. Gellir trwynoleiddio'r deunaw llafariad safonol trwy ostwng y daflod feddal a gadael i ddylif yr anadl lifo trwy'r ddau geudod: ceudod y geg a cheudod y trwyn.

Rhaid, felly, seilio'r disgrifiad o sain lafarog ar nodweddion cynanol ac ar nodweddion clywadwy. Gellid disgrifio, er enghraifft, y sain lafarog yn y gair Cymraeg *ti* fel hyn: 'Ymdebyga o ran ansawdd i'r llafariad safonol Rhif 1 ond ei bod ychydig yn fwy canolig ac agored na'r sain honno; y mae'r gwefusau ar led a'r daflod feddal i fyny; dirgryna'r tannau llais'. Y mae disgrifiad o'r math hwn yn ystyrlon i berson sy'n gyfarwydd â chyfundrefn y llafariaid safonol.

Y mae'n arferol ychwanegu at yr amlinell ddosbarthu uchod, fanylion disgrifiadol gan nodi arni'r llafariaid hynny y codir blaen y tafod i gyfeiriad y daflod galed wrth eu cynanu yn LLAFARIAID BLAEN, y rheini y codir cefn y tafod i gyfeiriad y daflod feddal wrth eu cynanu yn LLAFARIAID ÔL, y rheini y codir canol y tafod wrth eu cynanu yn LLAFARIAID CANOL. Atodir disgrifiadau at y rhaniadau clywadwy yn ogystal gan alw'r rhaniad [i — u] yn GAEËDIG, y rhaniad [e — o] yn HANNER CAEËDIG, y rhaniad [ɛ — ɔ] yn HANNER AGORED a'r rhaniad [a — ɑ] yn AGORED.

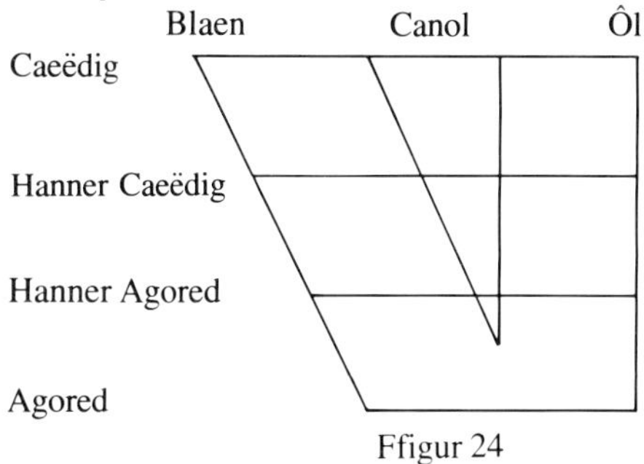

Ffigur 24

Y DEUSEINIAID

Wrth gynanu'r llafairiad mewn ffurfiau megis [ki]'ci', [ɬe] 'lle', [ɬɛn] 'llen', [glo] 'glo', [gur] 'gŵr', [gan]'gan' etc. y mae'r tafod yn sefydlog. Gelwir elfennau llafarog o'r fath yn LLAFARIAID SYML. Ond mewn llu o ieithoedd, gan gynnwys y Gymraeg, digwydd elfennau llafarog nad yw'r tafod yn sefydlog o gwbl wrth eu cynanu, hynny yw, y mae'r tafod yn parhau i symud trwy gydol cynaniad y sain. Sylweddolir yr elfen lafarog, yn hytrach, gan lithriad bwriadol — llithriad bwriadol gan y tafod o safle cynanu un llafariad i safle cynanu llafariad arall. Er enghraifft, wrth ddechrau cynanu'r ffurf [dʊi] 'dwy' codir cefn y tafod at safle'r llafariad ôl gaeëdig, crynir y gwefusau a chyffwrdd blaen y tafod yn ysgafn yn erbyn wyneb cefn y dannedd blaen isaf; y mae'r daflod feddal i fyny a dirgryna'r tannau llais; ond llithra'r tafod i gyfeiriad safle'r llafariad flaen gaeëdig a lledir y gwefusau. Gelwir elfennau llafarog o'r math hwn yn DDEUSEINIAID neu'n GLYMAU LLAFAROG.

Disgrifir deuseiniaid trwy gyfeirio at fan cychwyn y llithriad a chyfeiriad y llithro, hynny yw, drwy gyfeirio, fel yn achos [dʊi] uchod, at yr un canllawiau disgrifiadol ag a ddefnyddir wrth ddisgrifio llafariaid syml. Dengys yr amlinell isod y dull o nodi'r elfen lafarog yn y ffurfiau [ki] a [dʊi].

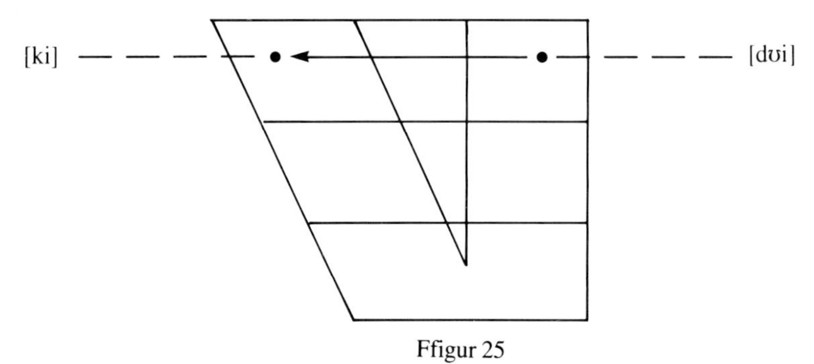

Ffigur 25

SEINFAWREDD

Mewn olyniad o lafar naturiol bydd seiniau'n amrywio yn eu heglurder o'u cymharu â'r seiniau ar bob tu. Er enghraifft yn y gair [kodi] 'codi' y mae'r seiniau llafarog yn fwy eglur i'r glust na'r seiniau cytseiniol. Hynny yw, perthyn mwy o arseinedd cymharol iddynt. Ym mhob olyniad o lafar, felly, bydd seinfawredd yn codi ac yn gostwng; bydd pob olyniad yn cynnwys cribau o arseinedd uchaf a chafnau o arseinedd isaf. Dywedir bod pob sain sydd yn cynnal crib seinfawredd yn sillafog a bod cynifer o sillafau mewn gair ag sydd o gribau seinfawredd. Olyniad o seiniau a fo'n cynnwys un grib seinfawredd yw'r sillaf.

Diffinir deusain fel llithriad llafarog bwriadol nad yw'n cynnwys o'i mewn na chrib na chafn seinfawredd. Hynny yw, rhaid i ddeusain fod yn unsill ond ei bod yn cynnwys dwy elfen lafarog. Petai'n ddeusill ceid cafn seinfawredd rhwng y ddwy elfen lafarog; pan geir cafn seinfawredd rhwng dwy lafariad y mae'r olyniad yn lluosillafog, er enghraifft [eos] 'eos', [eaŋ] 'eang'. Yn y Gymraeg y mae'r seinfawredd yn cynyddu trwy gydol y ddeusain neu'n disgyn trwy gydol y ddeusain. Dyma'r gwahaniaeth, wrth gwrs, rhwng y deuseiniaid esgynedig a'r rhai disgynedig. Yn wahanol i'r Saesneg nid oes deuseiniaid yn y Gymraeg lle y mae'r seinfawredd yn sefydlog.

Wrth lefaru'n naturiol bydd seiniau'n cael eu trosglwyddo o enau'r llefarydd drwy'r awyr. Cymysgedd o nwyon yw awyr a nodwedd bwysig ar nwy yw y gellir ei gywasgu a'i deneuo, hynny yw, gellir naill ai symud y gronynau yn ei gyfansoddiad yn nes at ei gilydd, neu eu gwthio ymhellach oddi wrth ei gilydd. Symudir yr organau llafar ar gyfer llefaru, a chyffroir y gronynnau sydd o gwmpas y geg a'r rheini yn eu tro, yn cyffroi cyfresi o ronynnau eraill nes bo'r ynni a gynhyrchwyd yn wreiddiol gan yr organau llafar yn cael ei dreulio'n llwyr ychydig bellter oddi wrth y siaradwr. Pan gyffroir un o'r gronynnau hyn deil i symud yn ôl a blaen tan iddo aros drachefn yn ei orffwysfan. Y mae cydberthynas rhwng y seiniau a glywn a symudiadau'r gronynnau hyn, a chan fod pob un gronyn yn peri i'r gronyn nesaf ato yn y gadwyn symudiadau ymddwyn yn yr un modd yn union ag ef ei hun, digon yw craffu ar ymddygiad un o'r gronynnau yn unig. Astudio a dadansoddi ymddygiad y gronynnau yw maes seineg glybodig a rhaid wrth gyfarpar arbennig a all drosi symudiadau'r gronynnau yn guriadau trydanol gan fesur amlder a helaethrwydd y cyffro ar gyfer y gwaith.

Y mae gan y seinegydd, yn ogystal, ddiddordeb yn y modd y mae person yn derbyn sain drwy'r glust. Nid cyfansoddiad y glust ei hun nac ychwaith y rhwydwaith o nerfau sydd yn cysylltu'r glust â'r ymennydd yw ei brif ddiddordeb ond yn hytrach ein gallu i glywed sy'n rhan o weithgarwch yr ymennydd. Gellir disgrifio seiniau yn ôl eu nodweddion cynanol, yn ôl eu nodweddion clybodig ac yn ôl eu nodweddion clywadwy. Astudia'r seinegydd i ba raddau y gellir gwahaniaethu rhwng seiniau a'i gilydd a pha ddulliau a ddefnyddir er mwyn gwneud hynny. Canolbwyntia ar gywair (*pitch*), hyd, ansawdd ac amlygrwydd sain. Dyma faes seineg glywadwy.

ASTUDIO FFONOLEG

Cais gwyddor gydwladol yr IPA greu system orgraffyddol ag iddi arwydd arbennig ar gyfer dynodi pob sain. Bwrier ein bod yn astudio iaith, neu amrywiad ar ryw iaith, sydd hyd yma'n bod mewn gwedd lafar yn unig. Nid oes modd yn y byd inni wybod ymlaen llaw pa elfennau yn y llafar hwnnw sy'n bwysig ar gyfer trosglwyddo neges. Er enghraifft, yn iaith y Zwlw digwydd seiniau a elwir yn gliciadau, seiniau a gynhyrchir ar ddylif anadl mewn–lifeiriol. Cynhyrchir seiniau tebyg, y mae'n wir, gan siaradwyr ieithoedd Ewrob, ar gyfer gwerthfawrogi merch ddeniadol, annog ceffyl a thwt twtio anghymeradwyaeth. Ond nid dyna eu swyddogaeth yn y Zwlw. Ynddi hi y maent yn rhan o system seiniau'r iaith. Hynny yw, y mae'r un seiniau yn rhan o batrwm geiriau mewn Zwlw, ond ag ystyr ar wahân i eiriau yn ieithoedd Ewrob. Felly wrth gychwyn ar astudio iaith rhaid cofnodi'n fanwl ofalus bob peth a glywir, rhag colli unrhyw elfen sydd wedi ei ddewis gan yr iaith honno ar gyfer ei system gynanu. Didoli'r unedau hynny yn y llafar sydd yn arwyddocaol ar gyfer nodi gwahaniaethau oddi wrth y rheini nad ydynt yn arwyddocaol yw priod faes ffonoleg. FFONEMAU y gelwir yr unedau hynny y penderfynir eu bod yn ieithyddol arwyddocaol.

Y ffordd hwylusaf o brofi bod sain yn arwyddocaol mewn iaith, hynny yw yn gallu peri newid ystyr, yw trwy gyfnewid lleiafaint, sef darganfod parau cyferbyniol, newid un sain ar y tro mewn olyniad seinegol fel yn y cyfresi isod yn y Gymraeg:

[gwɑg gwɑs gwɑl]
[pan tan gan ɬan man kan dan van]
[jaiθ taiθ saiθ maiθ kaiθ ɬaiθ faiθ]
[pɒini pɒiri pɒiθi]
[kɑs kɑɬ kɑr kɑn kɑd kɑθ]

Pan ellir newid ystyr, fel y gwnaethpwyd uchod, trwy newid un sain priodolir statws ffonem i'r sain honno. Gelwir y math o restrau a nodwyd uchod yn rhestrau cyfnewid a gwelsom o'r rhestrau cyfnewid hyn fod /g, s, l, p, t, ɬ, m, k, d, v, j, f, n, r, θ/ yn seiniau arwyddocaol yn y Gymraeg. Hynny yw, y maent yn gallu gwahanu ystyr. Y maent yn ffonemig. Adysgrifir unedau ffonolegol rhwng llinellau a fo'n gwyro tua'r dde. Gallem ddal ati i lunio rhestrau cyffelyb nes darganfod yr holl seiniau arwyddocaol yn yr iaith. Weithiau ni ellir darganfod ond un pâr yn unig ar gyfer cyfnewid ystyr am fod rhyw sain mor gyfyng ei dosbarthiad yn y wedd honno ar yr iaith fel na cheir ond un sain arall i gyfnewid â hi. Y mae darganfod un pâr â'u seiniau'n cyferbynnu yn ddigon i brofi sain yn ffonemig.

Defnyddiau seinegol oedd y sylfaen ar gyfer sefydlu'r ffonemau uchod, a byddai rhai ieithyddion yn ymwrthod ag unrhyw ddull o ddadansoddi a fyddai'n ceisio sefydlu ffonemau trwy bwyso ar ystyriaethau nad ydynt ar dir seineg. Y mae ieithyddion eraill, sut bynnag, yn barod i dderbyn deunydd y tu allan i faes seineg (yn enwedig deunydd gramadegol) wrth sefydlu systemau ffonolegol a chyfluniad ffonolegol rhai ffurfiau ieithyddol. Dadleuir mai deunydd canfyddadwy yw man cychwyn pob ymchwil wyddonol (ac yn achos ieithyddiaeth y man cychwyn yw seineg, sef defnydd crai'r iaith), a bod yn rhaid sefydlu'r cyfluniadau haniaethol sy'n sylfaen i'r deunydd trwy gymhwyso TREFN ANWYTHOL (*inductive procedure)*. Yn achos ieithyddiaeth, ystyr hyn yw sefydlu cyfluniad ffonolegol yn gyntaf, a'r cyfluniad gramadegol wedyn. Honnir bod cyfluniadau o'r fath yn ddilys cyhyd â bod y camau a arweiniodd at y darganfyddiad yn eglur.

Yn erbyn hyn gellir dadlau fod rhai rhagdybiaethau damcaniaethol, pa mor ddidrefn ac aneglur bynnag y bônt, yn hanfodol ar gyfer dethol a disgrifio'r deunydd canfyddadwy; ac ymhellach nad oes rheswm yn y byd dros beidio â chydnabod y rhagdybiaethau damcaniaethol hyn a'u defnyddio ar gyfer datblygu damcaniaeth y gellir diddwytho (*deduce*) rhai o'i chanlyniadau empeirig yn ôl rheolau rhesymeg a'i chadarnhau trwy sylwadaeth. Gelwir yr ail syniad hwn ynglŷn â natur damcaniaethu gwyddonol a'i swyddogaeth mewn ymchwil empeiraidd yn AGWEDD DDIDDWYTHOL. Y mae'r drefn ddiddwythol, felly, yn gweithio o chwith, fel petai, i'r drefn anwythol. Ystyr hyn, ar fyr, i'r ieithydd yw y gall, os mynn, ddefnyddio deunydd gramadegol yn ei ddisgrifiad ffonolegol.

Gellir arddangos y gwahaniaeth rhwng y ddau ddull a grybwyllwyd fel hyn:[3]

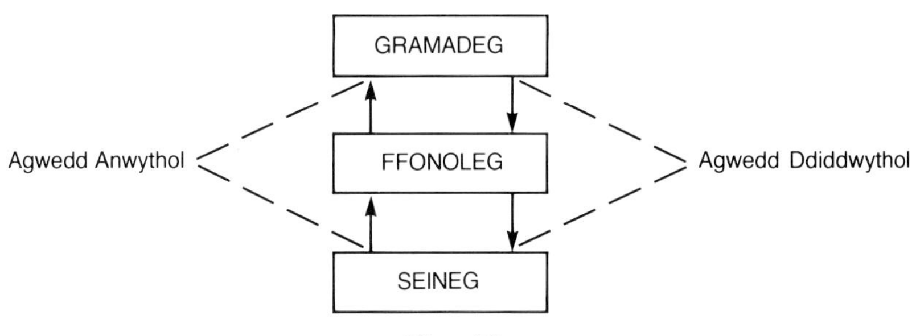

Ffigur 26

Rhan, o leiaf, o swyddogaeth ffonoleg yw cysylltu gramadeg â seineg, a chraidd dadl cynheiliaid y dull diddwythol neu 'haniaethol' yw ei bod yn berffaith gyfreithlon, yn wir yn hollol hanfodol, fod ffonoleg yn ystyried deunydd gramadegol — nid ystyria siaradwyr iaith, wedi'r cyfan, fod gwahanol adrannau cyfluniad iaith wedi eu neilltuo'r naill oddi wrth y llall.

Yn rhai o dafodieithoedd y Gymraeg, tafodiaith Pum Heol ger Llanelli, er enghraifft, o dan amodau treiglad, hynny yw mewn olyniad gramadegol yn unig, y gall [r] ymgyfnewid ag [r̥]. Digwydd hyn ar ôl y rhagenw blaen trydydd unigol gwrywaidd a benywaidd, er enghraifft,

[i rau]	'ei raw'
[i r̥au]	'ei rhaw'

Y mae'r ffurfiau hyn yn barau lleiafaint gydag [r̥] ac [r] yn cyferbynnu ac, yn sgîl mabwysiadu'r agwedd ddiddwythol, yn ffonemau.

Y mae ffonoleg cenhedlol, sef y dull o ddadansoddi a gysylltir yn bennaf ag enwau Noam Chomsky a Morris Halle yn derbyn dilysrwydd ystyried deunydd gramadegol.[4] Man cychwyn disgrifiad cenhedlol yw dadansoddiad o gystrawen, wedyn troir at ffonoleg gan ddefnyddio unrhyw wybodaeth gystrawennol a ystyrir yn berthnasol.

Y mae nifer y ffonemau a ddigwydd mewn iaith yn amrywio. Honnir bod 44 mewn Saesneg safonol. Dywedir mai 13 yn unig a geir yn iaith Hawaii. Gall nifer y ffonemau amrywio hyd yn oed o fewn ffiniau ardal gymharol fechan. Nodwyd, er enghraifft, 24 o unedau ffonolegol cytseiniol, 12 o unedau ffonolegol llafarog a 9 clwm llafarog yn iaith lafar Maenor Berwig yn yr hen Sir Gaerfyrddin. Ym Maenorau Hengoed, Llanedi a Llan-non yn yr un sir nodwyd 27 o unedau ffonolegol cytseiniol, 12 o unedau ffonolegol llafarog a 9 clwm llafarog.[5]

Ffonemau cytseiniol Maenor Berwig

1. Atalseiniau: (i) Ffrwydrolion /p, b, t,d,k,ɡ/
   (ii)Affritholion /tʃ, dʒ/
2. Trwynolion: /m, n, ŋ/
3. Ochrolion: (i) /l/ Ddiffrithiad
   (ii) /ɬ/ Ffrithiol
4. Trawolion: /r/ Trawiad gorfannol
5. Ffritholion /f, v, θ, ð, s, z, ʃ, χ/
6. Seiniau diffrithiad: /w, j/

Nodwyd yn ogystal ym Maenorau Llan-non, Llanedi a Hengoed:

1. Ffritholion: (i) /h/ Lotal
   (ii) /ʍ̥/ Felar
2. Trawolion: /r̥/

Ni ellid priodoli statws ffonemig i [h r̥ ʍ̥] ym Maenor Berwig. Ni ddigwydd y seiniau hyn yng nghyfundrefn seiniau'r dafodiaith honno. Ymylol yw /h, r̥/ ym Maenorau Llan-non, Llanedi a Hengoèd. Priodolwyd statws ffonemig i [ʍ̥] ym Maenorau Llan-non, Llanedi a Hengoed ar sail cyferbyniad sy'n digwydd mewn un pâr yn unig sef [wain] 'gwaun' a [ʍ̥ain] 'chwain'.

Ffonemau llafarog Maenorau Hengoed, Llan-non, Llanedi a Berwig

Digwydd deuddeg uned lafarog a naw clwm llafarog. Nodwyd yr unedau llafarog canlynol:

1. /i, e, ɑ, ɔ, o, u/ sy'n ffonolegol hir.
2. /ɪ, ɛ, a, ɒ, ʊ, ə/ sy'n ffonolegol fyr.

Y mae /ɔ/ yn ymylol i'r system.

Nodwyd y clymau llafarog canlynol:

1. 5 yn cau i gyfeiriad /i/: /ai, ɒi, ʊi, əi, ei/
2. 4 yn cau i gyfeiriad /u/: /au, ɛu, ou, ɪu/

Y mae cyfnewid lleiafaint yn rhoi inni restr o ffonemau wedi ei seilio ar gyferbyniad. Hanfod y ffonem /t/ yn y Gymraeg er enghraifft, yw ei bod yn cyferbynnu â /p/ neu /b/ neu /k/ neu /ʃ/ etc. Y mae hwn yn ddiffiniad negyddol ei natur, ond gellir ychwanegu ato wybodaeth seinegol gadarnhaol, sef nodweddion seinegol y sain. Hynny yw, o safbwynt seinegol y mae /t/ yn ffortis a dilais (o'i chymharu â /b/ neu /g/ sy'n lenis ac yn lleisiol); y mae /t/ yn orfannol (o'i chymharu â /p/ sy'n ddwywefusol); y mae /t/ yn eneuol (o'i chymharu â /m/ sy'n drwynol); y mae /t/ yn ffrwydrolen (o'i chymharu â /ʃ/ sy'n ffrithiolen). Gellir diffinio'r ffonem /t/ felly, trwy nodi'r nodweddion sy'n arwyddocaol ar gyfer diffinio seiniau o fewn system y Gymraeg; y mae hi'n ffortis, yn ddilais, yn orfannol, yn eneuol, yn ffrwydrol. Y mae /d/ hefyd yn orfannol, yn eneuol, yn ffrwydrol a'r rhan fynychaf yn ddilais, ond *nid* yw'n ffortis.

Amrywiadau Cyd-destunol

Nid yr un sylweddoliad yn union bob tro a geir i ffonem mewn cyd-destun seinegol. At hyn anodd, onid amhosibl, yw i un person ddwywaith yn olynol gynhyrchu'r un sain neu'r un olyniad o seiniau yn yr un modd yn union. Er bod modd gwneud prawf peirianyddol i arddangos hyn, nid anodd o gwbl yw dirnad hynny o gofio bod rhaid ar gyfer cynhyrchu sain megis [t] yn union yr un fath ddwywaith yn olynol, sicrhau bod y tafod yn symud oddi ar y gorfant ar yr un cyflymder, bod pwysedd yr anadl o'r ysgyfaint yr un fath a bod cyhyrau'r llwnc, y tafod a'r bochau yn gweithredu'r un fath yn union ddwy waith yn olynol. Bydd y tebygrwydd rhwng y seiniau, sut bynnag, yn fwy trawiadol na'r gwahaniaethau. Ond yn aml gall sylweddoliad y ffonem mewn cyd-destun seinegol arddangos cryn wahaniaeth seinegol. Er enghraifft pan sylweddolir /t/ mewn gwahanol safleoedd yn y gair bydd cryn amrywiaeth yng ngrym yr anadliad a fo'n nodweddu'r sain. Bydd yr anadliad yn gryfach mewn safle dechreuol yn y gair na mewn safle canol neu ddiweddol; yn gryfach wrth gynanu *ti* nag wrth gynanu *pwt.* Wedyn yn dilyn sain ochrol ceir gollyngiad ochrol i'r ffrwydrolen megis yn *tlawd* neu *cart llawn;* o flaen sain drwynol orfannol ceir gollyngiad trwynol i'r ffrwydrolen megis yn *het newydd;* o flaen sain drwynol ddwywefusol ceir gollyngiad geneuol megis yn *cart mawr;* o flaen ffrithiolen ddeintiol ceir cynaniad deintiol i'r ffrwydrolen megis yn *het ddu;* pan fo llafariad gryniedig yn dilyn nodweddir y ffrwydrolen gan wefusgrynder megis yn *tŵr.* Y cyd-destun seinegol sy'n rheoli'r amrywiaeth yng nghynaniad sylweddoliad seinegol y ffonem. Gelwir yr elfennau a fo'n sylweddoli'r ffonem mewn cyd-destun seinegol yn aelodau'r ffonem neu'n ALLFFONAU. Y mae pob allffon ynghlwm wrth gyd-destun seinegol arbennig, cyd-destun y gellir ei nodi a'i ddisgrifio. Nid yn ôl mympwy, felly, y dewisir y naill allffon yn hytrach na'r llall, ond ceir iddynt, yn hytrach, ddosbarthiad cyfatebol, hynny yw, rheolir y dewis o allffon gan y cyd-destun seinegol. Y mae hyn yn ddarganfyddiad o bwys, oherwydd ni ellir, felly, ddefnyddio'r gwahaniaeth rhwng yr allffonau er mwyn adeiladu olyniadau o seiniau ag iddynt ystyr wahanol — fel y gellir er enghraifft yn achos [t] a [p]. Os cyfnewidir [t] am [p] yn y ffurf [taiθ] ceir [paiθ], ond os cyfnewidir [l] am [ɬ] mewn olyniad o seiniau a fo'n digwydd yn y Gymraeg ni chyfnewidir ystyr. Gall y gwahaniaeth rhwng allffonau yn aml nodi'r gwahaniaeth rhwng cefndir taleithiol gwahanol siaradwyr a'i gilydd. Er enghraifft, ni ddisgwylid i frodor o dde Cymru gynhyrchu [ɫ] mewn olyniad o lafar naturiol. Yn y Saesneg, nodwedd ar lafar poblogaidd Llundain yw'r gollyngiad araf a geir i ffrwydrolion, yn enwedig ffrwydrolion gorfannol. Dywedir bod nodwedd ffrithiol yn perthyn i ffrwydrolion o'r fath.

Ni ddylid fyth dybio bod y ffeithiau a ddatgelwyd ynglŷn â ffonoleg y naill iaith yn gywir am iaith arall. Y mae a wnelo ffonoleg ag astudio system seinegol un iaith ar y tro. Ni ellir cyfnewid ystyr rhwng [l] ac [ɫ] yn y Gymraeg ond yn y Rwsieg a'r Bwyleg digwydd [l] ac [ɫ] mewn dosbarthiad cyferbyniol. Hynny yw, bodola olyniadau o seiniau ag iddynt ystyron gwahanol a'r prif wahaniaeth seinegol yw rhwng [l] ac [ɫ]. Y ffurfiau yn y Bwyleg yw *laska* 'ffon' a *laska* 'cymwynas'. Digwydd [l] ar ddechrau'r ffurf gyntaf ac [ɫ] ar ddechrau'r ail ffurf. Yn y Bwyleg y mae'r ddwy yn gwahanu ystyr; felly priodolir statws ffonemig i'r ddwy sain.

Y mae ffonemau'r Gymraeg yn unedau ac iddynt sylweddoliad seinegol megis /p/ neu /t/ neu /l/. Gelwir ffonemau o'r fath yn ffonemau segmental neu ddifynnol. Y mae'n bwysig cofio, sut bynnag, fod rhai ieithoedd yn enwedig yn Affrica, Asia a De America yn meddu, yn ogystal, ar ffonemau o fath arall, lle yr amlygir y gwahaniaeth rhwng cyfres o ffurfiau drwy newid yng nghywair y llais. Er enghraifft, mewn un amrywiad ar y Sinaeg digwydd y gyfres hon o ffurfiau a'r parau lleiafaint yn cael eu hamlygu gan yr amrywiol donau a ddewisir:

ma	———	(tôn wastad)	'mam'
ma	／	(tôn yn codi)	'cywarch'
ma	∨	(tôn gribog)	'ceffyl'
ma	＼	(tôn yn gostwng)	'dwrdio'

Gelwir cyferbyniad o'r math hwn yn gyferbyniad tonemig. Y mae'r nodwedd uchod ar y Sinaeg yn perthyn i system ddifynnol yr iaith honno. Fe'i gelwir yn IAITH DÔN am fod y tonau yn gwasanaethu fel y bydd seiniau megis [p, l, χ] yn y Gymraeg. Ond ceir amrywiadau cyffelyb yng nghywair y llais yn ieithoedd Ewrob yn cyflawni swyddogaeth hollol wahanol. Er enghraifft yn y Gymraeg gall amrywio cywair y llais mewn gair megis *mam* gyfleu agwedd y siaradwr at y derbynnydd. Ni bydd yr amrywio yng nghywair y llais, sut bynnag, yn newid ystyr gyfeiriadol ffurf yn y Gymraeg fel sy'n digwydd yn y Sinaeg.

Y mae ffonoleg hefyd yn ymwneud â sut y mae seiniau iaith yn cyfuno, er enghraifft, sut y mae cytseiniaid yn ffurfio clymau. Ni ddigwydd clymau cytseiniol o gwbl mewn rhai ieithoedd, ond mewn iaith megis y Gymraeg sy'n caniatáu clymau cytseiniol ceir cyfyngiadau ar faint y clwm ac ar y dewis o safle o fewn y clwm. Y mae'r Gymraeg yn caniatáu clymau dechreuol o ddwy gytsain ac o dair cytsain er enghraifft [gwraig] 'gwraig', [gwlɑd] 'gwlad', [bro] 'bro', [glo] 'glo'. Yn y tafodieithoedd digwydd clymau diweddol o ddwy gytsain, o dair cytsain ac o bedair cytsain, er enghraifft [asgʊrn] [ʃɛrʊmps] [marbls]. Yr olddodiad lluosogi [s] sy'n gyfrifol am y clymau o dair a phedair cytsain yn yr enghreifftiau uchod. Nid yw'r iaith safonol yn cymeradwyo clymau diweddol o fwy na thair cytsain, er enghraifft *rhestr*.

Y mae cyfyngiadau pendant ar batrymu'r cytseiniaid o fewn y clymau a ganiateir. Er enghraifft mewn Cymraeg safonol ac yn y tafodieithoedd caniateir y clwm dechreuol *gwl* ond ni chaniateir *glw*. Y mae rhai tafodieithoedd yn gallu dewis clymau cytseiniol eithriadol iawn megis [ɬnai] [pnaun] [ʃgʊl] nas caniateir gan yr iaith safonol.

Isod ceisir arddangos patrymu clymau dechreuol o ddwy ac o dair cytsain yn iaith lafar Llangennech.[6] Ni chaniateir pob un o'r clymau hyn yn yr iaith safonol er enghraifft, [wr–] [ʃg–] [ml–].

Clymau dechreuol o ddwy gytsain yn Llangennech

Darllener y tabl ar draws

	l	r	w	j	n	g	b	d	m
k	l	r	w						
p	l	r							
t	l	r							
g	l	r	w	j					
b	l	r							
d		r	w	j					
m	l								
f	l	r							
s	l		w		n	g	b	d	m
χ			w						
ʃ		r				g			
w			r						

Clymau dechreuol o dair cytsain yn Llangennech

Pan ddigwydd /s/ fel elfen gyntaf ceir y patrwm canlynol yn unig:

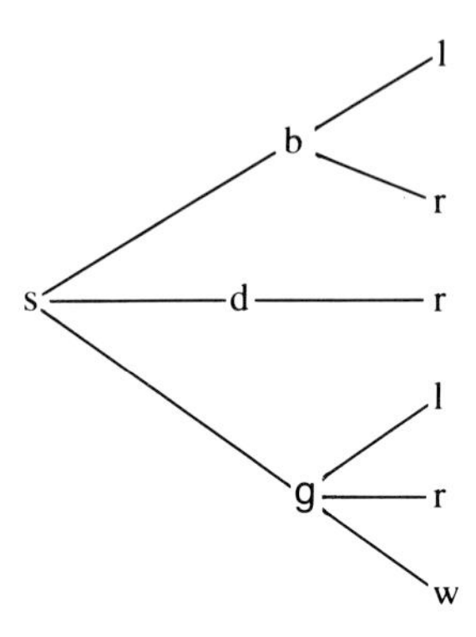

Pan ddigwydd /g/ yn elfen gyntaf ceir y patrwm canlynol yn unig:

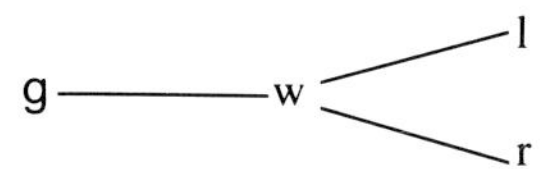

Y mae gwybod y patrymu ffonolegol caeth hwn yn rhoi i siaradwr y sicrwydd ieithyddol i dderbyn olyniad megis *gwlyb* fel gair Cymraeg ond i ymwrthod â *wlgyb*, neu *lgwyb*.

ASTUDIO MORFFOLEG

Darganfyddir ffonemau trwy broses cyfnewid, newid un sain ar y tro mewn olyniad seinegol, a darganfod yn sgîl hynny seiniau arwyddocaol, ystyrlon yr iaith. Nid yw hyn yn gyfystyr â dweud bod gan ffonem ystyr gyfeiriadol oherwydd y mae ffonemau yn magu ystyr ac arwyddocâd cystrawennol yn unig pan y'u clymir wrth ffonemau eraill. Felly y mae'r olyniad [sɑχ] yn dynodi 'sach' ond nid oes ystyr gyfeiriadol o gwbl i /s/, /ɑ/, /χ/, ar eu pennau eu hunain. Ystyr wrthgyferbyniol sydd iddynt. Yn y Gymraeg ystyr /s/ yw ei bod yn cyferbynnu â /b/; ystyr /ɑ/ yw ei bod yn cyferbynnu ag /i/ etc. Cais astudiaeth o forffoleg ddarganfod yr unedau ystyrlon lleiaf ag iddynt arwyddocâd cystrawennol, sef yr unedau gramadegol lleiaf. Morffemau yw'r unedau ystyrlon lleiaf a drefnir gan ramadeg yr iaith yn gyfluniadau pwrpasol. Nodwedd hanfodol ar forffem yw na ellir ei rhannu'n uned gystrawennol lai.

Darganfyddir morffemau mewn iaith trwy gymharu ffurfiau geiriol â'i gilydd. Er enghraifft y ffurfiau gwahanol ond perthynol *glaw, glawog, glawlyd, glawio* neu *hael, haelder, haeldra, haeledd, haelioni.* Ar sail elfennau a fo'n ailddigwydd mewn cyfresi fel hyn rhennir pob gair neu ffurf yn unedau, a phan na ellir rhannu ffurf yn uned ystyrlon lai fe'i gelwir yn forffem. Y mae *glaw* a *hael* yn eiriau na ellir eu rhannu'n unedau cystrawennol llai ar sail cymhariaeth o elfennau a fo'n ail ddigwydd; y maent yn cynnwys un forffem. Gelwir pob gair un forffem yn air syml neu'n forffem rydd. Y mae *-og, -lyd, -der, -dra, -edd, -ioni,* ar y llaw arall, bob amser yn digwydd ynghlwm wrth ffurf arall; hynny yw ni allant ddigwydd ar eu pennau eu hunain: fe'u gelwir yn forffemau clymedig. Ynghlwm wrth morffemau eraill yn unig y digwydd morffemau clymedig; y maent yn ddibynnol ar ffurfiau eraill. Gelwir geiriau megis *glawog, haelioni* sy'n cynnwys mwy nag un forffem yn eiriau cymhleth. (Gydol yr ymdriniaeth hon ar forffoleg defnyddir llinell ar draws — i ddynodi rhaniad morffolegol).

Ni ellir didoli pob morffem mor hawdd ag a wnaed uchod yn achos *glawog, haelder,* etc; yr un, sut bynnag, yw'r egwyddor, cymharu elfennau a fo'n ail ddigwydd.

Trefnir morffemau yn ddau brif ddosbarth, sef gwreiddiau a dodiaid. Y gwreiddyn yw'r rhan o'r gair na ellir ei rannu ymhellach, sef y rhan waelodol o'r gair. Elfen yw dodiad a ychwanegir at wreiddyn i ffurfio gair neu i droi'r gwreiddyn yn fôn. Y mae'r gwreiddyn, felly, heb unrhyw fath ar ddodiad ynghlwm wrtho.

Gwreiddiau	Dodiaid
cath	- od
cerdd	- af
milltir	- oedd
haedd	- ais
glaw	- og

Dosbarthau agored yw gwreiddiau, y maent yn ddirifedi. Eitemau geiriadurol yw dosbarthau agored. Dosbarthau caeëdig yw dodiaid, hynny yw, y mae'r nifer yn gyfyngedig. Er enghraifft, nifer gyfyngedig iawn o elfennau y gellir eu hychwanegu at *cath* a'r rheini yw *-od, -an, -aidd, -derig.*

Gellir mwy nag un gwreiddyn mewn gair. Cynnwys enghreifftiau megis *glaswellt, llyfrgell, mynydd-dir, pentan* ddau wreiddyn sef *glaswellt, glas + gwellt; llyfrgell, llyfr + cell; mynydd-dir, mynydd + tir; pentan, pen + tân.* Gall gwreiddiau fod yn rhydd neu'n glymedig. Er enghraifft yn y gair *cathod* y mae'r elfen *cath* yn wreiddyn rhydd; gall sefyll ar ei ben ei hun. Gelwir pob gwreiddyn rhwymedig, sef pob gwreiddyn na all sefyll ar ei ben ei hun, yn FÔN, er enghraifft, *haedd-* yn *haeddu*. Nid gwreiddyn, sut bynnag, yw pob bôn.

Bôn cyfluniad morffolegol yw'r canlynol:

i. Y cnewyllyn sy'n cynnwys un neu ragor o wreiddiau megis *glaswellt-yn, pentan-au*. Y mae'r ffurfiau *pentan* a *glaswellt* yn fonau yn *pentanau, glaswelltyn* ond, fel y gwelsom uchod, y maent yn cynnwys dau wreiddyn.

ii. Y cnewyllyn, ynghyd ag unrhyw forffem arall ar wahân i'r forffem olaf a ychwanegir at y cyfluniad i wneud gair, er enghraifft, *grymusterau, marchogaeth*.

Y cnewyllyn ynghyd â morffem arall ar wahân i'r forffem olaf a ychwanegir at y cyfluniad i wneud gair.	*Y forffem olaf a ychwanegir at y cyfluniad i wneud gair.*
march + - og	-aeth
grymus + - ter	-au

Y mae *grymus* a nodir fel cnewyllyn uchod yn cynnwys cnewyllyn + morffem arall, sef y cnewyllyn *grym-* + *-us*.

Cnewyllyn cyfluniad morffolegol yw:

i. Gwreiddyn.

ii. Cyfuniad o wreiddiau gan gynnwys ffurfiau nad ydynt wreiddiau sydd ynghlwm wrth y gwreiddiau hyn o bosibl. Er enghraifft, yn *arnaf* person cyntaf unigol yr arddodiad 'ar', *ar-* yw'r gwreiddyn; *arn-* yw'r cnewyllyn; *n* yw'r darn dibynnol sydd ynghlwm wrth y gwreiddyn ac yn troi'r gwreiddyn *ar-* yn fôn. At y bôn yr ychwanegir y morffemau clymedig megis *-af, -at, -i,* sy'n dynodi rhif a chenedl.

Dodiaid yw'r morffemau a fo'n cario'r pwysau gramadegol. Ychwanegir dodiaid at wreiddiau neu at fonau ac fe'u rhennir yn dri dosbarth yn ôl eu safle.

i. Rhagddodiaid, sef morffemau sy'n digwydd o flaen y gwreiddyn, er enghraifft, *ar-wynebol, an-wybodus*.

ii. Olddodiaid, sef morffemau sy'n digwydd ar ôl y gwreiddyn, er enghraifft, *wyneb-u, cariad-lon, cath-od*.

iii. Mewnddodiaid, sef morffemau sy'n digwydd y tu mewn i'r gwreiddyn. Ni ddigwydd mewnddodiaid mewn Cymraeg Diweddar ond y mae tystiolaeth i'w bodolaeth mewn cyfnodau cynharach yn y Gymraeg; er enghraifft yn 'Y Gododdin' digwydd y ffurf *erysmygei*, trydydd person unigol Amherffaith *ermygu* 'peri, achosi'. Daw'r mewnddodiad *ys* rhwng y rhagddodiad *er-* a'r bôn.[7] Y mae mewnddodiaid yn digwydd yn ddigon cyffredin yn yr Wyddeleg.[8]

YR OLDDODIAID

Gellir rhannu olddodiaid y Gymraeg yn ddosbarthau: Enwol, Berfenwol, Berfol, Ansoddeiriol, Arddodiadol. Rhestrir yr olddodiaid hyn ymhob geiriadur a llyfr gramadeg a cheir yn ogystal awgrym o'u swyddogaeth, sef a ychwanegir hwynt at enwau neu ansoddeiriau etc. Ychwanegir olddodiaid berfenwol at fôn berfol arbennig, er enghraifft,

-ed	*cerdd-ed, yf-ed*
-eg	*rhed-eg, ehed-eg*
-yll	*sef-yll*
-yd	*dychwel-yd, ymyrr-yd*
-i	*torr-i, ffrom-i*
-o	*ceul-o, mwyd-o*
-u	*car-u, llyf-u*

Yn yr enghreifftiau uchod y mae'r olddodiad yn clymu'n uniongyrchol wrth y bôn. Mewn enghreifftiau eraill, sut bynnag, rhaid dewis elfen fôn ffurfiol i'w hychwanegu at y gwreiddyn i ffurfio bôn:

mew/i/an	*glaw/i/o*
sgrech/i/an	*troed/i/o*
lol/i/an	*rhybudd/i/o*

Gellir rhannu'r olddodiaid yn ôl a newidiant ddosbarth y geiriau yr ychwanegir hwy atynt ai peidio.

i. Lle y newidir dosbarth y geiriau yr ychwanegir hwy atynt:

cloff (ansoddair)	*cloffni* (enw)
moel (ansoddair)	*moelni* (enw)
oer (ansoddair)	*oerni* (enw)
moch (enw)	*mochaidd* (ansoddair)
baw (enw)	*bawaidd* (ansoddair)
gwlad (enw)	*gwladaidd* (ansoddair)
poen (enw)	*poenus* (ansoddair)
dolur (enw)	*dolurus* (ansoddair)
cost (enw)	*costus* (ansoddair)

dial (enw)	*dialgar* (ansoddair)
rhyfel (enw)	*rhyfelgar* (ansoddair)
arian (enw)	*ariangar* (ansoddair)
gwaith (enw)	*gweithgar* (ansoddair)
darllen (enw neu ferfenw)	*darllengar* (ansoddair)

ii. Lle y ceidw'r geiriau yr un dosbarth:

pur (ansoddair)	*puraidd* (ansoddair)
sych (ansoddair)	*sychaidd* (ansoddair)
oer (ansoddair)	*oeraidd* (ansoddair)
hawdd (ansoddair)	*hawddgar* (ansoddair)
petrus (ansoddair)	*petrusgar* (ansoddair)

Y mae olddodiaid yn cael tymhorau o fod yn gynhyrchiol, hynny yw, defnyddir hwy'n aml i ffurfio geiriau newydd yn ystod eu cyfnod cynhyrchiol. Ar hyn o bryd y mae *-adur/-iadur* yn gynhyrchiol ar gyfer llunio geiriau o natur dechnegol er enghraifft,

geir-iadur, cyfarwydd-iadur, teip-iadur, cyfrif-iadur, enw-adur, blwydd-iadur.

Nid yw'r RHAGDDODIAID, ran amlaf, yn newid dim ar ddosbarth geiriol y ffurf ond yn newid yr ystyr yn unig:

Rhagddodiaid	
ar-	*cae* (enw), *argae* (enw)
arch-	*offeiriad* (enw), *archoffeiriad* (enw)
cyf-	*llym* (ansoddair), *cyflym* (ansoddair)
	nos (enw), *cyfnos* (enw)
all-	*morio* (berfenw), *allforio* (berfenw)
gor-	*gweithio* (berfenw), *gorweithio* (berfenw)

Y mae rhai eithriadau megis y rhagddodiaid *di-* a *hy-* sy'n newid dosbarth geiriol ffurf yn ogystal a'i hystyr:

Rhagddodiaid	
di-	*acen* (enw), *diacen* (ansoddair)
	profiad (enw), *dibrofiad* (ansoddair)
hy-	*plyg* (enw), *hyblyg* (ansoddair)
	câr (enw), *hygar* (ansoddair)

Wrth lunio geiriau y mae cyfyngiadau pendant ar leoliad morffemau. Er enghraifft, cau cyfluniad a wna'r forffem luosogi gan amlaf, *grym-us-ter-au, llwyn-og-od;* nid y forffem luosogi, sut bynnag, a fydd yn cau cyfluniad morffolegol pan ddewisir morffemau bachigol er enghraifft, *petheuach, dynionach, merchetach, gwrageddos.*

Ymdriniwyd uchod â morffemau rhediadol a morffemau tarddiadol. Y morffemau rhediadol sy'n pennu ac yn lleoli union swyddogaeth ramadegol gair mewn perthynas â geiriau eraill, neu'n arwyddo bod gair yn dal perthynas gystrawennol glos â geiriau eraill mewn ymadrodd neu gymal. I'r dosbarth hwn y perthyn y forffem ferfenwol a'r forffem luosogi, ffurfdroadau'r ferf, yr arddodiad, yr ansoddair, y rhifolion a'r trefnolion. Nid swyddogaeth y morffemau tarddiadol yw diffinio perthynas un gair â gair arall ond, yn hytrach, y mae eu harwyddocâd ynghlwm wrth y dosbarth geiriol a ffurfir o ganlyniad i'w hychwanegu at ryw fôn. Er enghraifft, arwyddocâd *-aidd* yw creu ansoddair:

merched	*merchetaidd*
plentyn	*plentynaidd*
moch	*mochaidd*

Fel yr awgrymwyd eisoes, nid yw ffin y forffem bob amser yn amlwg. Un rheswm am hyn yw nad oes i forffem ffurf arbennig; gall fod yn unsill, er enghraifft, *llo, car, ci* neu'n lluosillafog megis *esgob*. Gellir statws morffem i gytsain megis /s/ mewn benthyceiriau megis,

teiar	*brec*	*weipar*
teiar-s	*brec-s*	*weipar-s*

Nid yw morffem a sillaf o anghenraid yn cyd-redeg, er enghraifft, *cŵn, traed* sy'n unsill ond yn sylweddoli mwy nag un forffem, morffemau na ellir mo'u gwahanu, neu forffemau annidoladwy, hynny yw, y maent wedi ymdoddi i'w gilydd fel nad oes ffiniau rhyngddynt.

ci + lluosog   *troed* + lluosog

Nid yw'n ofynnol ychwaith i forffem gael ystyr hollol amlwg — ystyr syncronig — yn yr iaith. Er enghraifft, ni raid ystyried gair megis *ysgyfarnog* yn air syml am nad yw'r gwreiddyn *ysgyfarn-* yn fyw mewn Cymraeg Diweddar. Gellir cael elfennau unigryw mewn iaith, a gellid rhannu *ysgyfarnog* yn forffem unigryw *ysgyfarn-* + *-og* ar sail cymhariaeth â ffurfiau (enwau ar anifeiliaid) megis *draenog, llwynog* etc. Digwydd rhai morffemau mewn un cyfuniad yn unig. Enghreifftiau a roddir o forffemau o'r fath yn y Saesneg yw *cran-* yn *cranberry, rasp-*yn *raspberry* a *cray-* yn *crayfish.* Priodolir statws morffem i'r rhain am fod yr elfennau *berry* a *fish* yn digwydd mewn cyfuniadau eraill. Enghreifftiau tebyg o forffemau sy'n digwydd yn y

Gymraeg fel rhan o gyfuniad yn unig yw *ffi-* yn *ffiaidd, haedd-* yn *haeddu, creu-* yn *creulon.* Mewn cyfnod cynharach digwyddai *creu* fel morffem rydd, annibynnol ond erbyn heddiw digwydd fel rhan o gyfuniad yn unig. Gelwir morffemau megis *ffi-, haedd-, creu-* yn forffemau didoladwy ac y mae morffemau didoladwy yn aml yn forffemau unigryw. Ar sail cymhariaeth o elfennau a fo'n ail ddigwydd rhaid ystyried *teiar, weipar,* fel geiriau a fo'n cynnwys dwy forffem, *tei-ar, weip-ar.*

Dadansoddi a disgrifio lleoliad y dodiaid mewn perthynas â'r gwreiddiau yw nod astudiaeth o forffoleg. Yn union fel y mae'r ffonem yn ddosbarth o allffonau, felly hefyd y mae'r forffem yn ddosbarth o allforffau neu o amrywiadau morffemig, oherwydd cysylltir gwahanol ffurfiau ffonolegol ynghyd mewn dosbarthiadau cyflenwol. Enghreifftiau o allforffau yn y Gymraeg yw'r olddodiaid niferus sy'n sylweddoli'r forffem luosogi; gellir dweud bod allforffau'r forffem luosogi yn niferus. Gellir rhestru, yn ogystal, allforffau'r forffem ferfenwol, yr allforffau arddodiadol, yr allforffau berfol, y cyfnewidiadau llafarog sy'n ganlyniad hanesyddol gwyriad ac affeithiad yn ogystal â chyfnewidiadau llafarog eraill nas dynodir wrth sillafu, er enghraifft *enw* [enu], *enwau* [ɛnwai].

Bydd ffurff ffonolegol rhai morffemau yn amrywio. Er enghraifft, un sylweddoliad ffonolegol a ellir i elfen megis *ffurf* [fɪrf] hynny yw, pa ddodiaid bynnag a roir wrth [fɪrv] yr un fydd sylweddoliad ffonolegol y gwreiddyn,

[fɪrv-j-o]
[an-fɪrv-j-o]
[ad-fɪrv-j-o]

Gellir dweud felly mai un allforff yn unig sydd i'r elfen hon. Yn achos eitemau eraill, sut bynnag, gall ffurf ffonolegol yr allforffau amrywio, er enghraifft gall /o/ amrywio ag /ɒ/ yn [molav] [mɒljant]. Defnyddiwn yr arwydd ~ i ddynodi bod y naill ffurf yn amrywio â'r llall, felly cawn /o/ ~ /ɒ/ yn yr enghraifft a nodwyd uchod.

Enghraifft a roddir yn gyffredin o amrywio fel hyn yn y Saesneg yw ffurfiant y lluosog mewn ffurfiau megis [laif] *life,* [waif] *wife.* Yn y Saesneg ceir dosbarth o enwau a fo'n diweddu yn /-f/ yn dewis yr allforffem luosogi /-s/ er enghraifft [məf] *muff,* a [məfs] *muffs;* wedyn bydd dosbarth o enwau a fo'n diweddu yn /-v/ yn dewis yr allforffem luosogi /-z/ megis [dəv] *dove* a [dəvz] *doves.* Y mae, sut bynnag, ddosbarth bychan o enwau unigol yn /-f/ sy'n dewis /-v/ yn y lluosog, er enghraifft [waif] *wife* a [waivz] *wives* neu [naif] *knife* a [naivz] *knives* neu [laif] *life* a [laivz] *lives.* Ar gyfer dynodi /f ~ v/ yn y ffurfiau hyn gellid mabwysiadu'r nôd forffoffonolegol //F// a'u hadysgrifio'n forffoffonolegol //waiF// a //naiF// â'r arwydd //F// yn dynodi bod /f ~ v/ dan yr amodau a ddisgrifiwyd uchod. Ni ddigwydd enghreifftiau dan amodau hollol debyg yn y Gymraeg am y rheswm mai llafariaid sy'n cyfnewid fel hyn yn y Gymraeg.

Y mae'r amrywio yn ffurf ffonolegol y forffem, fe ddywedir, yn pontio'r bwlch rhwng system ffonolegol yr iaith a'r system forffolegol. Gelwir yr adran y ceisir ynddi ddadansoddi a disgrifio'r amrywiadau ffonolegol yng nghyd-destun y forffem yn forffoffonoleg. Gellid, wrth gwrs, ddadansoddi cyfluniad iaith heb gyfeirio at ei morffoffonoleg ond o wneud hynny llwythid y disgrifiad gramadegol (morffolegol a chystrawennol) gan fanylion y gellid yn llawer iawn hwylusach eu trafod ar lefel is o ddadansoddi, yn yr adran ar forffoffonoleg. Galluogir yr ieithydd wedyn i fanylu ar berthynas ramadegol bur eitemau â'i gilydd ar lefel morffoleg a chystrawen. Fel yr awgrymir gan yr enw felly, adran gyfryngol rhwng y lefel ffonolegol o ddadansoddi a'r lefel forffolegol o ddadansoddi yw morffoffonoleg.

Fel arfer disgrifir treigladau dechreuol y Gymraeg yn yr adran yr ymdrinnir â ffonoleg yr iaith ynddi. Ond yn ei hystyr ehangaf cynhwysir o fewn cwmpas morffoffonoleg yr holl amrywiadau ffonolegol sy'n bosibl i forffem, a dadleuodd yr Athro Eric Hamp[9] (ar dir deiacronig) a'r Athro Magne Oftedal[10] (ar dir syncronig) mai fel sylweddoliad o forffoffonemau y dylid trafod treigladau'r Gymraeg.

Neilltuwyd saith morffoffonem ar gyfer trafod treigladau iaith lafar Maenor Berwig yn yr hen Sir Gaerfyrddin.[11]

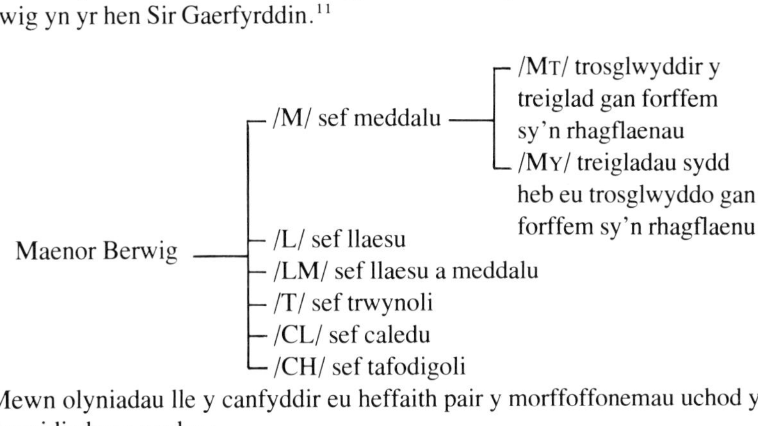

Mewn olyniadau lle y canfyddir eu heffaith pair y morffoffonemau uchod y cyfnewidiadau a ganlyn:

M

/-M^{1}/ cyfnewid ffrwydrolen ddilais ddilynol â sain leisiol homorganig
cyfnewid /d/ ddilynol ag /ð/
cyfnewid /b/ neu /m/ ddilynol ag /v/
cyfnewid /g/ ddilynol â sero
cyfnewid ochrolen ddilais ddilynol â sain leisiol homorganig

/-M^{2}/ cyfnewid ffrwydrolen ddilais ddilynol â sain homorganig
cyfnewid /d/ ddilynol ag /ð/
cyfnewid /b/ neu /m/ ddilynol ag /v/
cyfnewid /g/ ddilynol â sero

/L/ cyfnewid ffrwydrolen ddilais ddilynol â ffrithiolen ddilais yn y man cynanu agosaf

/LM/ cyfnewid ffrwydrolen ddilais ddilynol â ffrithiolen ddilais yn y man cynanu agosaf
cyfnewid /d/ ddilynol ag /ð/
cyfnewid /b/ neu /m/ ag /v/
cyfnewid /g/ a sero
cyfnewid ochrolen ddilais ddilynol ag ochrolen leisiol

/T/ cyfnewid ffrwydrolen ddilais ddilynol â thrwynolen homorganig leisiol

/CL/ dileisir /d/b/g/ ddilynol

/CH/ datblyga sain ffrithiol dafodigol ddilais o flaen y sain ddiffrithiad wefus felar

Sylweddoliad /M[1]/		
/k	>	g/
/p	>	b/
/t	>	d/
/b	>	m/
/g	>	ø/
/ɬ	>	l/

Sylweddoliad /M[2]/		
/k	>	g/
/p	>	b/
/t	>	d/
/d	>	ð/
/b	>	m/

Sylweddoliad /L/		
/k	>	χ/
/p	>	f/
/t	>	θ/

Sylweddoliad /LM/		
/k	>	g/
/p	>	f/
/t	>	θ/
/d	>	ð/
/b	>	v/
/m	>	v/

Sylweddoliad /T/		
/k	>	ŋ/
/p	>	m/
/t	>	n/
/g	>	ŋ/
/b	>	m/
/d	>	n/

Sylweddoliad /CL/		
/g	>	k/
/b	>	p/
/d	>	t/

Sylweddoliad /CH/		
/w	>	χw/

Canfyddir effaith y morffoffonemau yn y cyd-destunau canlynol:
/Mt/ Trosglwyddir y treiglad gan forffem sy'n rhagflaenu.

/M[1]/ Yn dilyn yr arddodiaid rhediadol [ar, am, at, i, o, dan, ʊrθ, eb, dros, tru]; y dangoseiriau [dəma, dəna]; y rhagenwau gofynnol [pʊi]? [ble]? [beθ]?; y rhagenw perthynol [a, na]; y rhagenw blaen ail berson unigol, y rhagenw blaen trydydd person unigol gwrywaidd; y cysyllteiriau [ne] [pan]; y rhifol

[dɒi] [dʊi]; yr ansoddeiriau [rɪu, en, ambɛɬ, ɪnrɪu, əχədig, ʃʊd, oɬ, priv, ɪnig, real, of]; y geirynnau rhagferfol [mi, ve]; enw benywaidd unigol ar ôl y fannod; traethiad enwol ar ôl [si]; yr ansoddair dwyshaol mewn enghreifftiau megis [ən, vɑχ vɑχ] [ən dʊp dʊp]; berf pan fo rhagenw'n ei rhagflaenu fel goddrych; yn dilyn sangiad; ffurfiau benywaidd y trefnolion ar ôl y fannod; enw benywaidd unigol ar ôl trefnolion; [kənta] pan fo enw benywaidd unigol yn rhagflaenu; ar ôl elfen gyntaf cyfansoddair sy'n dilyn y drefn Elfen Ddibynnol + Prif Elfen; ar ôl [bʊti]; gwrthrych berf gryno.
Er enghraifft:

[ər adrɒðjad na i blant]
[mi godon garɛg ər ilud]
[in ne ðɒi]
[sevɛs i bʊiti bedwar miʃ na]

/**M**[2]/ Traethiad ar ôl yr arddodiad [ən]; enw benywaidd unigol ar ôl y rhifol [in]; ansoddair ar ôl [kɪn] [mor] i gyfleu'r radd gyfartal; ar ôl yr adferf [ɬed]; ar ôl y rhagddodiaid [ar-, að-, an-, am-, bʊl-, kid-, dad-/dat-, di-, gɒr-, ʊm-/əm]; ar ôl elfen gyntaf cyfansoddair sy'n dilyn y drefn Prif Elfen + Elfen Ddibynnol pan fo eisiau treiglo'r elfen ddibynnol fel gair ar wahân yn dilyn yr elfen gyntaf.
Er enghraifft:

[dɒi boun]
[oð ɛn ðɪvrivol]
[ɬed debig]
[aðvʊin]
[in gasɛg]

/**M**Y/ Treigladau sydd heb eu trosglwyddo gan forffem sy'n rhagflaenu.
Er enghraifft:

(*a*) *Ymadrodd Enwol yn gweithredu'n adferfol:*
[ganoð o wiθɛ watʃɛs ir bɒis ni]
[bob ʊθnos oð ə pai]

(*b*) *Y cyflwr cyfarchol:*
[vɛrχɛd koduχ]
[vɛχgin dɛuχ]

/**L**/ Ar ôl rhagenw blaen trydydd unigol benywaidd; ar ôl [a] y cysylltair a'r arddodiad; ar ôl yr adferf [na]; ar ôl yr arddodiad [ʃa]; yn achlysurol ar ôl y rhifolion [tri][weχ] a'r arddodiad [gɪda].
Er enghraifft:

[oð i ar i χɛfil]
[trap a foni]
[oð ɛn dod ʃa θre]
[tri χɛfil]

/**LM**/ Treiglir ffurf rediadol y ferf ar ôl y negydd.
Er enghraifft:

[χɒvja i ðɪm enur gair na]
[aɬa i ðɪm sgrivɛni]

/**T**/ Ar ôl y rhagenw blaen cyntaf unigol; [blʊið] [blənɛð]; ar ôl rhifolion [pɪm] [weχ] [saiθ] [ʊiθ] [nau] [deg] [dəiðɛg] [pəmθɛg] [ɪkɛn] [digɛn].
Er enghraifft:

[oð əm mraud ena wedi priodi]
[dɛŋ mlʊið od oð əm mraud].

/**CL**/ O flaen y morffemau rhediadol ansoddeiriol [-ɛd], [-aχ] [-a].
Er enghraifft:

[tɛkaχ]
[tɛka]

/**CH**/ Chwanegir /χ/ o flaen /w/ yn [wedini] ar ôl y cysylltair [a].
Er enghraifft:

[a χwedini on nʊn i neid e]

ASTUDIO CYSTRAWEN

Y nod wrth astudio morffoleg iaith yw dadansoddi cyfluniad gramadegol geiriau. Nod astudiaeth o gystrawen yw dadansoddi cyfluniad gramadegol brawddegau sydd yn cynnwys geiriau, hynny yw, sut y mae geiriau'n cyfuno'n frawddegau.

Nodwyd eisoes yn ystod y drafodaeth hon sy'n cyflwyno fframwaith ar gyfer disgrifio'r Gymraeg, mai un fframwaith bosibl a gyflwynir yma. Y mae fframweithiau eraill, dulliau eraill o ddisgrifio, a chrybwyllwyd yn benodol fframwaith drawsffurfiol Noam Chomsky sydd hefyd wedi denu sylw ieithyddion yng Nghymru. Pwnc cymhleth yw iaith ac y mae cydnabod bodolaeth mwy nag un dull o ddadansoddi iaith yn gydnabyddiaeth o ddisgyblaeth gref; arwydda fod y pwnc yn dal i ddatblygu, yn dal i ddenu sylw ysgolheigaidd, yn dal i oglais ysgolheigion. Ni ellir disgwyl i un fethodoleg ddatgelu holl gyfrinachau pwnc astrus a dylid synio, felly, am y gwahanol ysgolion ieithyddol, y gwahanol fframweithiau dadansoddi fel cymheiriaid, cymheiriaid sy'n pwysleisio gwahanol agweddau ar astudiaethau ieithyddol.

Ar gyfer trafod cystrawen penderfynwyd disgrifio'r dull o ddadansoddi cystrawen a elwir yn RAMADEG SYSTEMIG, sef y dull o ddadansoddi cystrawen a ddatblygwyd yn wreiddiol gan yr Athro M. A. K. Halliday.[12] Nid yw'n hollol annhebyg i ddull paradigmatig Ferdinand de Saussure a grybwyllwyd gennym eisoes, ac, wrth gwrs, nid dyma'r unig fframwaith ddisgrifiadol bosibl ar gyfer astudio cystrawen. Yn wir, gellir canfod amrywiaeth barn ynglŷn â manylion dadansoddi o fewn yr ysgol systemig ei hun, ond er hyn dilyna cynheiliaid y dull yr un fethodoleg sylfaenol, y fframwaith ddisgrifio sydd, yn eu barn hwy, yn gweddu orau i'r agweddau hynny ar astudio iaith a bwysleisir ganddynt.

Efallai mai un o nodweddion amlycaf ieithyddiaeth systemig yw'r pwyslais a rydd i'r wedd gymdeithasegol ar astudiaethau ieithyddol. Y mae gan ieithyddion systemig ddiddordeb arbennig mewn disgrifio amrywiadau cymdeithasol iaith arbennig. Ar gyfer astudio iaith arbennig neu'r amrywiad ar yr iaith honno, dewis yr ieithydd y modd sydd, yn ei farn ef, yn arddangos gliriaf y berthynas rhwng ffurfiau iaith a swyddogaeth gymdeithasol iaith. Fel y gwelsom yn yr adran ragarweiniol nid yw hyn heb ei arwyddocâd i'r athro iaith. Y mae a wnelo'r ieithydd systemig ag astudio iaith arbennig, yr amrywiadau ar iaith arbennig, testunau sy'n perthyn i iaith arbennig, am ei fod yn credu bod gwerth i astudiaethau o'r fath, gwerth ar wahân i astudio nodweddion ieithoedd yn gyffredinol, er nad esgeulusir y wedd honno ar astudiaethau ieithyddol ganddo ychwaith.

Ar y cyfan ychydig o bwyslais a rydd yr ysgol systemig i'r wedd seicolegol ar astudio iaith; y wedd seicolegol, yn hytrach na'r wedd gymdeithasegol, sut bynnag, a bwysleisir gan yr ysgol drawsffurfiol. Synia'r ieithydd systemig am iaith fel un wedd ar ein gweithgarwch, gweithgarwch â phwrpas iddo neu â mwy nag un pwrpas iddo; gweithgarwch â chwlwm rhyngddo a'r sefyllfa gymdeithasol y defnyddir yr iaith ynddi.

Ferdinand de Saussure a bwysleisiodd y gwahaniaeth cysyniadol rhwng *la langue* a *la parole*. Cyffelybodd *la langue* i ddarn o gerddoriaeth a *la parole* i berfformiad o'r gwaith cerddorol hwnnw. Gall perfformiadau gwahanol o'r un darn amrywio'n fawr ond y mae'r gwaith gwreiddiol yn sylfaen gyffredin i bob perfformiad. *La langue* yw'r cyfluniad neu'r wedd sefydlog ar yr iaith sy'n sail i *la parole*, sef y defnydd a wneir o iaith ar achlysur arbennig. Derbyniwyd a mabwysiadwyd y rhaniad hwn o eiddo de Saussure gan yr ysgol systemig a'r ysgol drawsffurfiol fel ei gilydd, ond y mae gwahaniaeth yn eu dehongliad o'r cysyniad. Synia'r naill ysgol a'r llall am *la parole* fel y defnydd a wna person o iaith ar achlysuron arbennig, y sylwedd a gynhyrchir gan y siaradwr (*performance*) yn ôl y trawsffurfwyr, y weithred ieithyddol (*actual linguistic behaviour*) chwedl y systemwyr. Gwahaniaethant, sut bynnag, yn eu dehongliad o *la langue*, y cyfluniad sefydlog sy'n sail i *la parole*: i'r trawsffurfiwr *la langue* yw gwybodaeth person o iaith (*competence*) yr egwyddorion goblygedig sy'n galluogi person sy'n gwybod iaith i adnabod a chynhyrchu olyniadau gramadegol a gwrthod olyniadau anramadegol; i'r systemwyr ar y llaw arall *la langue* yw'r holl ddewisiadau ieithyddol y caniateir i berson ddewis o'u plith gan ei iaith a'i gefndir diwylliannol. I'r trawsffurfwyr y gwahaniaeth rhwng *la langue* a *la parole* yw'r gwahaniaeth rhwng 'gwybod' a 'gwneud'; i'r systemwyr y gwahaniaeth yw rhwng 'y gallu i wneud' neu'r 'posibiliadau ar gyfer gwneud' a 'gwneud'. Yn sylfaenol, eiddo'r unigolyn yw *la langue* y trawsffurfwyr ond y mae'r 'posibiliadau ar gyfer gwneud' yn nodwedd sy'n perthyn i'r gymuned ieithyddol. Y dehongliad hwn o gysyniad *la langue* yw hanfod y fframwaith systemig. Y mae iaith yn caniatáu dewis o blith nifer cyfyngedig o bosibiliadau yn unig, hynny yw, y mae wedi ei threfnu'n system. Dyma darddiad yr enw GRAMADEG SYSTEMIG. Wedi iddo archwilio patrymu'r gwahanol systemau sy'n perthyn i'r iaith dan sylw gall yr ieithydd systemig ystyried nodweddion gwahaniaethol testunau arbennig, cyweiriau arbennig, tafodieithoedd arbennig.

Fframwaith seico–fecanyddol neu seico–systematig Gustave Guillaume (1883–1960) yw sail damcaniaethu'r Athro R. M. Jones yn ei gyfrol *Tafod y Llenor.* Prif ddiddordeb Guillaume yw'r prosesau sy'n rhagflaenu llafar neu fynegiant ieithyddol. Iddo ef uned haniaethol, uned gyfriniol bron, na ellir mo'i gwylio'n uniongyrchol yw *la langue,* cyfres o arferion a ddatblygwyd gan y gymuned ieithyddol yn ei hymwneud â'r cyfanfyd neu'r bydysawd — seicosystem. *Psychosystématique* neu *psychomécanique du langage* yw astudiaeth o'r arferion hynny. Y mae *la langue* yn rhagflaenu *discours* (y term sy'n cyfateb ganddo i *parole* Ferdinand de Saussure) gan nad yw unigolyn, meddai, yn creu iaith o'r newydd bob tro y defnyddia hi.

Y mae a wnelo astudiaethau Guillaumaidd bron yn gyfan gwbl ag ystyr dosbarthau gramadegol. Ychydig o le sydd o fewn y fframwaith i'r rhaniad syncronig/deiacronig fel y synid amdano gan de Saussure, a phrin oedd diddordeb Guillaume mewn astudio olyniadau a oedd wedi eu cynhyrchu eisoes. Anwybyddwyd bron yn llwyr y wedd gymdeithasol ar astudiaethau ieithyddol ganddo, yn ogystal; dyma un o brif ddiddordebau'r ieithydd systemaidd.

Wrth ymdrin â chystrawen yn ôl y dull systemig bydd yr ieithydd yn sefydlu categorïau gramadegol. Categorïau haniaethol ydynt a dywedir bod pedwar categori sylfaenol yn hanfodol ar gyfer disgrifio cystrawen, pedair gradd o haniaethu os mynnir, sef UNED, CYFLUNIAD, DOSBARTH, a SYSTEM.

Uned

Yr UNED yw'r categori a greir gan yr ieithydd ar gyfer disgrifio darnau o iaith sy'n meddu ar batrwm gramadegol. Gweithgarwch patrymog yw iaith ac arwyddocâd hyn yw bod cysondeb i'w ganfod yn y defnydd a wneir o iaith. Yr UNED yw'r categori gramadegol a fabwysiedir gan yr ieithydd ar gyfer disgrifio'r rhannau hynny a fo'n meddu ar batrymau gramadegol. Y mae UNED yn ddarn o iaith sydd yn arddangos patrwm. Rhennir y gwahanol ddarnau patrymog, yr UNEDAU, yn ôl eu maint, ac y mae pob UNED, beth bynnag fo ei maint, yn cynnwys un neu ragor o'r UNED nesaf i lawr.

Gellid cyffelybu UNEDAU mewn cystrawen i unedau mewn mesuryddiaeth megis cilomedrau, medrau, centimedrau, milimedrau ond y mae a wnelo gramadeg ag UNEDAU megis brawddegau a geiriau. Mewn mesuryddiaeth a chystrawen y mae'r unedau llai yn cyfuno i ffurfio unedau mwy; mewn geiriau eraill y mae'r unedau mwy yn cynnwys yr unedau llai.

Diffinir UNED mewn gramadeg trwy graffu ar sut y mae'n cyfuno ag unedau eraill i ffurfio unedau mwy, a thrwy graffu ar yr unedau llai sydd wedi asio ynghŷd i'w ffurfio hithau; mewn geiriau eraill gellir diffinio pob uned trwy astudio'i swyddogaeth yng nghyfluniad uned sy'n fwy na hi, a thrwy astudio ei chyfluniad hi ei hun.

Er bod pob iaith yn cynnwys categori UNED, gall nifer yr unedau y mae'n rhaid eu neilltuo amrywio o iaith i iaith. Yn y Gymraeg y mae angen pum uned sef *brawddeg, cymal, ymadrodd, gair* a *morffem.*

Trefnir yr unedau hyn yn ôl eu maint ar raddfa a elwir yn raddfa o rengoedd.

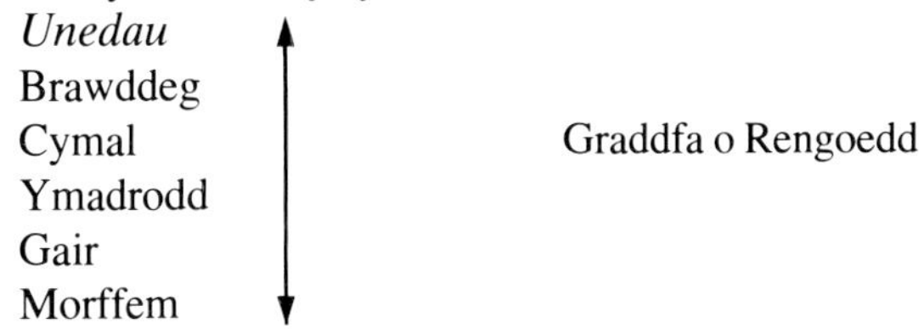

Rhestr o unedau, felly, yw graddfa o rengoedd a'r unedau hynny wedi eu trefnu yn ôl eu maint. Y mae pob uned ar y raddfa, o'r mwyaf hyd at y lleiaf neu o'r uchaf hyd at yr isaf, yn meddu ar berthynas hollol arbennig â'r uned sydd nesaf ati. Yn y Gymraeg, yr un berthynas a geir rhwng brawddeg a chymal ag a geir rhwng cymal ac ymadrodd sydd yr un â'r berthynas rhwng ymadrodd a gair neu rhwng gair a morffem. Arwyddocâd hyn o symud i lawr y raddfa o rengoedd yw bod pob uned yn cynnwys yr uned nesaf i lawr. Ei arwyddocâd o symud i fyny'r raddfa yw bod pob uned yn rhan o'r uned nesaf i fyny.

Yn ôl y dadansoddiad hwn, felly, cynnwys pob brawddeg un neu ragor o gymalau, pob cymal un neu ragor o ymadroddion, pob ymadrodd un neu ragor o eiriau, pob gair un neu ragor o forffemau. Ystyriwn, er enghraifft, frawddegau megis,

(1) ||| Canodd y teliffon ||| (*RB.* 24)
(Defnyddir tair llinell unionsyth i nodi ffin y frawddeg. Cydnabyddir pob enghraifft o ryddiaith ddiweddar a nodir yn y drafodaeth).

Cynnwys enghraifft (1) un cymal. Cynnwys y cymal ddau ymadrodd sef:

Canodd
y teliffon

Cynnwys pob ymadrodd un neu ragor o eiriau:

Canodd	1 gair
y teliffon	2 air

Cynnwys pob gair un neu ragor o forffemau:

Canodd	1 gair	2 forffem
y teliffon	2 air	2 forffem

Cynnwys brawddeg

(2) ||| Tinciodd cloch y crwt o gynorthwywr ||| (*MMA*. 12) un cymal.

Cynnwys y cymal dri ymadrodd:

Tinciodd
cloch
y crwt o gynorthwywr

Cynnwys pob ymadrodd un neu ragor o eiriau:

Tinciodd	1 gair
cloch	1 gair
y crwt o gynorthwywr	4 gair

Cynnwys pob gair un neu ragor o forffemau:

Tinciodd	1 gair	3 morffem
cloch	1 gair	1 forffem
y crwt o gynorthwywr	4 gair	7 morffem

Cynnwys brawddeg

(3) ||| Hen ddiawl hirwyntog oedd y pregethwr bob amser ||| (*CoH*. 109) un cymal.

Cynnwys y cymal bedwar ymadrodd:

Hen ddiawl hirwyntog
oedd
y pregethwr
bob amser

Cynnwys pob ymadrodd un neu ragor o eiriau:

Hen ddiawl hirwyntog	3 gair
oedd	1 gair
y pregethwr	2 air
bob amser	2 air

Cynnwys pob gair un neu ragor o forffemau:

Hen ddiawl hirwyntog	3 gair	5 morffem
oedd	1 gair	1 morffem
y pregethwr	2 air	3 morffem
bob amser	2 air	2 forffem

Gan amlaf gweithreda uned fel rhan o'r uned nesaf i fyny ar y raddfa o rengoedd fel yn yr enghreifftiau uchod. Yn (3) er enghraifft gweithreda'r gair *hen* yng nghyfluniad yr ymadrodd; gweithreda'r ymadrodd *hen ddiawl hirwyntog* yng nghyfluniad y cymal. Ond gall uned newid ei rheng a symud i reng yn is ar y raddfa o rengoedd; ni all symud i reng uwch. Er enghraifft yn y frawddeg

(4) ||| Chwaraeai Gustavchen, a oedd erbyn hyn tua blwydd oed, ar y llawr ger y bwrdd ||| (*C.* 6) y mae'r ymadrodd a fo'n sylweddoli'r goddrych yn cynnwys fel rhan o'i gyfluniad gymal — cymal perthynol — uned o reng uwch nag ef ei hun ar raddfa o rengoedd. Y mae'r uned o reng uwch, felly, wedi symud rheng i weithredu fel rhan o'r ymadrodd. Y mae'r cymal *a oedd erbyn hyn tua blwydd oed,* hynny yw, yn nythu o fewn y cymal *Chwaraeai Gustavchan ar y llawr ger y bwrdd.* Y mae *a oedd erbyn hyn tua blwydd oed* er yn gymal o ran ei gyfluniad yn gweithredu fel rhan o uned lai na hi ei hun.

Ceir enghraifft debyg o symud rheng yn

(5) ||| Dynion dewr, sy'n gwneud gwaith pwysig iawn yw bechgyn y badau achub ||| (*LaL.* 16). Y mae'r cymal *sy'n gwneud gwaith pwysig iawn* yn nythu o fewn y cymal *Dynion dewr yw bechgyn y badau achub.* Er bod *sy'n gwneud gwaith pwysig iawn* yn meddu ar gyfluniad cymal, gweithreda fel rhan o uned yn llai, fel rhan o'r uned ymadrodd.

Cyfluniad

Yr UNED yw'r categori a grewyd ar gyfer disgrifio darnau o iaith y mae iddynt batrymau gramadegol. CYFLUNIAD yw'r categori a neilltuwyd ar gyfer disgrifio'r patrymau hyn. Categori CYFLUNIAD sy'n esbonio sut y gall un uned gynnwys yr uned nesaf i lawr ar y raddfa o rengoedd. Y mae CYFLUNIAD arbennig i'r holl unedau gramadegol ac eithrio'r forffem. Ni ellir CYFLUNIAD i'r forffem gan mai hi yw'r uned ystyrlon leiaf yng ngramadeg yr iaith. Ar lefel ffonoleg gellir haniaethu elfennau llai ond fel yr esboniwyd eisoes arwain hyn ni at elfennau sydd heb ystyr ramadegol neu gyfeiriadol. Y mae yn y Gymraeg, felly, GYFLUNIAD i'r Frawddeg, CYFLUNIAD i'r Cymal, CYFLUNIAD i'r Ymadrodd, CYFLUNIAD i'r Gair. Y mae pob CYFLUNIAD yn cynnwys ELFENNAU. ELFENNAU wedi eu trefnu mewn LLEOEDD yw CYFLUNIAD. Rhaid i bob uned gynnwys o leiaf un CYFLUNIAD sy'n cynnwys mwy nag un LLE. Y mae pob uned yn arddangos amrywiadau ar y CYFLUNIAD posibl. Pan ddisgrifir CYFLUNIAD rhaid trefnu un ELFEN ar gyfer pob LLE. Diffinir pob ELFEN a phob LLE mewn CYFLUNIAD mewn perthynas â'r uned nesaf i lawr.

Wrth ddisgrifio CYFLUNIAD y cymal yn y Gymraeg rhaid wrth bedair ELFEN sef:

G: Y Goddrych
T: Y Traethiedydd
D: Y Dibeniad
A: Yr Ategydd.

Gan ddefnyddio'r arwyddion G, T, D, A, ar gyfer yr ELFENNAU hyn, nodwn rai CYFLUNIADAU sy'n arddangos ELFENNAU'R cymal.

(6) Hawdd | twyllo merch. (*LlA.* 73)
D G

(7) Fo | ydy | brenin y drwgweithredwyr i gyd! (*GT v DG.* 5)
D T G

(8) Gwenodd | Catrin | arno. (CF. 51)
T G A

(9) Yn dy Feibl | y cei di'r gwirionedd. (Marg. 303)
A G

(10) Roedd | y plentyn bach | yn wylo.(C 15)
T < G > T

(11) Chi | ŵyr eich petha. (Ll D 29)
D G

(12) Rydw i wedi parchu | dy ddymuniadau di | ar hyd y blynyddoedd. (*DFA.* 158)
T - <G> - T D A

(Dynoda'r cromfachau onglog < > fod yr elfen o'u mewn yn digwydd yng nghanol elfen arall).

Digon yw'r enghreifftiau uchod i ddangos bod cymal o fath arbennig yn meddu ar gyfluniad o batrwm arbennig megis DG, DTG, TGA etc. Y mae cyfyngiadau pendant ar y patrwm, er enghraifft un D yn unig a ellir mewn cymal; un G yn unig a ellir mewn cymal; ni raid wrth T mhob cymal. Nid ar fympwy y dewisir y patrwm; o'i newid ceid olyniad anramadegol. Rhaid i ddisgrifiad o'r cymal, ac o bob uned arall, nodi pa elfennau yn union a fo'n rhan o'r patrwm; rhaid iddo egluro'r berthynas rhwng yr elfennau a'i gilydd a nodi unrhyw gyfyngiadau a fo'n perthyn i'r elfennau hyn.

Am ein bod yn rhannu'r cymal yn bedair ELFEN gallwn nodi fod i'r CYFLUNIAD bedwar LLE. Llenwir pob LLE yn y CYFLUNIAD gan ELFENNAU. Gellir, felly, ddisgrifio'r cymal fel cyfuniad o'r pedair elfen, G, T, D, A mewn pedwar LLE gwahanol. (Wrth restru'r elfennau a fo mewn cyfluniad rhoir atalnod rhwng pob arwydd. Hepgorir yr atalnod pan gyfeirir at gyfluniad arbennig neu at gyfuniad arbennig o'r elfennau a fo'n ffurfio'r cyfluniad. Felly, yr elfennau yng nghyfluniad y cymal yw G, T, D, A ond DG yw cyfluniad (6), DTG yw cyfluniad (7).

Y mae G, T, D, A yn ELFENNAU sy'n cyfuno yn ôl patrwm arbennig i ffurfio un math o gyfluniad gramadegol yn y Gymraeg, CYFLUNIAD y cymal.

YMADRODDION yw'r enw ar yr unedau sy'n llanw'r lleoedd yng nghyfluniad y cymal. Sylweddolir y Traethiedydd yng nghyfluniad y cymal gan Ymadrodd Berfol. Sylweddolir yr Ategydd yng nghyfluniad y cymal gan Ymadrodd Adferfol. Sylweddolir y Goddrych a'r Dibeniad yng nghyfluniad y cymal gan Ymadrodd Enwol. Yr ELFENNAU yng nghyfluniad yr Ymadrodd Enwol yw,

p: *y pen,* sef y ffurf na ellir mo'i hepgor o'r olyniad. Enw a fydd yn sylweddoli'r pen yn aml iawn a dyma darddiad yr enw Ymadrodd Enwol.

g: *y goleddfydd,* sef y ffurf o gyfluniad gair sy'n dilyn neu'n rhagflaenu'r pen ac sydd yn ddibynnol ar y pen.

c: *y cyfyngydd,* sef y cymal perthynol neu'r ymadrodd arddodiadol sy'n dilyn y pen ac sydd yn ddibynnol ar y pen.

Er enghraifft, y mae i'r ymadrodd enwol yn y frawddeg,

(13) Cododd y bibell a oedd wedi disgyn

gyfluniad sy'n cynnwys tri lle,

Goleddfydd	*Pen*	*Cyfyngydd*
y	bibell	a oedd wedi disgyn

Pibell yw'r ffurf na ellir mo'i hepgor o'r frawddeg. O'i hepgor ceir yr olyniad anramadegol *Cododd y a oedd wedi disgyn.* Y mae'r goleddfydd a'r cyfyngydd yn ddibynnol ar y pen, yn ddibynnol ar *pibell.* Gellir yr olyniad derbyniol *Cododd a oedd wedi disgyn* ond wedyn nid yr un math o gyfluniad y byddai a wnelom ag ef wrth ddadansoddi. Rhaid priodoli statws ymadrodd enwol i *a oedd wedi disgyn* yn y frawddeg *Cododd a oedd wedi disgyn;* y mae'n sylweddoli naill ai'r elfen D neu'r elfen G yng nghyfluniad y cymal. Yn (13) sut bynnag elfen yng nghyfluniad yr ymadrodd yw *a oedd wedi disgyn.*

Yn y brawddegau,

(14) Defnyddiwyd *yr holl ddynion a oedd ar gael.* (*Add.* 50).

(15) *Yr unig anifail a welai* oedd ambell gi na haeddai ei sylw. (*B.* 54)

y mae i'r ddau ymadrodd enwol a italeiddiwyd gyfluniad sy'n cynnwys pedwar lle. Yn y naill a'r llall digwydd dwy enghraifft o'r elfen goleddfydd, un enghraifft o'r elfen pen ac un enghraifft o'r elfen cyfyngydd:

yr	holl	ddynion	a oedd ar gael
yr	unig	anifail	a welai
g	g	p	c

Yn y frawddeg,

(16) *Noson oer wyntog* oedd hi. (*PMC.* 7)

y mae i'r ymadrodd enwol a italeiddiwyd gyfluniad a fo'n cynnwys tri lle. Digwydd un enghraifft o'r elfen pen a dwy enghraifft o'r elfen goleddfydd:

noson	oer	wyntog
p	g	g

Yn y frawddeg,

(17) Cefais *ysgytwad.*

y mae i'r ymadrodd enwol a italeiddiwyd gyfluniad sy'n cynnwys un lle yn unig, un enghraifft o'r elfen pen.

Y mae g, p, c eto yn elfennau sy'n cyfuno yn ôl patrwm arbennig i ffurfio math arall o gyfluniad gramadegol yn y Gymraeg, cyfluniad yr YMADRODD ENWOL.

Y mae'r brawddegau isod yn enghreifftio math arall o gyfluniad gramadegol, cyfluniad y frawddeg:

(18) Bloeddiasant yn ddibaid hyd nes i'r seindorf ddechrau chwarae. (*C.* 11)

(19) Fe dorrodd y llinyn cyn iddo gyrraedd. (*G*. 26–7)
(20) Os agori di dy geg, mi fydda i'n i chau hi am byth. (*LlA*. 137)
(21) Gyda bod hwnnw wedi mynd fe gydiodd yntau yn ei het. (*DyP*. 35)
Cynnwys cyfluniad y brawddegau hyn ddau le. Llenwir un lle gan elfen isradd sef elfen ddibynnol neu elfen glymedig y cyfluniad; llenwir y lle arall gan brif elfen, sef elfen annibynnol neu rydd y cyfluniad. Defnyddir yr arwydd α i ddynodi prif elfen cyfluniad a'r arwydd ß i ddynodi elfen isradd cyfluniad:

Bloeddiasant yn ddibaid	hyd nes i'r seindorf ddechrau chwarae.
Fe dorrodd y llinyn	cyn iddo gyrraedd.
Os agori di dy geg	mi fydda i'n i chau hi am byth.
Gyda bod hwnnw wedi mynd	fe gydiodd yntau yn ei het.

α ß yw patrwm cyfluniad (18), (19); ßα yw patrwm cyfluniad (20), (21).

Yn ogystal â didoli'r gwahanol gyfluniadau ymhob uned, a'r elfennau sy'n rhan o'r cyfluniadau hynny, rhaid rhoi cyfrif am y ffaith bod pob elfen mewn cyfluniad yn awgrymu math o ddewis — yr hyn y mae hi'n bosibl i ni ei ddewis a'r hyn nad yw hi'n bosibl i ni ei ddewis. Er enghraifft, ar gyfer yr elfen goddrych yng nghyfluniad y cymal gallwn naill ai ddewis ymadrodd enwol rhif unigol neu ymadrodd enwol rhif lluosog; ni allwn ddewis ymadrodd berfol. I drafod dewisiadau o'r math hwn rhaid wrth y ddau gategori sylfaenol DOSBARTH a SYSTEM.

Dosbarth

DOSBARTH yw'r categori a ddefnyddir ar gyfer disgrifio'r holl eitemau hynny y mae'n bosibl iddynt weithredu yn yr un modd yn union mewn cyfluniad arbennig. Mewn cymal megis,

Cnodd y ci'r asgwrn yn wancus

ceir pedair elfen yn y cyfluniad:

Cnodd	y ci	'r asgwrn	yn wancus
T	G	D	A
1	2	3	4

Y mae'n amlwg mai'r un yw cyfluniad elfennau 2 a 3 yn y cymal hwn. Felly, er cydnabod pedair elfen yng nghyfluniad y cymal rhaid wrth dri DOSBARTH o'r uned 'ymadrodd' ar gyfer ei ddisgrifio gan fod un o'r dosbarthau yn gallu gweithredu mewn dau le yng nghyfluniad y cymal. Crybwyllwyd y tri DOSBARTH o ymadrodd eisoes,

Ymadrodd Enwol	sy'n gallu gweithredu fel Goddrych neu Ddibeniad yng nghyfluniad y cymal
Ymadrodd Berfol	sy'n gallu gweithredu fel Traethiedydd yng nghyfluniad y cymal
Ymadrodd Adferfol	sy'n gallu gweithredu yn safle'r Ategydd yng nghyfluniad y cymal

Rhaid i'r holl eitemau a gynhwysir mewn DOSBARTH berthyn i'r un uned neu ni feddant ar yr un posibiliadau cyfluniadol. Felly gall y DOSBARTH 'ymadrodd berfol', DOSBARTH o'r uned 'ymadrodd' weithredu fel traethiedydd yng nghyfluniad y cymal; gall y DOSBARTH 'enw' o'r uned 'gair' weithredu fel pen yr ymadrodd enwol. Gall y nifer o eitemau a fynnir berthyn i ddosbarth o'r fath a chynrychioli'r set gyflawn y gellir dewis ohonynt. Y mae'n dra thebygol y byddai'r eitemau *y mae, bydd, yr oedd, bu, canodd, eisteddodd, nofiaf* yn cynrychioli'r elfen T yng nghyfluniad y cymal. Ar sail hynny gallwn eu priodoli, ynghyd ag eitemau tebyg iddynt, i'r un DOSBARTH. Gelwir y DOSBARTH hwn o eitemau, DOSBARTH sydd gan amlaf yn cynrychioli'r elfen T, yn YMADRODD BERFOL. Yn gyffelyb, y mae'n debygol mai cynrychioli'r elfen A yng nghyfluniad y cymal a wnai'r eitemau *ychwaith, achlân, eisoes.* Ar sail hyn gallwn eu priodoli, ynghyd ag elfennau tebyg iddynt, i'r un DOSBARTH. Gelwir y DOSBARTH hwn o eitemau, DOSBARTH sydd gan amlaf yn cynrychioli'r elfen A, yn YMADRODD ADFERFOL. Gwahaniaetha DOSBARTH felly rhwng yr hyn y gellir ei ddewis a'r hyn na ellir ei ddewis. Y mae'n rhoi cyfrif mewn geiriau eraill am berthynas baradigmatig neu gymrodol mewn iaith.

System

Er mwyn i'r gair dewis fod yn ystyrlon o gwbl rhaid bod mwy nag un posibilrwydd; rhaid bod nifer derfynol o bosibiliadau y gellir dewis ohonynt a bod y dewis a wneir yn bwysig. Dyma swyddogaeth y SYSTEM.

Os oes modd dangos, mewn man arbennig mewn cyfluniad, fod yr iaith yn caniatáu dewis o blith nifer fechan o bosibiliadau y mae gennym SYSTEM. Rhestr o'r posibiliadau sy'n bosibl yng ngramadeg iaith yw SYSTEM. Termau'r system yw set o bosibiliadau o'r fath, y dewisiadau yn y system. Er enghraifft, gellir lleoli man mewn cyfluniad arbennig yn y Gymraeg lle y mae'r dewis rhwng *oes* a *yw* yn unig. Ffurfia'r ddwy eitem hyn system sydd ynghlwm wrth gyfluniad arbennig lle y gallant hwy'n unig weithredu. I fanylu ymhellach gellid crybwyll rhai o'r dewisiadau sy'n bosibl yng nghyfluniad yr Ymadrodd Berfol yn y Gymraeg.

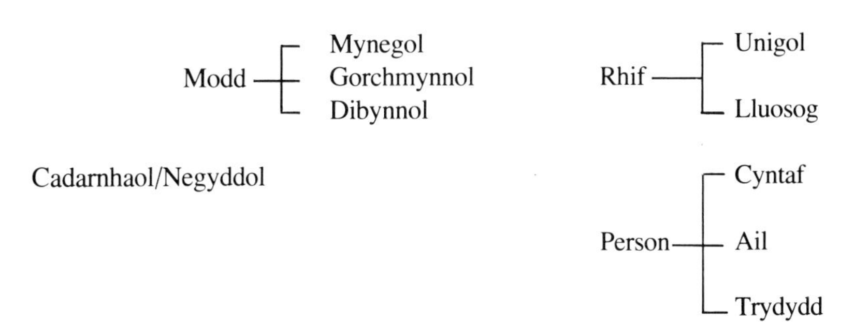

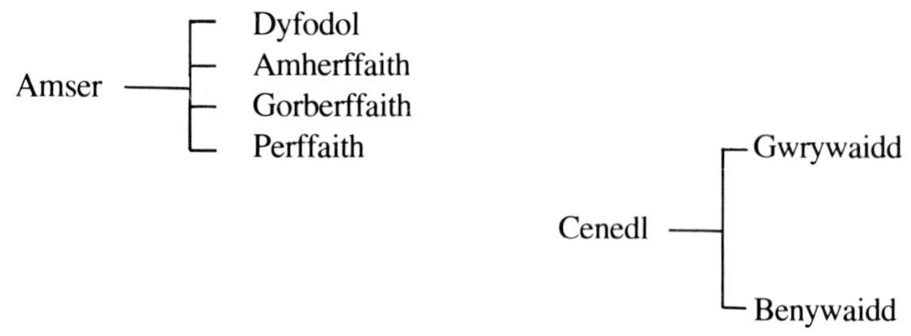

Perthyn tair nodwedd hanfodol i bob SYSTEM:

i. Y mae gwneud un dewis yn cau allan bob dewis arall. Er enghraifft, y mae'r ddau derm yn system cenedl yn cau ei gilydd allan; os yw term yn wrywaidd ni all fod yn fenywaidd. Y mae dewis y term gwrywaidd yn y system yn cau allan bob dewis arall.

ii. Perthyn nifer derfynol o dermau i bob system ac y mae'r holl dermau sy'n cau ei gilydd allan wedi eu cynnwys yn y system. Ni chynhwysir ymhlith termau'r system, dermau nad ydynt yn cau ei gilydd allan. Er enghraifft, yn y dewis cadarnhaol/negyddol, y mae'r ffaith ein bod yn dewis y term cadarnhaol yn cau allan y term negyddol yn unig. Termau sy'n cau ei gilydd allan yn unig a gynhwysir ymhlith termau'r system. Nid yw'r dewis cadarnhaol/negyddol yn cynnwys y term unigol, gan nad yw dewis y term unigol yn cau allan y termau cadarnhaol/negyddol.

iii. Y mae ystyr pob term yn y system yn dibynnu ar ystyr y termau eraill yn y system. Os newidir ystyr un o dermau'r system, newidir yn ogystal ystyr y termau eraill yn y system. Er enghraifft, y mae dau derm i system rhif mewn Cymraeg Diweddar. Yr oedd, gynt, rif deuol yn ogystal. Y mae ystyr wahanol i'r term *lluosog* mewn system a fo'n cynnwys tri therm i'r hyn sydd iddo mewn system a fo'n cynnwys dau derm. Mewn system dau derm ystyr *lluosog* yw 'mwy nag un'; mewn system tri therm ystyr *lluosog* yw 'mwy na dau'.

Gellir trefnu system, dosbarth a chyfluniad ar raddfa wedi ei threfnu yn ôl manylrwydd. MANYLRWYDD yw'r cam nesaf yn ein dull o ddadansoddi. Y mae a wnelo MANYLRWYDD â manylder ein disgrifio. Y nôd yw manylu nes bod dadansoddi gramadegol pellach yn peidio â bod yn bosibl. Er enghraifft, y gwahanol elfennau yng nghyfluniad yr ymadrodd enwol yw p, g, c. Dyma ein manylrwydd cynradd, sef y manylrwydd brasaf posibl. Gallwn ddechrau manylu ymhellach ar y gwahanol elfennau yng nghyfluniad yr ymadrodd enwol trwy gymhwyso'r radd manylrwydd i gynnwys unrhyw gyfluniadau eilradd a fo'n bresennol; yr ydym yn dal ar yr un rheng. Er enghraifft, gellid dechrau manylu ar ddosbarthiad goleddfwyr yr ymadrodd enwol yn y dull isod:

g1 y goleddfwyr hynny sy'n digwydd *o flaen* y pen.
g2 y goleddfwyr hynny sy'n digwydd *ar ôl* y pen.
g3 y goleddfwyr hynny sy'n digwydd *o flaen* ac *ar ôl* y pen.

Dyna ddechrau ar ddadansoddi cyfluniadol eilradd:

dau	grwban	
g1	p	
crwban	bach	
p	g2	
hen	grwban	bach
g1	p	g2

y crwban hwn
g3- <p>- g3

yr hen		grwban	bach	melyn	hwn	
g	g	p	g	g	g	*manylrwydd cynradd*
g3-<g1		p	g2	g2>	-g3	*yr ail fanylrwydd*

Gellir parhau i gymhwyso'r radd manylrwydd yn y dull hwn nes i ni fethu â dadansoddi ymhellach ar lefel gramadeg, hynny yw nes i ni fethu â llunio systemau.

Cais yw'r amlinell isod i arddangos graddfa manylrwydd ar lun tabl[13]:

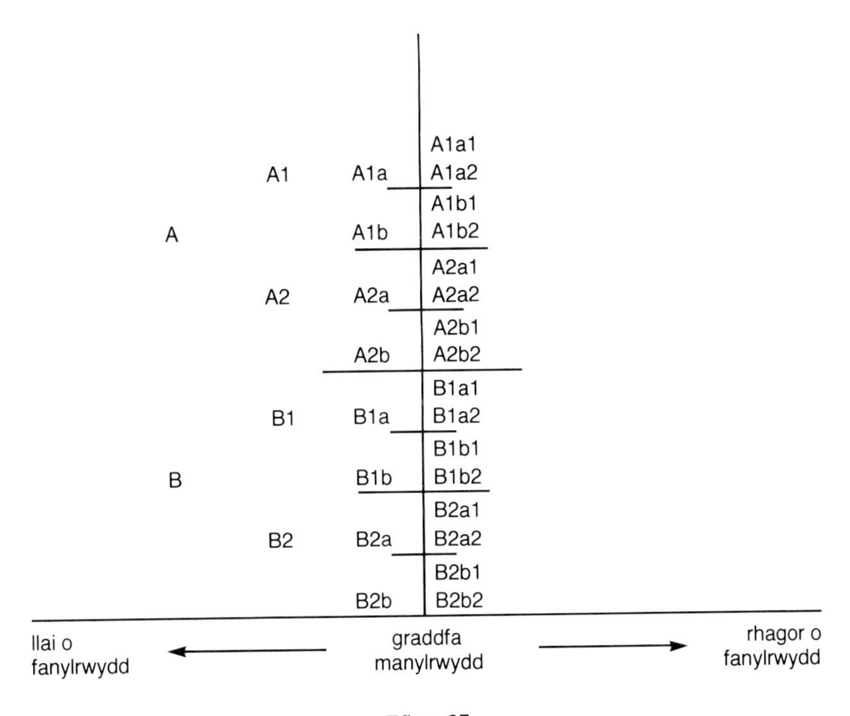

Ffigur 27

SYLWEDDOLIAD yw'r raddfa sy'n cysylltu'r categorïau haniaethol â'r deunydd. Y deunydd, yn y pen draw, yw ffurf ysgrifol neu seinegol y geiriau a haniaethir yn y categorïau a ddisgrifiwyd eisoes. Eitem ffurfiol y gelwir y ffurfiau ysgrifol neu seinegol sy'n ffurfio'r deunydd. Gellir symud ar unwaith oddi wrth bob categori at yr eitem ffurfiol sy'n eu sylweddoli. Er enghraifft, gellir dweud bod *yr hen grwban bach melyn hwn* yn enghreifftio sylweddoliad o D yng nghyfluniad y cymal. Y mae *crwban* yn yr un modd yn enghreifftio sylweddoliad Dosbarth o Enwau. Ni ellid honni, sut bynnag, fod *yr hen grwban bach melyn hwn* yn disgrifio'r elfen D, na bod *crwban* ychwaith yn disgrifio'r Dosbarth o Enwau, oherwydd trwy gyfeirio at Sylweddoliad D neu at Sylweddoliad Dosbarth o Enwau heb fod hynny'n hollol hanfodol yn y dadansoddiad, nid ydys eto wedi cwblhau'r dadansoddiad gramadegol; nid ydys eto wedi gwneud datganiad cyffredinol ynglŷn â gramadeg yr iaith. Yr eitem ffurfiol yw terfyn eithaf gramadeg, a rhaid cyrraedd ati trwy symud fesul cam o'r naill gategori at y llall i lawr graddfa Sylweddoliad nes dod at y Sylweddoliad terfynol, hynny yw, at yr eitem ffurfiol ei hun. Gall yr eitem ffurfiol fod naill ai'n air neu'n forffem. Pan fo dadansoddiad gramadegol wedi cyrraedd at y man hwn ni ellir dadansoddi ymhellach yn ramadegol a rhaid troi at eireg.

Bu llawer o'r drafodaeth hon yn haniaethol. Y pwynt hanfodol i'w gofio yma yn awr yw mai categorïau damcaniaethol y gellir eu cymhwyso ar gyfer disgrifio pob iaith yw UNED, DOSBARTH, CYFLUNIAD a SYSTEM a dylai unrhyw drafodaeth ar gystrawen y Gymraeg sy'n dewis dilyn y fframwaith ddisgrifiadol hon anelu at ddarganfod, diffinio ac arddangos enghreifftiau o'r categorïau hyn.

Er dweud uchod fod pedair elfen yng nghyfluniad y cymal gwyddys bod yn rhaid cydnabod un elfen arall yn ogystal. Geilw'r ieithyddion hynny a fo'n trafod y Saesneg y bumed elfen hon yn elfen Z, sef elfen na ellir ar dir cystrawen gyfreithloni ei dynodi fel GODDRYCH nac fel DIBENIAD. Er enghraifft yr elfen gyfarchol yn y brawddegau canlynol:

Codwch	blant
T + G	Z

Ferched	eisteddwch
Z	T + G

Dynodir yn ogystal, yr elfennau hynny a all weithredu fel D ac fel G, fel D yn y brif frawddeg ac fel G yn y frawddeg gynwysedig, fel elfen Z.

Roedd e wedi clywed y ferch yn canu

T + G	D	
	G/Z	T

Cawn i'r dyn fynd

T + G	D	
	G/Z	T

I grynhoi, mewn astudiaeth o gystrawen astudir yr egwyddorion a'r dulliau a ddefnyddir ar gyfer llunio brawddegau mewn ieithoedd arbennig. Nod astudiaeth o gystrawen yw llunio gramadeg — gellid synio amdano fel peiriant sy'n abl i roi cyfrif am frawddegau'r iaith yr ydys yn ei hastudio.

ASTUDIO GEIREG

Wedi disbyddu'r dadansoddiad gramadegol fel na ellir rhannu'n ramadegol mwyach troir at EIREG. Astudio'r elfennau gramadegol hynny y mae iddynt ystyron geiriadurol ac sy'n cyflawni swyddogaeth eirfaol a wneir ar lefel geireg. Perthyn cyfluniad arbennig a chymhleth i'r unedau a astudir ar lefel ffonoleg, morffoleg a chystrawen; eithr yn wahanol i'r unedau morffolegol a chystrawennol, nid oes unrhyw ystyr gyfeiriadol i'r unedau a astudir ar lefel ffonoleg. Gallwn synio am ramadeg fel ychydig o eitemau a fo'n meddu ar gyfluniad cymhleth, ac am eireg fel llu o eitemau yn meddu ar gyfluniad go syml. Ni ellir cyfundrefnu ystyr eitemau geiriol yn unedau cyfluniadol eglur yn yr un modd ag a wneir ar lefel ffonoleg, morffoleg a chystrawen, oherwydd nid yw natur geireg, gan amlaf, yn caniatáu dosbarthu mor ddestlus. Problem yr ieithydd wrth geisio disgrifio iaith yw adnabod a rhoi cyfrif am bob dewis posibl gan anelu at wneud datganiad grymus a fydd yn cwmpasu pob dewis posibl. Rhaid iddo wahaniaethu rhwng gramadeg a geireg oherwydd nifer y posibiliadau sy'n codi. Ar lefel gramadeg y mae nifer neu rif y posibiliadau yn gyfyng, er enghraifft, gellir dewis rhwng rhif unigol neu rif lluosog, rhwng cenedl wrywaidd neu genedl fenywaidd, rhwng y treiglad meddal neu'r treiglad trwynol neu'r treiglad llaes neu gytsain gysefin, rhwng brawddeg gadarnhaol neu frawddeg negyddol, etc. Ond gall y posibiliadau geiriol fod yn ddiderfyn bron, y maent yn set agored; er enghraifft, mewn cymal megis *Eisteddodd ar y . . .* y mae nifer yr eitemau a all ddilyn y fannod bron yn ddirifedi, *bwrdd, cadair, stôl, sedd, ceffyl, mul, llawr, bocs, cae, gwair, clawdd, march, ffin, car,* etc. Heb i ni wybod y cyd-destun yn ddigon manwl amhosibl dweud pa eitem a fyddai'n debygol o ddilyn y fannod. Mewn olyniad megis *Tynnwch eich . . . o'r ymenyn* y mae'n fwy tebygol y dewisid o blith nifer llai o eitemau ar gyfer llenwi'r bwlch. Ar gyfer llenwi'r bwlch mewn olyniad megis *Cyrhaeddodd â'i wynt yn ei . . .* un dewis yn unig sy'n bosibl.

Wrth astudio Geireg, fel yr awgrymir gan yr enghreifftiau hyn, rhaid holi 'Faint o duedd sydd i un eitem eiriol gyfuno ag eitem eiriol arall?', 'Pa gyfyngiadau a geir ar eitemau yn cyfuno â'i gilydd?'

Pan fo rhyw eitem eiriol yn debygol o ddigwydd yng nghyffiniau eitem eiriol arall dywedir eu bod yn *cyd-ddigwydd.* Ar lefel Geireg y ceisir darganfod y wybodaeth ynglŷn â thebygolrwydd cyd-ddigwyddiad eitemau geiriol. Yn ddiweddar y mae ieithyddion wedi dechrau defnyddio'r cyfrifiadur i astudio cyd-ddigwyddiad ac y mae hyn sicr o ddatgelu llawer o wybodaeth werthfawr ynglŷn â chyd-ddigwyddiad eitemau geiriol. Hanfod y gwahaniaeth rhwng gramadeg a geireg yw hyn. Y mae a fynno gramadeg â dewisiadu o blith setiau cyfyng lle y mae ffin bendant rhwng yr hyn sydd yn bosibl a'r hyn sydd yn amhosibl. Y mae a fynno geireg â dewisiadau lle y mae'r naill bosibilrwydd yn fwy tebygol na'r llall. Gellir arddangos y berthynas sy'n bodoli rhwng y lefelau dadansoddi yn y dull isod:

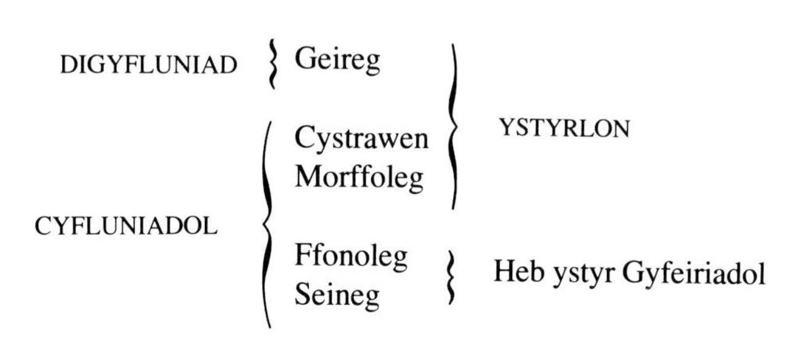

ASTUDIO SEFYLLFA

SEFYLLFA yw'r sefyllfa y defnyddir yr iaith ynddi ac y mae ystyr darn o iaith yn amrywio ychydig yn ôl y sefyllfa y defnyddir hi ynddi.

Nid yw rhaniadau Sefyllfa mor amlwg ag eiddo Ffurf a Sylweddoliad ond awgrymwyd rhannu sefyllfa yn THESIS, SEFYLLFA UNIONGYRCHOL a SEFYLLFA EHANGACH.

Thesis olyniad yw pwnc neu wrthrych y trafod. Er enghraifft, y mae thesis yr olyniad,

Daeth y myfyriwr o'i wely

yn cynnwys a a'r weithred o symud neu o godi.

Y sefyllfa uniongyrchol yw'r sefyllfa yr ynganwyd yr olyniad ynddi. Defnyddir y frawddeg uchod, er enghraifft, gennyf i mewn darlith o bryd i'w gilydd i egluro israniadau sefyllfa. Ar yr achlysur hwnnw sefyllfa uniongyrchol ynganu'r olyniad yw egluro cysyniad ieithyddol i ddosbarth o fyfyrwyr.

Cynnwys y sefyllfa ehangach bob peth ym mhrofiad y gwrandawr neu'r darllenydd sy'n peri iddo ddehongli'r olyniad mewn ffordd arbennig. Y mae'r ddarlith ar ieithyddiaeth am naw o'r gloch ar fore Llun, awr draddodiadol atgas i fyfyrwyr. Galluoga hyn y dosbarth i ddehongli'r olyniad fel sylw amserol.

Deallwyd y frawddeg gan y dosbarth mewn tair ffordd wahanol. Gallent gysylltu'r frawddeg â'u gwybodaeth o israniadau sefyllfa. Deallwyd thesis yr olyniad gan y dosbarth; deallwyd nad rhoi gwybodaeth am arferion boreol myfyrwyr oedd nod y neges, ond cais yn hytrach i egluro cysyniad ieithyddol sefyllfa; deallwyd gan y dosbarth o'u gwybodaeth o'r sefyllfa ehangach fod yr olyniad yn sylw amserol.

ASTUDIO CYD-DESTUN

Cafodd astudio Ffurf lawer mwy o sylw gan ieithyddion nag astudio CYD-DESTUN, sef yr enw a ddefnyddir yn y fframwaith a fabwysiadwyd gennym ni, ar gyfer sôn am y berthynas rhwng iaith a digwyddiadau a gwrthrychau'r byd oddi allan. Lefel gyfryngol yw cyd-destun sy'n cysylltu neu'n pontio ffurf a sefyllfa (gw. yr amlinell t. 119). Y mae cyd-destun yn bras gyfateb i 'ystyr' ac y mae astudio ystyr yn gwbl sylfaenol i astudiaeth o iaith.

Y mae ieithyddiaeth systemig yn gwahaniaethu rhwng dau fath o ystyr: YSTYR GYD-DESTUNOL ac YSTYR FFURFIOL.

YSTYR GYD-DESTUNOL

Ystyr gyd-destunol yw'r berthynas neu'r cwlwm rhwng eitem ffurfiol dyweder, ac elfen o sefyllfa, hynny yw rhwng eitem ffurfiol a rhywbeth sydd y tu allan i'r iaith, rhywbeth sy'n perthyn i'r byd oddi allan.

Mabwysiadwyd rhaniad triphlyg wrth astudio sefyllfa sef thesis, ystyr uniongyrchol ac ystyr ehangach. Y wedd symlaf ar ystyr efallai yw'r berthynas rhwng yr eitem ffurfiol ac elfen o thesis. Er enghraifft y mae i'r eitem eiriol *car* ystyr gyd-destunol. Yr ydym ni, y gymuned Gymraeg ein hiaith, yn arfer cysylltu'r eitem *car* â gwrthrych ar ffurf . Y berthynas rhwng yr eitem *car* a gwrthrychau o fath  yw'r cysylltiad arferol a wneir gan y Cymro rhwng y naill a'r llall, rhwng yr olyniad neu'r eitem eiriol ac elfen o thesis. Cyffelyb yw'r berthynas rhwng yr eitem ieithyddol *ci* ac elfen o thesis ; gall y berthynas rhwng yr eitem ac elfen o thesis fod yn fwy cymhleth; y mae, er enghraifft, gwlwm rhwng yr eitem ieithyddol *ciaidd* nid yn unig â ond â pherson  neu greadur arall  . Y mae'r berthynas ym mhob achos rhwng eitem ieithyddol a rhywbeth sy'n rhan o sefyllfa'r iaith, yn hytrach nag yn rhan o'r iaith.

Y mae a wnelo ystyr gyd-destunol yn ogystal, â'r berthynas rhwng eitem ieithyddol ac elfennau o sefyllfa uniongyrchol. Gellir cysylltu'r eitemau ieithyddol *lefren, bodan, pisyn, merch, geneth,* â'r un elfen o thesis  ,

ond gellir cysylltu *lefren, bodan, pisyn* â math gwahanol o sefyllfa uniongyrchol i eiddo *merch, geneth*. Pan ddefnyddir yr eitemau *lefren, bodan, pisyn* nodweddir y sefyllfa uniongyrchol, gan amlaf, gan anffurfioldeb, perthynas agos rhwng y siaradwr a'r derbynnydd, ac awgrymir, o bosibl, bod y siaradwyr yn perthyn i'r un dosbarth cymdeithasol. Gwelir hyn yn y darn agoriadol o'r ddrama radio *Broc Môr*.[15]

IFOR (*Yn galw o bell*): Robin! Hei, Robin! Aros . . .
ROBIN: Tyrd yn dy flaen.
IFOR (*Sŵn traed yn agosáu*): Tydi'n uffernol o boeth, d'wad? Mae'n fest a 'nhrons i'n wlyb reit. Chwysu fel diawl.
ROBIN: Tynna nhw, 'ta.
IFOR: Fydda i fewn yn y môr 'na heno iti. Yn nofio fel chwaden fach.
ROBIN: Chwaden blastig!
IFOR: Meddylia was . . . gorwedd ar y traeth hefo lefrod . . . Ti'n gwybod . . . heno.
ROBIN: Ia.
IFOR: Ga' i ddod hefo ti — ti'n meddwl?
ROBIN: Yn y car?
IFOR: Ia.
ROBIN: Wel . . . mae gen i rywun yn barod, a deud y gwir . . .
IFOR: O . . . Meddwl oeddwn i byddet ti eisio cwmni . . . Pwy sy'n dod hefo ti?
ROBIN: Rhywun.
IFOR: Pwy? Y fodan scŵl tichar 'na.
ROBIN: Ia.
IFOR: Rêl hen gi wyt ti. Be ydi honna da i ti? Blaw hynny, roeddwn i'n meddwl mai fodan dy frawd ydi hi.
ROBIN: Wn i. Diawl, rhoi lifft iddi ydw i, dyna i gyd! Mae gang yr aelwyd i gyd yn mynd.
IFOR: Pam na ga' i lifft 'ta? Rydw i'n un o'r gang.
ROBIN: O.K. Gei di.
IFOR: Wyt ti'n meddwl y daw Angharad — ti'n meddwl?
ROBIN: Go brin.
IFOR: Sbio ar y blydi môr fydda i eto heno . . . Hefo'r Sais 'na fydd hi, mae'n siwr.
ROBIN: Am wn i.
IFOR: Fyddi di'n iawn hefo'r Rhiannon 'na. Uffar o bisyn. Ma nhw'n dweud fod lefrod coleg 'ma'n betha poeth iawn.

Y mae'r defnydd o *merch, geneth,* gan amlaf, yn awgrymu bod y sefyllfa uniongyrchol yn fwy ffurfiol.

Enghreifftir y trydydd math o ystyr gyd-destunol, sef rhwng eitem ieithyddol ac elfen o sefyllfa ehangach gan eitemau megis *roc, gwerin, grŵp, reggae, disco.* Y mae sefyllfa ehangach siaradwr yn awgrymu ei fod naill ai'n perthyn i'r genhedlaeth ifanc neu'n ymwneud cryn dipyn â ieuenctid. Y mae'r berthynas driphlyg sy'n bosibl rhwng eitem ieithyddol a sefyllfa yn golygu y gellir dewis eitem ieithyddol arbennig er mwyn cyfleu gwybodaeth o fath arbennig.

Yn sgîl y cwlwm sy'n bod rhwng yr eitem ieithyddol ac elfennau o sefyllfa, y mae dewis yr eitem *lefren* yn cyfleu tair uned wahanol o wybodaeth. Yn y lle cyntaf, cyflea'r eitem *lefren* fod y siaradwr yn meddwl am berson ar ffurf  . Gellir arddangos[16] y modd y cyfleir y wybodaeth yn y dull isod,

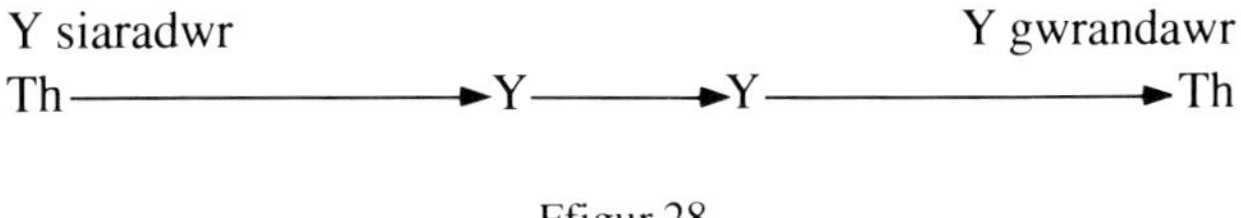

Ffigur 28

Synia'r siaradwr am elfen o thesis (Th), yn yr achos hwn y gwrthrych ac yngana'r eitem (Y), sef *lefren* sy'n gysylltiedig â'r gwrthrych. Y mae'r gwrandawr neu'r derbynnydd yn clywed yr eitem ac yn meddwl ar unwaith am y gwrthrych hwnnw. Y mae'r siaradwr wedi llwyddo i drosglwyddo ei syniad i'r gwrandawr; gall wneud hynny am ei fod ef a'r gwrandawr, fel ei gilydd, yn gallu cysylltu'r eitem a'r gwrthrych. Fe'u galluogir i ffurfio'r cysylltiad am eu bod, ill dau, yn gwybod am y cwlwm neu'r berthynas rhwng y gwrthrych a'r eitem ieithyddol. Nid oes rhaid i ferch fod ar gyfyl y cwmni o gwbl; y mae'r cwlwm sy'n bod rhwng yr eitem ieithyddol *lefren* a'r gwrthrych yn peri bod hynny'n ddianghenraid. Trwy ddefnyddio'r eitem *lefren* i gynrychioli'r gwrthrych , y mae'r siaradwr wedi peri i'w wrandawr feddwl am yn union fel petai merch o gig a gwaed yn bresennol. Y mae'r cwlwm arferol sy'n bodoli rhwng eitem ac elfen o thesis yn galluogi siaradwr i drosglwyddo i wrandawr wybodaeth ynglŷn â'r pwnc neu'r gwrthrych sydd dan sylw ganddo.

Yn ail, y mae, yn ogystal, gwlwm rhwng yr eitem ieithyddol *lefren* ac elfen o sefyllfa uniongyrchol. Pan ddefnyddir yr eitem ieithyddol *lefren* dynodir sefyllfa anffurfiol etc. Pan fo arwyddion cyffelyb eraill o ddiffyg ffurfioldeb yn y sefyllfa — boed y rheini'n arwyddion ieithyddol neu'n arwyddion corfforol megis ystum neu osgo arbennig — yna y mae'r defnydd o *lefren,* fel yn y darn a ddyfynnwyd o'r ddrama, yn ateg ychwanegol i hynny. Ond gellid dychmygu defnyddio *lefren* mewn sefyllfa lle na fu, hyd at amser defnyddio'r eitem ieithyddol honno, yr un arwydd arall o sefyllfa anffurfiol. Mewn achos o'r fath byddai'r eitem ieithyddol yn cyfleu gwybodaeth newydd. Gan fod cwlwm, gan amlaf, rhwng yr eitem ieithyddol *lefren* a sefyllfa anffurfiol bydd yr eitem anffurfiol yn cyflwyno elfen anffurfiol i'r sefyllfa uniongyrchol, er bod y sefyllfa hyd at hynny, wedi bod o bosibl yn sefyllfa hollol ffurfiol. Bydd siaradwr weithiau yn arfer, yn bwriadol arfer, eitem ieithyddol anffurfiol mewn sefyllfa ffurfiol er mwyn arwyddo i'w wrandawyr ei fod am i'r sgwrs ddilyn trywydd llai ffurfiol.

Y mae cwlwm yn ogystal rhwng yr eitem ieithyddol *lefren* ac elfen o sefyllfa ehangach. Fe'i defnyddir gan amlaf, fe ymddengys, gan y genhedlaeth ifanc mewn rhan o ogledd Cymru wrth gyfeirio at aelodau benyw o'r un genhedlaeth;

y mae'r cwlwm sy'n bod rhwng yr eitem ieithyddol ac elfen o sefyllfa ehangach yn peri bod yr eitem yn cyfleu gwybodaeth ynglŷn â chefndir y siaradwr.

Y mae cwlwm felly rhwng yr eitem ieithyddol *lefren* ac israniadau sefyllfa. Dyma'r cylymau sy'n galluogi *lefren* i gyfrannu tair uned wahanol o wybodaeth. Gyda'i gilydd ffurfiant gyfanswm y wybodaeth a gyfleir gan yr eitem ieithyddol.

Y mae'r holl ffurfiau a nodwyd uchod yn enghreifftio'r cwlwm rhwng eitemau geiriol ac elfennau sefyllfa. Ond y mae gan lefelau eraill iaith berthynas ag elfennau sefyllfa. Er enghraifft gellir cwlwm rhwng ffonoleg ac ystyr, pan ddefnyddir eitemau megis *bang, tw-whit tw-hw,* eitemau sydd i ryw raddau o leiaf, yn atgynhyrchu neu'n cynrychioli'r sain a gysylltir â'r gair, sain yr elfen o sefyllfa. Digwydd ar ddechrau cerdd Emrys Roberts 'Yn y Roced',[17]

> 3, 2, 1, 0
> Pawb i eistedd yn llonydd,
> Woooossh,
> Ac i fyny a ni!

Ac yng ngherdd Gwyn Thomas 'Noson Tân Gwyllt',[18]

> Troi, troi — oi -oi -oi
> Olwyn Catrin wen yn whiw whiw whiwian
> Gwreichion arian, arian.

Weithiau ceir cwlwm uniongyrchol rhwng orgraff a sefyllfa fel yn y cerddi isod a ymddangosodd yn y cylchgrawn *Pair*[19] yn nechrau'r saithdegau. Yn y naill trefnwyd llinellau ar ffurf gofynnod, ac ar ddiwedd y gerdd holir cwestiwn; pren pysl mwncïod oedd rhan o'r ysgogiad ar gyfer y llall a threfnwyd y llinellau ar ffurf canghennau coeden. Y mae'r orgraff, y defnydd ysgrifol, felly yn cyfrannu'n uniongyrchol at un agwedd ar ystyr y cerddi. Prin, at ei gilydd, yw enghreifftiau o'r fath.

Rhywbeth

Y mae
popeth yn ffoi rhag
rhywbeth. Oni welaf fi'r
môr yn ei
gwneud
hi am
y tir;
y coed
yn grwm
fel pe
baent yn
rhedeg;
a'r gwynt
ar sgri,
rhuthra
yn drên
drwy ei
gorsaf—
oedd yn
yr awyr.
Paham y
dyfalaf

ai llygaid
bleiddiaid
ai sêr sy
rhwng coed?

TOM PARRI JONES

Araucaria Imbricata

Ha!
Pren
Pysl
Mwncïod
Yn ein gerddi,
Er na welais i fwnci
Erioed yn pyslan o dan
Ei ganghennau bwaog amlbigog,
Stiff fel coleri starts y tadau
Fictoraidd a'i plannodd yn ein gerddi.

Da
Gwbod
Ei fod yr un
Mor bigog yn ei gynefin
Yng ngwlad yr Arauca ffyrnig,
Pren pysl concwerwyr o Sbaenwyr, rhyw
Ddraig goch werdd yn Neau America,
Pren
Cadw
Yr Arauca,
Noddfa isdrofannol
Gellioedd pigog anhydraidd
Yr Arauca tlawd a balch yn ymladd
Popeth ond hadau afiechydon Ewrop fawr;

Araucaria
Imbricata, ni
Fyddi'n bysl mwncïod
Fictoraidd i mi mwyach.

PRYS MORGAN

Y mae perthynas neu gwlwm yn ogystal rhwng gramadeg ac elfennau o thesis. Gellir cysylltu dosbarthau mewn gramadeg ag elfen o thesis. Gan amlaf y mae cwlwm rhwng eitemau o ddosbarth y ferf ac elfen o thesis y gellid ei disgrifio fel 'gweithred'. Yn y brawddegau,

gweryrodd y ceffyl
taniodd y gwn
gwichiodd y llygoden
cleciodd y drws

dynoda'r eitemau *gweryrodd, taniodd, gwichiodd, cleciodd* weithred o ryw fath; dyma'r elfen gyffredin yn eu hystyr.

Y mae cwlwm cyffelyb rhwng eitemau o ddosbarth yr enw ac elfen o thesis y gellid ei disgrifio fel 'cyfrannwr yn y weithred'. Dynoda *ceffyl, gwn, llygoden, drws* elfennau a all gyfranogi yn y weithred; dyma'r elfen gyffredin yn eu hystyr hwythau.

Ystyriwn ymhellach y brawddegau,

Gwnaeth baentiwr da
Paentiodd yn dda.

Digwydd yr eitem *paent* yn y ddwy frawddeg. Yn y naill frawddeg a'r llall gellir ei phriodoli i'r un elfen o thesis sef 'abl i liwio' neu rywbeth o'r fath. Perthyn y ddwy eitem, sut bynnag, i wahanol ddosbarthau gramadegol; yn y frawddeg gyntaf y mae'r eitem *paent* yn enw ond yn yr ail y mae'n ferf. O ran eu geireg gellir eu priodoli i'r un elfen o thesis ond o ran eu gramadeg perthynant i wahanol elfennau o thesis. Yn y frawddeg gyntaf perthyn *paent* i'r elfen o thesis 'cyfrannwr yn y weithred'; yn yr ail frawddeg perthyn *paent* i'r elfen o thesis 'gweithred'.

Cyfuniad o'r ystyr eiriol ac o'r ystyr ramadegol yw ystyr gyflawn yr eitem *paent*. Nid yr un ystyr yn hollol, felly, sydd i *paent* yn y ddwy frawddeg; er bod *paent* yn y ddwy frawddeg yn ymdebygu o ran eu geireg, nid oes iddynt yr un ystyr yn hollol gan eu bod yn wahanol o ran eu gramadeg.

YSTYR FFURFIOL

Ystyr gyd-destunol yw'r cwlwm neu'r berthynas rhwng eitem neu olyniad neu derm mewn system ieithyddol ac elfen o sefyllfa. Ystyr ffurfiol yw'r cwlwm neu'r berthynas rhwng eitem neu olyniad neu elfen mewn system ieithyddol, ac eitemau neu olyniadau neu dermau mewn systemau sy'n perthyn i'r un lefel ieithyddol. Mewn geiriau eraill, y berthynas rhwng elfennau ar yr un pwynt ar raddfa sylweddoliad yw ystyr ffurfiol.

Ystyr ffurfiol eitem eiriol yw ei gallu i gyd-ddigwydd a chyferbynnu ag eitemau geiriol eraill. Ystyr ffurfiol yr eitem eiriol *buwch*, er enghraifft, yw ei gallu i gyd-ddigwydd gyda *brefu, godro, llaeth, cyflo, corn, cader, cynffon* etc. a'i gallu i gyferbynnu ag eitemau megis *caseg, llo, hwch* etc. Byddai disgrifiad cyflawn o ystyr ffurfiol yr eitem eiriol *buwch* yn cynnwys rhestr gyflawn o'r holl eitemau eraill a allai gyd-ddigwydd ac a allai gyferbynnu â hi, ynghyd â gwybodaeth ynglŷn â pha mor debygol yw'r eitem *buwch* i gyd-ddigwydd a chyferbynnu â'r gwahanol eitemau ar y rhestr honno.

Ystyr ffurfiol eitem ramadegol yw ei gallu i gyd-ddigwydd ag eitemau gramadegol eraill, ei gallu i gyferbynnu ag eitemau gramadegol eraill, ei gallu i amnewid (*substitute*) ag eitemau gramadegol eraill. Mewn gramadeg y mae a wnelom, wrth gwrs, ag eitemau ffurfiol fel aelodau o ddosbarth ac nid fel eitemau unigol. Y mae ystyr ffurfiol yr eitem ramadegol *rhedodd*, er enghraifft, yn cynnwys ei gallu i gyd-ddigwydd gydag *ef, hi, Betsan, Rhys, y ferch, y plant* etc.; ei gallu i amnewid â *saethodd, canodd, ysgrifennodd* (ond i wrthsefyll amnewid â *Rhys, Betsan, ef, hi, oherwydd, mewn* etc.); ei gallu i gyferbynnu â *rhedaf, rhedwch* etc.

Ystyr ffurfiol eitem ffonolegol, fel yr awgrymwyd eisoes (gw. t.144), yw ei gallu i gyd-ddigwydd gydag *r, l* etc. a'i gallu i gyferbynnu â *b, t, d,* etc.

Ystyr ffurfiol iaith yw sylfaen ei hystyr gyd-destunol. Oherwydd gallu'r iaith i gyferbynnu a phatrymu'n ffurfiol y ffurfir y cwlwm rhwng iaith ac elfennau sefyllfa. Cyn y gall eitem ieithyddol hawlio bod cwlwm cyson rhyngddi ac elfen o sefyllfa rhaid i'r eitem honno gael ei chydnabod fel eitem ar wahân. Rhoddir iddi'r statws hwnnw wedi craffu ar sut y mae'n patrymu, ar sut y mae'n ymddwyn mewn cyfluniad ac ar sut y mae'n cyferbynnu.

Nod yr adran hon ar ei hyd oedd awgrymu sut y dylid mynd ati i ddechrau archwilio patrymau a chyferbynnu ffurfiol yr iaith, awgrymu fframwaith ar gyfer archwilio ei phatrymu ffurfiol; dechreuwyd yn ogystal ystyried y berthynas neu'r cwlwm rhwng eitemau ffurfiol yr iaith ac elfennau o sefyllfa; dechreuwyd, hynny yw, archwilio ei hystyr gyd-destunol gan geisio dangos sut y mae'r naill a'r llall yn dibynnu ar ei gilydd. Cyfres o elfennau yn dibynnu y naill ar y llall yw iaith.

NODIADAU

1. Gw. Sebeok, T. A. (1976), Vol, II, 543–54
2. Seiliwyd ar Scott *et al.* (1968), t. 9.
3. Gan ddilyn Fudge (1970), t. 91.
4. Gw. Thomas, A. R. (1966); Chomsky, N. and Halle, M. (1968).
5. Gw. Thorne, D. A. (1976), tt. 51–91.
6. Gw. Thorne, D. A. (1971), tt. 73–95.
7. Am ragor o enghreifftiau gw. Evans, D. S. (1951), t. 36, n.
8. Gw. Thurneysen, R. (1946), tt. 255–70.
9. Hamp, E. (1951).
10. Oftedal, M. (1962).
11. Thorne, D. A. (1976), tt. 103–26.
12. Gw. Halliday, M. A. K. (1961).
13. Seilwyd ar Berry, M. (1975), 29.
14. Ellis, J. (1966).
15. Jones, Rh. (1979), t. 86.
16. Gan ddilyn Berry, M. (1977), t. 109.
17. Daeth y daflen a'i cynhwysai o Swyddfa'r Urdd.
18. Thomas, G. (1978), tt. 55–6.
19. *Pair: Cylchgrawn Barddoniaeth,* Rhif 1 Haf 1972, 20; Rhif 2 Nadolig 1972, 72–3.

LLYFRYDDIAETH

O safbwynt astudio'r iaith Gymraeg y prif ganllawiau llyfryddol yw *Bibliotheca Celtica* a gyhoeddir gan Lyfrgell Genedlaethol Cymru, Aberystwyth; *The Year's Work in Modern Languages* a gyhoeddir gan The Modern Humanities Research Association (cynhwysir adran ar yr ieithoedd Celtaidd yng nghyfrol 7 (1935–6) ac yng nghyfrol 36–(1974–); *Studia Celtica* Cyfrol I– (1966–) 'Rhestr o lyfrau ac erthyglau ar yr ieithoedd Celtaidd a dderbyniwyd yn Llyfrgell Genedlaethol Cymru, Aberystwyth'. Cynhwysir adran ar yr ieithoedd Celtaidd yn ogystal yn *Linguistic Bibliography* a gyhoeddir gan The Modern Humanities Research Association. Ymgynghorwyd yn ogystal â'r gweithiau isod:

Abercrombie, D. (1967). *Elements of General Phonetics* (Edinburgh University Press, Edinburgh).

Ahlqvist, Anders (1979–80). 'The Three Parts of Speech of Bardic Grammar', *Studia Celtica,* XIV/XV, 12–17.

Akhmanova, O (1971). *Phonology, Morphonology, Morphology* (Mouton, The Hague).

Allen, W. S. (1953). *Phonetics in Ancient India* (Oxford University Press).

Anwyl, E. (dim dyddiad). 'Material for Preliminary Report of the Dialect Section of the Guild of Graduates', Llawysgrif Llyfrgell Genedlaethol Cymru 2492C.

Anwyl, E. (1901). 'Report of the Dialect Section of the Guild of Graduates', *Transactions of the Guild of Graduates of the University of Wales,* 33–52.

Awbery, G. (1976). *The Syntax of Welsh: A Transformational study of the Passive* (Cambridge University Press).

Baskin, W. (1960). *Course in General Linguistics* (Peter Owen, London, Fontana, 1974).

Berry, M (1975). *An Introduction to Systemic Linguistics: I, Structures and Systems* Batsford, London).

Berry, M. (1977). Introduction to Systemic Linguistics: II, Levels and Links (Batsford, London).

Bloch, B. and G. L. Trager (1942). *Outline of Linguistic Analysis* (Linguistic Society of America, Baltimore).

Bloomfield, L. (1933). *Language* (1969 edition, Unwin, London).

Boas, F. (1911–). *Handbook of American Indian Languages* (Washington).

Bolinger, Dwight (1968). *Aspects of Language* (Harcourt, Brace and World, New York).

Bowen, E. G. (1950–1). 'The Celtic Saints in Cardiganshire', *Ceredigion*, Cyf. 1, 3–17.

Bynon, Theodora (1977). *Historical Linguistics* (Cambridge University Press).

Chambers, J. K. and Trudgill, Peter (1980). *Dialectology* (Cambridge University Press).

Chomsky, N. (1964). *Syntactic Structures* (Mouton, The Hague).

Chomsky, N. (1966). *Cartesian Linguistics* (Harper and Row, London).

Chomsky, N. and Halle, M. (1968). *The Sound Pattern of English* (Harper and Row, New York).

Cohen, A. (1965). *The Phonemes of English* (2nd. printing; Martinus Nijhoff, The Hague).

Crystal, D. (1968). *What is Linguistics?* (Arnold, London).

Crystal, D. (1971). *Linguistics* (Penguin).

Crystal, D. (1982). *Linguistic Controversies* (Arnold, London).

Culler, J. (1976). *Saussure* (Fontana/Collins).

Darlington, T. (1900–1). 'Some Dialectal boundaries in mid-Wales', *Transactions of the Honourable Society of Cymmrodorion*, 1900–01, 13–39.

Davies, Alun Eirug (1973). *Traethodau Ymchwil Cymraeg a Chymreig 1887–1971* (Gwasg Prifysgol Cymru, Caerdydd).

Davies, Alun Eirug (1975–80). 'Traethodau Ymchwil ar Astudiaethau Celtaidd', *Studia Celtica*, X/XI, 426–53; XII/XIII, 430–60; XIV/XV, 404–30.

Davies, C. (1980). *Rhagymadroddion a Chyflwyniadau Lladin 1551–1632* (Gwasg Prifysgol Cymru, Caerdydd).

Dittmar, N. (1976). *Sociolinguistics* (Arnold, London).

Dixon, Robert M. W. (1965). *What is Language? A New Approach to Linguistic Description* (Longmans, London).

Ellis, J. (1966). 'On Contextual Meaning' yn Bazell, C. E., Catford, J. C., Halliday, M. A. K. Robins, R. H. (eds.). *In Memory of J. R. Firth*, 79–95 (Longmans, London).

Elsie, Robert William (1979). *The Position of Brittonic: A Synchronic and Diachronic Analysis of Genetic Relationships in the Basic Vocabulary of Brittonic Celtic*. Inaugural-Dissertation zur Erlangung der Doktorwürde der Philosophischen Facultat der Rheinischen Friedrich-Wilhelms — Universität zu Bonn.

Emery, F. V. (1958). 'A Map of Edward Lhuyd's *Parochial Queries* (1696)', *Transactions of the Honourable Society of Cymmrodorion*, 45–57.

Emery, F. V. (1971). *Edward Lhuyd F. R. S. 1660–1709* (Gwasg Prifysgol Cymru, Caerdydd).

Edmont E. (1897). *Lexique Saint-Polois* (L'Auteur, Saint-Pol).

Edmont E. (1914–15). *Atlas Linguistique de la Corse* (Champion, Paris).

Emmanuel, H. (1972). 'Geiriaduron Cymraeg 1547–1927', *Studia Celtica,* VII, 141–54.

Evans, D. Simon (1951). *Gramadeg Cymraeg Canol* (Gwasg Prifysgol Cymru, Caerdydd).

Fischer, J. L. (1958). 'Social Influences on the Choice of a Linguistic Variant', *Word,* 14.

Fowkes, R. A. (1971). 'Glottochronology and Brythonic', *Studia Celtica,* VI, 189–94.

Fowler, R. (1974). *Understanding Language: An Introduction to Linguistics* (Routledge & Kegan Paul, London).

Francis, W. N. (1978). Review of Orton and Wright (1974), *American Speech,* 53, 221–31.

Francis, W. N. (1983). *Dialectology: An Introduction* (Longman, London and New York).

Fromkin, Victoria A. (ed.) (1978). *Tone: A Linguistic Survey* (Academic Press Inc., London).

Fudge, Eric C. (1970). 'Phonology' yn Lyons (1970), 76–95.

Fudge, Eric C. (1973). *Phonology: Selected Readings* (Penguin, London).

Fynes-Clinton, O. H. (1910). Llythyr anghyoeddedig at yr Athro Edward Anwyl, dyddiedig 12 Mawrth 1910. Llawysgrif Llyfrgell Genedlaethol Cymru 2504D.

Fynes-Clinton, O. H. (1913). *The Welsh Vocabulary of the Bangor District* (Oxford University Press).

Fynes-Clinton, O. H. (1925). 'Davies' Latin-Welsh Dictionary', *Bwletin y Bwrdd Gwybodau Celtaidd.* Cyf. II, Rhan IV, 311–19.

Gilbert, G. G. (1980). *Pidgin and Creole Languages, Selected Essays by Hugo Schuchardt* (Cambridge University Press, Cambridge).

Gilliéron, J. et E. Edmont (1902–10). *Atlas Linguistique de la France* (Champion, Paris).

Gimson, A. C. (1962). *An Introduction to the Pronunciation of English* (Arnold, London).

Green, E. and Green, R. (1971). 'Place Names and Dialects in Massachusetts: Some Complementary Patterns', *Names,* 19, 240–51.

Griffith, J. (1902). *Y Wenhwyseg: A Key to the Phonology of the Gwentian Dialect* (J. E. Southall, Newport, Mon.).

Griffith, T. Gwynfor (1953). 'De Italica Pronunciatione', *Italian Studies,* viii, 71–82.

Gruffydd, R. Geraint (1971). 'The Life of Dr. John Davies of Brecon', *Transactions of the Honourable Society of Cymmrodorion,* 281–96.

Hall, Jnr. R. A. (1963). *Idealism in Romance Linguistics* (Cornell University Press, New York).

Hall, Jnr. R. A. (1964). *Introductory Linguistics* (Chilton Books, Philadelphia).

Halliday, M. A. K. (1961). 'Categories of the Theory of Grammar', *Word,* 17, 241–92. Reprinted in Kress (1976), 52–72.

Halliday, M. A. K., McIntosh, A. and Strevens, P. D. (1964). *The Linguistic Sciences and Language Teaching* (Longmans, London).

Halliday, M. A. K. (1973). *Explorations in the Functions of Language* (Arnold, London).

Halliday, M. A. K. (1980). 'An Interpretation of the Functional Relationship between Language and Social Structure' yn Pughe, A. K., Lee, V. J. and Swann, J., *Language and Language use* (Heinemann in association with the Open University Press, London).

Hamp, E. (1951). 'Morphophonemes of the Keltic Mutations', *Language,* 27, 230–46.

Houston, Susan H. (1972). *A Survey of Psycholinguistics* (Mouton, The Hague).

Huddleston, R. D., Hudson, R. A., Winter, E. O. and Henrici, A. (1968). *Sentence and Clause in Scientific English* (University College, London, mimographed).

Hudson, R. A. (1971). *English Complex Sentences: An Introduction to Systemic Grammar* (North Holland Publishing Company).

Hughes, G. H. (1951). *Rhagymadroddion 1547–1659* (Gwasg Prifysgol Cymru, Caerdydd).

Hughes, R. Elwyn (1981). *Darwin* (Y Meddwl Modern) (Gwasg Gee, Dinbych).

Iordan, I. (1970). *An Introduction to Romance Linguistics, its Schools and Scholars* (a transl. by John Orr of *Introducere in studiul limbilor romanice*); rev., with a supplement, *Thirty Years on* by R. Posner. (Blackwell, Oxford).

Ivic, M. (1970). *Trends in Linguistics* (Mouton, The Hague).

Jaberg, K., Jud, J. (1928–40). *Sprach- und Sachatlas Italiens und der Südschweiz* (Ringier, Zofingen).

Jankowsky, Kurt R. (1972). *The Neogrammarians* (Mouton, The Hague).

Jenkins, R. T. (1933). 'John Peter (Ioan Pedr), 1883–1867', *Journal of the Welsh Bibliographical Society,* IV, 137–68.

Jochnowitz, G. (1973). *Dialect Boundaries and the Question of Franco-Provençal* (Mouton, The Hague).

Jones, D. (1950). *The Phoneme, Its Nature and Use* (Heffer, Cambridge).

Jones, D (1950). *An Outline of English Phonetics* 7th ed. (Heffer, Cambridge).

Jones, E. D. (1955). 'Thomas Lloyd y Geiriadurwr' *Cylchgrawn Llyfrgell Genedlaethol Cymru,* Cyf. IX, Rhif 2, 180–87.

Jones, J. (Myrddin Fardd) (1907). *Gwerin-Eiriau Sir Gaernarfon.* (Pwllheli). Yn 1979 cyhoeddwyd atgynhyrchiad trwy lun gyda nodiadau ychwanegol gan Bruce Griffiths.

Jones, M. and Thomas, A. R. (1977). *The Welsh Language: Studies in its Syntax and Semantics.* (University of Wales Press, Cardiff).

Jones, R. Brinley (1970). *The Old British Tongue: The Vernacular in Wales 1540–1640* (Avalon Books, Cardiff).

Jones, R. M. (1974). *Tafod y Llenor* (Gwasg Prifysgol Cymru, Caerdydd).

Jones, Rowland (1764). *The Origin of Language and Nations* (J. Hughes, London).

Jones, Rhydderch (1979). *Mewn Tri Chyfrwng* (Gomer, Llandysul).

Jones, R. O. (1976). 'Cydberthynas Amrywiadau Iaith a Nodweddion Cymdeithasol yn y Gaiman Chubut — Sylwadau Rhagarweiniol', *Bwletin y Bwrdd Gwybodau Celtaidd,* Cyf. XXVII, Rhan I, 51–64.

Jones, T. G. (1921–2). 'The Welsh Bardic Vocabulary', *Bulletin of the Board of Celtic Studies, Vol. I, Part IV, 310–33; Vol. II, Part II, 135–48; Part II, 229–42.*

Jones, T. G. (1934). 'Gwnawn inni Fap newydd o Gymru yn Dangos y Tafodieithoedd', *Y Ford Gron,* Cyf. V, Rhif 1, 3–4.

Koerner, F. K. (1973). *Ferdinand de Saussure, Origin and Development of his Linguistic Thought in Western Studies of Language* (Viewig, Braunsdrweig).

Kempson, Ruth M. (1977). *Semantic Theory* (Cambridge University Press).

Kress, Gunther (1976). *Halliday: System and Function in Language* (Oxford University Press, London).

Kurath, H. (1939–43). *Linguistic Atlas of New England* (Brown University Press, Providence).

Kurath, H. (1949). *Word Geography of the Eastern United States* (University of Michigan Press, Ann Arbor).

Kurath, H. (1972). *Studies in Area Linguistics* (Indiana University Press, Bloomington).

Labov, W. (1966). *The Social Stratification of English in New York City* (Center for Applied Linguistics, Washington).

Labov, W. (1972a). *Language in the Inner City* (University of Pennsylvania Press).

Labov, W. (1972b). *Sociolinguistic Patterns* (University of Pennsylvania Press).

Labov, W. (1979a). 'A Sociolinguistic Approach to Normalization', Ninth International Congress of Phonetic Sciences, Proceedings Vol. I, 441 (Copenhagen).

Labov, W. (1979b). 'The Social Origins of Sound Change', Ninth International Congress of Phonetic Sciences, Proceedings Vol. II, 212–21 (Copenhagen).

Ladefoged, P. (1975). *A Course in Phonetics* (Harcourt, Brace and Jovanovich, New York).

Lambert, P-Y. (1966–77). 'Les Grammaires Bretonnes Jusqu'en 1914' *Études Celtiques,* XV, Fascicule I, 229–88.

Lambert, P-Y. (1979). 'Les Grammaires Bretonnes: Addition au Tome XV', *Études Celtiques,* XVI, Fascicule I, 234–6.

Law, Vivien (1981). 'Malsachanus Reconsidered: A Fresh Look at a Hiberno-Latin Grammarian', *Cambridge Medieval Celtic Studies,* Number 1, 83–93.

Leech, Geoffrey (1966). *English in Advertising* (Longmans, London).

Leech, Geoffrey (1974). *Semantics* (Pelican).

Lehmann, W. P. (1964). *Historical Linguistics: An Introduction* (Holt, Rinehart and Winston, New York).

Lehmann, W. P. (1967). *A Reader in Nineteenth-Century Historical Indo-European Linguistics* (Indiana University Press, Bloomington).

Leroy, M (1967). *The Main Trends in Modern Linguistics* (Basil Blackwell, Oxford).

Lewis, A. (1969). *Agweddau ar Hanes Dysg Gymraeg* (Gwasg Prifysgol Cymru, Caerdydd).

Lewis, S. (1967). *Gramadegau'r Penceirddiaid* (Gwasg Prifysgol Cymru, Caerdydd).

Lockwood, W. B. (1969). *Indo-European Philology: Historical and Comparative* (Hutchinson, London).

Lyons, J. (1970). *Chomsky* (Fontana, London).

Lyons, J. (1970). *New Horizons in Linguistics* (Pelican, London).

Lyons, J. (1977). *Semantics* (Cambridge University Press).

Lyons, J. (1981). *Language and Meaning* (Fontana).

Malmberg, B. (1963). *Phonetics* (Dover Publications, New York).

Martinet, André (1952). 'La dialectologie, Aperçu historique et méthodes d' enquêtes linguistiques', Sever Pop Louvain: chez l'auter, 1950, *Word,* Vol. 8, No. 3 260–2.

Milewski, T. (1973). *Introduction to the Study of Language* (Mouton, The Hague).

Milroy, L. (1980). *Language and Social Networks* (Basil Blackwell, Oxford).

Mitzka, W. (1952). *Handbuch zum Deutschen Sprachatlas* (Marburg).

Mitzka, W. and Schmidt, L. E. (1953–). *Deutsche Wortatlas* (Schmitz, Giessen).

Morgan, Prys (1981). *The Eighteenth-Century Renaissance* (A New History of Wales) (Christopher Davies, Llandybïe).

Morgan, R. (1970). *The Regional French of County Beauce* (Mouton, The Hague).

Morris-Jones, J. (1913). *A Welsh Grammar: Historical and Comparative* (Oxford University Press).

Morris-Jones, J. (1925). 'Sir John Rhŷs Memorial Lecture. Inaugural Lecture. (From *The Proceedings of the British Academy,* London).

Morris, Rupert H. (1911) (ed.). 'Paracholia Being a Summary of Answers to Parochial Queries in order to a Geographical Dictionary etc., of Wales issued by Edward Lhuyd', *Archaeologia Cambrensis,* Special Publication.

Morris, W. M. (1910). *A Glossary of the Demetian Dialect of North Pembrokeshire* (Evans and Short, Tonypadny).

Muir, J. (1972). *A Modern Approach to English Grammar* (Batsford, London).

O'Connor, J. D. (1971). *Phonetics* (Pelican).

Ó'Cuív, B. (1965). 'Linguistic Terminology in the Medieval Irish Bardic Tracts', *Transactions of the Philological Society,* 1965, 141–64.

Oftedal, M. (1962). 'A Morphemic Evaluation of the Celtic Initial Mutations', *Lochlann,* 2, 93–102.

Orton, H. and Wright, N. (1975). *Word Geography of England* (Seminar Press, London).

Orton, H., Sanderson, S. and Widdowson, J. (1978). *Linguistic Atlas of England* (Croom Helm, London).

Palmer, F. R. (1968) (ed.) *Selected Papers of J. R. Firth 1952–9* (Longmans, London).

Palmer, F. R. (1970). *Prosodic Analysis* (Oxford University Press).

Palmer, F. R. (1976). *Semantics a New Outline* (Cambridge University Press).

Parry, T. (1931–3). 'Gramadeg Siôn Dafydd Rhys', *Bwletin y Bwrdd Gwybodau Celtaidd*, Cyf. VI, Rhan I, 55–62; Rhan III, 225–31.

Pedersen, H. (1962). *The Discovery of Language: Linguistic Science in the 19th Century (transl. by Jpargo, J. W.; Indiana University Press, Bloomington; first publ. 1931).*

Pedersen, Lee A. (1971). 'Southern Speech and the LAGS Project', *Orbis*, 20, 79–89.

Pedersen, Lee A and McDavid, R. I. *et al.* (1972). *A Manual for Dialect Research in the Southern States* (Georgia State University, Atlanta).

Petyt, K. M. (1980). *The Study of Dialect: An Introduction to Dialectology* (Andre Deutsch, London).

Petyt, K. M. (1982). 'Who is Really Doing Dialectology?', yn Crystal (1982), 192–208.

Pickford, G. R. (1956). 'American Linguistic Geography: a Sociological Appraisal', *Word* 12, 211–33.

Pierce, T. Jones (1956–9). 'Medieval Cardiganshire — a Study in Social Origins', *Ceredigion* Cyf. 3, 265–83.

Pike, K. L. (1943). *Phonetics* (University of Michigan Press, Ann Arbor).

Pike, K. L. (1947). *Phonemics: A Technique for Reducing Languages to Writing* (University of Michigan Press, Ann Arbor).

Pop, S. (1950). *La dialectologie: Aperçu historique et méthodes d'enquêtes linguistiques*, Vol. I: *Dialectologie romane;* Vol. II, *Dialectologie non romane* (Centre Internationale de Dialectologie Générale, Louvain).

Rhŷs, J. (1877a). 'The Rev. John Peter F. G. S. (Ioan Pedr)', *Cymmrodor*, i, 130–4.

Rhŷs, J. (1877b). *Lectures on Welsh Philology* (Trubner, London; 2nd. edition 1879).

Rhŷs, J. (1878). Adolygiad o *Zur Geschichte des indogermanischen Vocalismus* Von Johannes Schmidt yn *The Academy*, 13 July 1878, 41–2.

Rhŷs, J. (1897). Llythyr anghyoeddedig at yr Athro Edward Anwyl dyddiedig 12 Ebrill 1897, Llawysgrif Llyfrgell Genedlaethol Cymru 2492C.

Rhŷs, J. (1903). 'Pembrokeshire Welsh', *The Pembroke County Guardian*, 17 Dec.

Richards, Melville (1960). 'The Irish Settlements in South-West Wales', *Journal of the Royal Society of Antiquaries of Ireland*, Cyf. XC, Rhan 2, 133–62.

Richards, Melville (1969). *Welsh Administrative and Territorial Units* (University of Wales Press, Cardiff).

Richards, Melville (1960–3). 'Local Government in Cardiganshire, Medieval and Modern', *Ceredigion*, Cyf. 4, 272–82.

Roberts, Brynley F. (1980). *Edward Lhuyd The Making of a Scientist,* Darlith Goffa G. J. Williams (University of Wales Press, Cardiff).

Robins, R. H. (1965). *General Linguistics: An Introductory Survey* (Longmans, London; 2nd, ed. 1971, 3rd ed. 1980).

Robins, R. H. (1969). *A Short History of Linguistics* (Longmans, London; 2nd. ed. 1979).

Robins, R. H. (1973). 'The History of Language Classification' yn *Current Trends in Linguistics II,* Sebeok, T. A. (ed.) 3–41 (Mouton, The Hague).

Romaine, Suzanne (ed.) (1982). *Sociolinguistic Variation in Speech Communities* (Arnold, London).

Sapir, E. (1921). *Language: an introduction to the study of speech* (Harvest Books, New York).

Scheuremeier, Paul (1943, 1956). *Bauernwerk in Italien, der italienischen und rätoromanischen Schweiz Eine sprach- und sachkund-liche Darstellung landwirtschaftlicher Arbeiten und Geräte. Sprach- und Sachatlas Italiens und der Südschweiz: Illustrationsband I* Erlenbach — (Rentsch, Zurich, 1943) ac *Eine sprach- und sachkundliche Darstellung häuslichen Lebens und ländlicher Geräte. Sprach- und Sachatlas Italiens und der Südschweiz: Illustrationsband II* (Stämpfli & Cie., Bern, 1956).

Schmeller, J. A. (1821). *Die Mundarten Bayerns, grammatisch dargestellt* (Thienemann, Munich).

Schuchardt, Hugo (1877). Adolygiad o Rhŷs (1877) yn *Literarisches Zentralblatt,* No. 37, 1250–5.

Scott, F. S., Bowley, C. C., Brockett, C. S., Brown, J. G. and Goddard, P. R. (1968). *English Grammar: A Linguistic Study of its Classes and Structures* (Heinemann, London).

Sebeok, T. A. (1973). 'Diachronic, Areal and Typological Linguistics', *Current Trends in Linguistics',* Vol. 11, 355–67 (Mouton, The Hague).

Sebeok, T. A. (1976). *Portraits of Linguists: A Biographical Source Book for the History of Western Linguistics,* 1764–1963, 2 vols. (Greenwood Press, Westport, Connecticut).

Slobin, Dan I. (1974). *Psycholinguistics* (Scott, Foresman and Company, London).

Smith, P. (1976). *Houses of the Welsh Countryside* (HMSO).

Sommerfelt, A. (1925). *Studies in Cyfeiliog Welsh: A Contribution to Welsh Dialectology* (Oslo).

Spitzer, L. (1928). *Hugo Schuchardt-Brevier* (Max Niemeyer Verlag, Halle).

Stubbs, Michael (1983). *Discourse Analysis* (Basil Blackwell, Oxford).

Sweet, H. (1877). *Handbook of Phonetics* (Clarendon Press, Oxford).

Sweet, H. (1882–4). 'Spoken North Welsh', *Transactions of the Philological Society,* 409–84.

Sweet, H. (1890). *A Primer of Phonetics* (Clarendon Press, Oxford).

Thomas, A. R. (1966). 'Systems in Welsh Phonology', *Studia Celtica,* Cyf. I, 93–127.

Thomas, A. R. (1967). 'Generative Phonology in Dialectology', *Transactions of the Philological Society,* 179–203.

Thomas, A. R. (1973). *The Linguistic Geography of Wales: A Contribution to Welsh Dialectology (University of Wales Press, Cardiff).*

Thomas, A. R. (1974). 'Tafodieithoedd' yn Bowen, G. (gol.) Atlas Meirionnydd, (Y Bala), 198–9.

Thomas, A. R. (1978). 'Dialect Mapping and Models of Pronunciation', *International Dimensions of Bilingualism,* Proceedings of the 29th Annual Georgetown Round Table on Languages and Linguistics.

Thomas, A. R. (1980a). *Areal Analysis of Dialect Data by Computer: A Welsh Example* (University of Wales Press, Cardiff).

Thomas, A. R. (1980b). 'A Lowering Rule for Vowels, and its Ramifications, in a Dialect of North Wales', *Word,* Vol. 31, No. 1, 15–32.

Thomas, A. R. (1982). 'Change and Decay in Language', yn Crystal (1982), 209–19.

Thomas, B. (1980). 'Cymrêg, Cymraeg: Cyweiriau Iaith Siaradwraig o Ddyffryn Afan', *Bwletin y Bwrdd Gwybodau Celtaidd,* Cyf. XVIII, Rhan IV, Mai 1980, 579–92.

Thomas, B. (1981). 'Linguistic and Non-linguistic Boundaries in Clwyd', *Cardiff Working Papers in Welsh Linguistics,* 1, 60–71 (National Museum of Wales, Cardiff).

Thomas, C. H. (1975–6). 'Some Phonological Features of Dialects in South-east Wales; *Studia Celtica,* Cyf. X/XI, 345–66.

Thomas, C. H. (1982). 'Registers in Welsh', *International Journal of the Sociology of Language,* Vol. 35, 87–115.

Thomas, Gwyn (1978). *Croesi Traeth* (Gwasg Gee, Dinbych).

Thorne, David A. (1971). 'Astudiaeth Seinyddol a Morffolegol o Dafodiaith Llangennech', Traethawd M.A. Prifysgol Cymru yn Llyfrgell Genedlaethol Cymru.

Thorne, David A. (1974). Adolygiad o Thomas, A. R. (1973), *Trivium,* Cyf. 9, 178–80.

Thorne, David A. (1975). 'Arwyddocâd y Rhagenwau Personol Ail Berson Unigol ym Maenor Berwig, Cwmwd Carnwyllion', *Studia Celtica,* Cyf. X/XI, 383–7.

Thorne, David A. (1976). Astudiaeth gymharol o Ffonoleg a Gramadeg Iaith Lafar y Maenorau oddi mewn i Gwmwd Carnwyllion yn Sir Gaerfyrddin', Traethawd Ph.D. Prifysgol Cymru yn Llyfrgell Genedlaethol Cymru.

Thorne, David A. (1977). 'Arwyddocâd y Rhagenwau Personol Ail Berson Morgannwg); Hebron (Dyfed) a Charnhedryn (Dyfed)', *Bwletin y Bwrdd Gwybodau Celtaidd,* Cyf. XXVII, Rhan III, 389–98.

Thorne, David A. (1983). 'Hugo Schuchardt (1842–1927) — Rhai o Ddolenni Cymreig y Rhwydwaith' *Y Traethodydd* Ebrill 1983, 91–100.

Thurneysen, Rudolph (1946). *A Grammar of Old Irish* (Dublin Institute for Advanced Studies, reprinted 1961).

Trubetzkoy, N. S. (1968). *Introduction to the Principles of Phonological Descriptions* (Martinus Nijhoff, The Hague).

Trudgill, P. (1974a). *The Social Differentiation of English in Norwich* (Cambridge University Press).

Trudgill, P. (1974b). *Sociolinguistics: An Introduction* (Penguin).

Trudgill, P. (1974c). 'Linguistic Change and Diffusion: Description and Explanation in Sociolinguistic Dialect Geography', *Language in Society,* Vol. 3, 215–46.

Trudgill, P. (1975). 'Linguistic Geography and Geographical Linguistics', in C. Board *et al.* (eds.), *Progress in Geography,* VII (Edward Arnold, London).

Trudgill, P. (ed.) (1978). *Sociolinguistic Patterns in British English* (Arnold, London).

Uhlig, G. (1883). *Grammatici Graeci,* Vol. I (Leipzig).

Vennemann, Th. and Wilbur, T. H. (1972). *Schuchardt, the Neogrammarians and the Transformational Theory of Phonological Change* (Athenäum, Frankfurt).

Viereck, W. (1973). 'The Growth and Present State of Dialectology', *Journal of English Linguistics,* Vol. 7, 69–86.

Wade-Evans, A. W. (1903). 'Fishguard Welsh: Cwmrag Abergwaun', *The Pembroke County Guardian,* 17 Dec, 5; 24 Dec., 7; 31 Dec., 5; 14 Jan. (1904), 5; 21 Jan. (1904), 5. Ceir torion o'r nodiadau hyn gydag ychwanegiadau llawysgrif (llawysgrif Titus ac Elizabeth Evans rhif 55, tt. 65, 67, 69, 71, 73, 75, 77, 79–83, 85, a llawysgrif arall heb ei rhifo a gedwir gyda llawysgrifau Titus ac Elizabeth Evans tt. 13–19), ynghyd â nodiadau llawysgrif ar y dafodiaith (ceir y rhain yng nghasgliad A. W. Wade-Evans, parsel 4, Llyfrgell Genedlaethol Cymru).

Wade-Evans, A. W. (1905). 'Carmarthenshire Dialects', *Carmarthenshire Antiquarian Society Transactions,* Vol. I, 57.

Wakelin, M. F. (ed.) (1972). *Patterns in the Folk Speech of the British Isles* (Athlone, London).

Wallwork, J. F. (1969). *Language and Linguistics: An Introduction to the Study of Language* (Heinemann, London).

Watkins, T. A. (1961). *Ieithyddiaeth: Agweddau ar Astudio Iaith* (Gwasg Prifysgol Cymru, Caerdydd).

Wells, R. S. (1947). 'De Saussure's System of Linguistics', *Word,* 3, 1–31. Ceir adargraffiad yn *Language,* 94. The Bobbs-Merrill Reprint Series in Language and Linguistics.

Williams, G. J. (1930). *Egluryn Ffraethineb sef Dosbarth ar Retoreg* (Henri Perri) (Gwasg Prifysgol Cymru, Caerdydd).

Williams, G. J. a Jones, E. J. (1934). *Gramadegau'r Penceirddiaid* (Gwasg Prifysgol Cymru, Caerdydd).

Williams, G. J. (1939). *Gramadeg Gruffydd Robert* (Gwasg Prifysgol Cymru, Caerdydd).

Williams, G. J. (1961). 'Edward Lhuyd', *Llên Cymru,* Cyf. VI, Rhif 3 a 4, 122–8.

Williams, G. J. (1964). *Edward Lhuyd ac Iolo Morganwg* (Amgueddfa Genedlaethol Cymru, Caerdydd).

Wrede, F. and Mitzka, W. (1926–56). *Deutsche Sprachatlas* (Elwert, Marburg).

MYNEGAI